Ingrandimenti

Silvio Berlusconi

DISCORSI
PER LA DEMOCRAZIA

MONDADORI

Dello stesso autore

in edizione Mondadori

L'Italia che ho in mente

Inserto fotografico a cura di Mity Simonetto

Foto di Pino Farinacci, Rudy Frey, Maki Galimberti, Mauro Galligani,
Giorgio Lotti, Sandro Rossi, Antonio Scattolon

I titoli dei capitoli di questo libro sono stati curati da Sandro Bondi.

http://www.mondadori.com/libri

ISBN 88-04-49420-4

A Marina, Pier Silvio, Barbara, Eleonora, Luigi

Indice

Introduzione

Gli interventi raccolti in questo libro, che ho voluto intitolare Discorsi per la democrazia, scandiscono e documentano il periodo di transizione della nostra storia repubblicana che è succeduto alla cosiddetta «rivoluzione giudiziaria».

Dal mio discorso programmatico alle Camere del maggio 1994 fino all'ultimo dibattito del novembre 2000, c'è tutto il percorso di un periodo storico durante il quale i principi fondamentali della democrazia sono stati violati e piegati a interessi di parte, i diritti dei cittadini sono stati diminuiti e conculcati, la volontà degli elettori è stata dimenticata e tradita, il governo del Paese è stato consegnato a chi non aveva ricevuto nessuna legittimazione elettorale, e quindi nessuna legittimazione politica e morale.

Tutti i miei discorsi in Parlamento riflettono questa drammatica realtà e hanno come filo conduttore l'imperativo di tornare a un corretto svolgersi della vita democratica, per porre fine a una cultura e a una pratica politica che ha rispettato soltanto nella forma, ma non nella sostanza, le regole irrinunciabili della democrazia.

In ciascuno dei miei interventi ribadisco tenacemente un concetto: la democrazia tornerà solo quando tornerà a valere la reale volontà del popolo, il voto liberamente espresso dagli elettori e fedelmente rispettato dagli eletti.

Questo libro documenta anche la «traversata del deserto» che ci ha impegnato in modo incessante, assoluto e perfino doloroso, dal 1994 a oggi, in un duro lavoro di opposizione in Parlamento e di dialogo costante con i cittadini nel Paese. Sono state infinite e quasi senza interruzioni, in questi anni, le prove elettorali per le amministrazioni locali, per l'Europa, per i referendum che abbiamo sostenuto e vinto affinché non si spegnesse la fiamma della libertà e Forza Italia, con la coalizione resa più ampia e più ricca con il passaggio dal Polo alla Casa delle libertà, continuasse a esistere, a resistere e a crescere per tenere in vita la concreta speranza di una alternanza e di un cambiamento.

Già questo è stato un miracolo vero, un miracolo che si perfezionerà con la riconquista e il ripristino di una piena ed effettiva democrazia quando sarà concessa finalmente agli italiani la possibilità di votare e di decidere, con il loro voto, da chi vogliono essere governati.

Ogni passaggio di questi discorsi è permeato dal rispetto profondo, quasi sacrale, che sento nei confronti del Parlamento come massima istituzione della sovranità popolare.

Questo sentimento mi ha spinto a preparare i miei interventi parlamentari, sin da quello di insediamento del mio primo governo, in modo diverso rispetto a quello consueto dei discorsi «a braccio» per i quali ho sempre utilizzato la tecnica della «scaletta» lasciando al contatto immediato con gli ascoltatori, alle loro reazioni, all'atmosfera dell'incontro la scelta delle espressioni, delle aggettivazioni, delle iterazioni, del tono e del ritmo dell'intervento.

Questi trentuno discorsi e i tre interventi pronunciati in occasione delle grandi manifestazioni popolari di Forza Italia sono il risultato di un lavoro accurato e di un'attenzione ai particolari quasi spasmodica. Ho corretto e ricorretto, ho precisato e limato sino all'ultimo momento ogni passaggio, ogni concetto, ogni parola, ogni sfumatura.

L'obiettivo costante è stato quello di una limpida chiarezza utilizzando un linguaggio semplice ma solenne nel tono, il più lontano possibile dagli stereotipi e dalla retorica della politica politicante.

Ogni testo è stato discusso con i miei più vicini collaboratori, Gianni Letta e Paolo Bonaiuti, e poi riletto criticamente con i presidenti dei gruppi parlamentari di Forza Italia Beppe Pisanu ed Enrico La Loggia. A loro va il mio più affettuoso e riconoscente ringraziamento.

Chi avrà la pazienza di leggere anche solo alcuni di questi discorsi potrà valutare, infine, la continuità e la coerenza della mia azione politica e dei miei progetti per cambiare l'Italia, e potrà comprendere meglio le ragioni profonde che mi hanno spinto a mettere la mia esperienza di uomo del fare, le mie energie e tutto me stesso al servizio del mio Paese e dei miei concittadini che, come me, hanno avuto la fortuna di nascere, di vivere e di lavorare in questa nostra straordinaria terra e vogliono continuare a farlo da donne e da uomini liberi.

Silvio Berlusconi

Arcore, 31 gennaio 2001

Lavoreremo per realizzare, con il conforto
del Parlamento e nel dialogo con l'opposizione,
un programma che ha ottenuto la maggioranza
politico-elettorale del Paese

16 maggio 1994

Il 26 gennaio 1994, Silvio Berlusconi annuncia ufficialmente di voler «scendere in campo»: nasce Forza Italia. Il nuovo movimento, assieme al Centro cristiano-democratico e ad Alleanza nazionale, dà vita a un'alleanza moderata cui, più tardi, si unirà anche la Lega di Umberto Bossi: il Polo delle libertà e del buon governo, a cui si opporranno l'alleanza dei Progressisti, tutti i partiti di sinistra, e il Patto per l'Italia, una formazione nata dall'accordo fra il Patto Segni e il PPI. Il 27 e 28 marzo dello stesso anno, la maggioranza degli italiani vota per la nuova coalizione di centrodestra che vince così le prime elezioni con il nuovo sistema maggioritario «mitigato» (il 25 per cento dei seggi è assegnato su base proporzionale). Il 10 aprile, a Pontida, Bossi dà il via libera all'ingresso della Lega in un esecutivo con Forza Italia, AN e CCD.

L'identità del governo

Signor presidente, Signori senatori,
il governo che presento alle Camere, e per il quale chiedo la vostra fiducia, è di per sé un fatto assolutamente nuovo nella vita pubblica del nostro Paese. In primo luogo, questo ministero nasce da un Parlamento repubblicano eletto per la prima volta con una legge elettorale di tipo maggioritario, voluta dalla grande maggioranza dei cittadini. In secondo luogo, la base di consenso dell'esecutivo

è costituita da parlamentari eletti in formazioni politiche che non hanno mai avuto prima responsabilità ministeriali. Questa radicale innovazione è il frutto di una lunga e tortuosa crisi di credibilità delle nostre istituzioni, una crisi che ha travolto, nel nome e nel fatto, la quasi totalità dei partiti che mezzo secolo fa diedero vita alla Repubblica italiana.

Una buona politica è sempre il frutto di una riflessione su quella che un maestro del pensiero politico rinascimentale chiamava «l'esperienza delle cose antiche e moderne». Il nuovo, infatti, si definisce, nel bene e nel male, in rapporto al vecchio. Su tale questione, e cioè sul nostro rapporto con le fondamenta del vivere repubblicano di questi cinquant'anni, è bene dunque fare un chiarimento preliminare, che valga una volta per tutte, anche perché l'opinione pubblica interna e internazionale ha accolto la novità con curiosità, con interesse e, per certi aspetti, con una punta di comprensibile inquietudine.

Questo governo, e a maggior ragione chi è chiamato a presiederlo, si riconosce senza l'ombra del sia pur minimo dubbio nella base giuridica e di principio rappresentata dalla Carta costituzionale del '48.

Dopo la sconfitta del fascismo in Europa, la scelta della democrazia come regola vincolante e come supremo valore dell'azione liberale è l'orizzonte comune ed esplicito della maggioranza, in tutte le sue componenti. Esistono diversità nel giudizio storico sul passato, ma vige una piena identità nella considerazione delle libertà civili come fondamento della vita pubblica e nel leale rispetto verso la nostra architettura costituzionale.

L'unità del Paese e la sua indivisibilità sono un altro principio in cui la maggioranza si riconosce senza riserve.

L'Italia è una Repubblica dotata di un forte sistema di autonomie locali e territoriali, voluto dai costituenti sulla scia di una tradizione secolare, che affonda le sue radici nella vita dei Comuni. Siamo conosciuti nel mondo come il Paese delle cento città e il nostro paesaggio geografico, politico e culturale non sarebbe riconoscibile senza considerare la grande, ricca varietà di forme di vita che insieme unisce e distingue il Nord dal Sud. Entro questi limiti e confini, la maggioranza guarda con rispetto e interesse al dibattito federalista, antico e nuovo, sia nella prospettiva europea sia nel senso di una migliore articolazione dello Stato nazionale.

La fedeltà all'Alleanza atlantica, la cooperazione economica e politica nella Comunità europea, il ripudio della guerra come mezzo di risoluzione delle controversie internazionali, i principi della Conferenza di Helsinki sulla stabilità dei confini, sulla difesa dei diritti umani, sull'autodeterminazione dei popoli e la non ingerenza: questi sono altrettanti cardini dell'identità e del programma con cui questa coalizione si è impegnata a formare un governo all'altezza del ruolo internazionale dell'Italia.

Malgrado i formidabili progressi del processo di pace in Medio Oriente, e lo straordinario evento dell'elezione dell'ex detenuto politico Nelson Mandela a presidente della Repubblica sudafricana, nuovi bagliori di guerra attraversano varie regioni del mondo: nel cuore dell'Africa nera, in Ruanda, si consumano violenze efferate anche sui corpi poveri e indifesi dei bambini; la tragedia bosniaca, ai nostri confini, continua a fare notizia a corrente alternata, ma né l'Europa né l'ONU sembrano in grado di metterle fine. In ogni luogo del mondo in cui sono messi in discussione i diritti liberali e umanitari dell'uomo deve essere ascoltata una voce italiana, e il governo delle libertà si impegna a farla sentire. La solidarietà è il cuore della nostra politica internazionale per le radici cristiane e umanistiche della nostra cultura.

Il ministro degli Affari Esteri è a Bruxelles, ed è già al lavoro per affermare e rafforzare un ruolo italiano da protagonista nell'Unione europea. L'Italia dovrà favorire l'allargamento dell'Unione, anche verso l'Europa orientale; incrementare i rapporti commerciali con le aree di libero scambio del Nord America e del Pacifico, anche per evitare l'avvitamento di una spirale protezionistica; un'attenta riflessione sul Trattato di Maastricht non deve ritardare l'attuazione del programma di unificazione; e va bandito ogni indugio per quanto riguarda la difesa e la politica estera comune dell'Unione.

Due importanti appuntamenti di politica estera sono il Consiglio europeo di Corfù, nel prossimo mese di giugno, e il vertice del G7 che si terrà a Napoli nei giorni dall'8 al 10 luglio. Nel primo di questi appuntamenti si discuterà l'attuazione del libro bianco di Jacques Delors e si farà la scelta del nuovo presidente della Commissione esecutiva dell'Unione. A Napoli, dove l'Italia ospita il vertice dei Paesi più industrializzati, una particolare attenzione sarà dedicata alla questione del «Trattato di amicizia» con la Russia, ma il vertice sarà l'occasione per consolidare il ruolo del nostro Paese nel mondo e la sperimentata capacità di dialogo della sua diplomazia.

Continuità e rinnovamento repubblicano. Dal governo dei partiti al governo delle istituzioni

Signori senatori,

il rispetto per la tradizione repubblicana del nostro Paese, e per i suoi valori, non deve tuttavia essere usato impropriamente come un freno a quell'opera di profondo cambiamento e rinnovamento che la nostra gente ci chiede con urgenza e passione e che i cittadini hanno tutto il diritto di aspettarsi da chi li rappresenta nel governo della nazione.

Per anni il sistema istituzionale ha vissuto la stessa vita dei partiti politici. Le leggi e la pubblica amministrazione, a partire dalla funzione svolta dal potere esecutivo, sono state assoggettate al pieno dominio delle forze che, nel vecchio sistema elettorale proporzionale, esprimevano la società civile.

È stato autorevolmente detto che oggi, pur conservando

il ruolo che la Costituzione assegna loro, i partiti devono fare un passo indietro. Aggiungo che occorre passare dal governo dei partiti al governo delle istituzioni. Per nostra fortuna, i padri costituenti hanno previsto le procedure attraverso cui è possibile introdurre tutti quei mutamenti che non contraddicono la forma dello Stato e l'unità della nazione, e a quelle procedure è doveroso attenersi con tutto lo scrupolo necessario.

Una delle fondamentali caratteristiche della maggioranza che oggi dà vita alla nuova compagine ministeriale è sotto gli occhi di tutti: le forze che sostengono questo governo non stanno insieme per una qualche alleanza o alchimia decisa nelle sedi dei partiti bensì per una delega data direttamente dagli elettori. Quel che si è chiamato «Polo delle libertà e del buon governo» è un'alleanza elettorale che oggi si trasforma in coalizione di governo su esplicito mandato dei cittadini. Il mandato a governare riguarda pur sempre una coalizione di forze diverse, gelose ciascuna della propria identità, ma la logica della coalizione prevale su quella di partito o di movimento.

Le forme di questo cambiamento sono ancora imperfette, e una legge elettorale a tendenza maggioritaria non basta a esprimere fino in fondo l'esigenza, da tutti sentita, di un rapporto più stretto e diretto tra il voto degli elettori e la formazione dei governi. Tuttavia il più è stato fatto, e siamo adesso al grande passo ulteriore: restituire appieno il loro potere alle istituzioni pubbliche, a cominciare dal Parlamento; ripristinare un forte e severo senso dello Stato, nel rispetto delle prerogative dell'esecutivo; ribadire che le associazioni private, i partiti o i movimenti hanno un ruolo essenziale da svolgere, ma ben distinto da quello di chi amministra beni pubblici ed esercita i poteri di governo.

In questo quadro è fondamentale un rapporto corretto, competitivo ma rispettoso delle regole, con le opposizioni di sinistra e di centro. Noi abbiamo apprezzato sinceramente lo sforzo di analisi politica della nuova situazione emerso in settori importanti del Parlamento, anche al di fuori della maggioranza, e lo abbiamo fatto senza retropensieri né secondi fini. Ma devo dire con molta schiettezza al segretario del Partito democratico della sinistra, il quale ha affermato di voler esercitare per la sua parte «un'opposizione democratica e costituzionale», che definire la compagine ministeriale come «un governo che umilia l'Italia» non è affatto un buon inizio.

Questo che vi chiede la fiducia è il governo legittimo della Repubblica, voluto liberamente dagli elettori e presieduto da chi vi parla su incarico del capo dello Stato: definirlo «un'umiliazione» è un'offesa gratuita al prestigio e all'onore del Paese!

Verso un'opposizione consapevole della perfetta legittimità di questo governo, l'esecutivo e la sua maggioranza manterranno un limpido rapporto di confronto e di dialogo, ma guai a trasformare la vita della XII legislatura in una sequela di risse allo sbando. La presenza di ministri di Alleanza nazionale nell'esecutivo non può essere invocata come pretesto per una campagna delegittimante.

Un dirigente dell'opposizione di sinistra così si è espresso, a proposito della necessità di costituzionalizzare le estreme e dare vita a un bipolarismo politico in sintonia con la legge maggioritaria: «Potevamo governare per una stagione storica» ha detto «e avremmo dato luogo a un nuovo regime ventennale. Ma avremmo di nuovo chiuso le estreme ai lati, bloccando qualsiasi ipotesi di ricambio. Invece (...) abbiamo rimesso in circolo forze più radicali, come ci sono in tutte le democrazie, e preparato le condizioni per un futuro bipartitismo. È una dinamica virtuosa».

Faccio appello all'intelligenza e al buonsenso dell'opposizione perché da questa «dinamica virtuosa» non si precipiti nel circolo vizioso dell'incomunicabilità. L'opposizione ha non solo il diritto ma il dovere di preparare il ricambio di governo con tutte le sue forze e anche con tutte le malizie di cui è capace, ma non ha alcun diritto di proporsi l'obiettivo di impedire che il Paese sia governato.

Il programma economico del governo

Signori senatori,

il programma economico del governo persegue, come suo primo obiettivo, l'allargamento della base produttiva del Paese e la creazione di nuovi posti di lavoro.

La prosperità e la serenità di questo Paese si misurano prima di tutto sulla sua capacità di assicurare ai cittadini di ogni età, in particolare ai giovani, un lavoro dignitoso e un corrispondente reddito da lavoro. L'imprenditoria, e in particolare la straordinaria rete di aziende medie e piccole che hanno fatto la fortuna del nostro apparato produttivo, agricolo, industriale e commerciale, chiede di essere aiutata a ricollocarsi sui mercati, a competere, a elevare il suo tasso di produttività in misura e in forme tali da incrementare la base occupazionale.

Tutte le forze sociali consultate in sede di formazione del ministero hanno confermato che la creazione di lavoro, un compito non facile ma possibile, è il complemento indispensabile della ripresa economica e sociale, dopo anni di lenta stagnazione.

Il controllo del processo inflattivo e la doverosa azione di contenimento e di riduzione del debito dello Stato impongono limiti severi alla spesa pubblica. Riceviamo in eredità, malgrado gli sforzi encomiabili dei predecessori, un bilancio talmente gravoso che, in termini puramente contabili, dovremmo dichiarare il nostro malessere finanziario come un morbo semplicemente incurabile. Tale atteggiamento sarebbe però sterile, anche se il professor Mario Monti, fautore come noi siamo di un «liberismo disciplinato e rigoroso», ha scritto lucidamente che «se il nuovo governo drammatizzerà alquanto l'eredità ricevuta, dirà la pura verità».

Una cosa è assolutamente certa: il debito dello Stato non può essere consolidato, in alcuna forma, a danno dei risparmiatori e dei sottoscrittori che nello Stato hanno avuto fiducia.

Il governo è consapevole del fatto che la ripresa non sarà sostenibile se non accompagnata da una profonda, incisiva azione di risanamento della finanza pubblica. Questo è richiesto dai mercati finanziari, è dovuto per frenare la crescita del debito pubblico, è condizione necessaria per la nostra partecipazione al processo di integrazione europea, si impone come condizione per una discesa dei tassi di interesse a lungo termine e per una ripresa degli investimenti privati.

Gli interventi di sostegno all'economia, accompagnati da una politica di dialogo tra le parti sociali, a cui il governo intende dare il contributo che è proprio del suo ruolo, saranno realmente tali solo se compatibili con il risanamento delle pubbliche finanze.

D'altra parte, è bene sapere che se fosse in gioco soltanto la capacità di azione dei poteri pubblici, i tempi della ripresa si allungherebbero e il sollievo dalle presenti difficoltà sociali si farebbe attendere oltre i limiti del tollerabile.

Ma uno Stato moderno, una grande nazione industriale, con le radici ben piantate nell'Europa occidentale e aperta verso il mondo, dispone di grandi risorse, spesso nascoste dalle cifre dell'economia pubblica, che è dovere del governo e della classe dirigente mobilitare per una politica di sviluppo.

Questo è il senso ultimo di un governo liberale, questo il progetto di un governo delle libertà. C'è un'Italia dell'iniziativa privata, nella produzione e nel settore dei servizi, che può e deve essere incoraggiata a «far da sé», senza alcuna concessione a dogmatiche di alcun genere, nemmeno a quelle di tipo liberista, e dunque a cercare in se stessa e nelle regole del mercato la forza per innescare una spirale virtuosa degli investimenti, dei prezzi e dei redditi.

Quando dico «far da sé» non penso a un ritrarsi dello Stato da un'intelligente e prudente presenza nell'economia, penso invece a una svolta che consiste nel liberare l'economia privata da vincoli opprimenti, dal peso di burocrazie e procedure asfissianti, da una pressione fiscale cresciuta troppo e troppo in fretta, e rivelatasi invadente per chi produce e insieme inefficace per le casse dell'erario. Un governo liberale in politica e di ispirazione liberista in economia non può che porsi come primo dei suoi problemi la rimozione degli ostacoli allo sviluppo, lo stimolo e la sollecitazione alla creazione di ricchezza sociale partendo dalla rivitalizzazione del mercato.

Avremo modo di specificare, attraverso una serie di misure, che cosa questo significhi in relazione alle politiche per l'introduzione della concorrenza in ogni campo della vita economica e amministrativa, ivi comprese le privatizzazioni delle imprese pubbliche e una robusta iniezione di concorrenzialità nel settore dei servizi. Specificheremo altresì quale ordine di interventi è possibile in sede di defiscalizzazione dei progetti di sviluppo e di incremento dell'occupazione nell'agricoltura, nell'industria, nel commercio, nell'artigianato e nelle professioni libere.

Dimostreremo nei fatti quella che è una nostra radicata convinzione: una forte ripresa non può non passare anche per il rilancio delle opere pubbliche, ma deve sottostare al vincolo di sensibilità, di cultura e di legge che riguarda la tutela dell'ambiente, questo antichissimo e nuovissimo simbolo del bene comune.

Il movimento ecologista non ha raggiunto ancora in Italia, malgrado lo spessore e il fascino delle sue ragioni, un radicamento analogo a quello di altri Paesi europei. Ma il governo considera suo patrimonio e strumento di lavoro l'insieme di ricerche e proposte che i Verdi italiani hanno messo in campo in tutti questi anni. La tutela della risorsa ambientale la consideriamo non un laccio che imprigiona lo sviluppo ma, se gestita correttamente, uno stimolo alla crescita e alla qualificazione di un'economia sana. Nel conflitto tra natura e cultura, tra ambiente e mercato, sappiamo che occorre fissare un punto di equilibrio nell'interesse, al di là dell'individuo e della stessa comunità, del pianeta Terra, che tutti abitiamo e di cui tutti ormai conosciamo non solo le ricchezze ma anche i limiti.

Un punto irrinunciabile del programma è quello che riguarda l'assetto della sanità pubblica e privata. La sensibilità degli italiani è in questo campo acutissima: i cittadini sanno che si spende troppo e male. Il grado di confusione e, spesso, di inefficienza dei servizi è un'offesa permanente al diritto alla salute. Introdurre un regime di gestione manageriale degli ospedali e di efficienza competitiva del sistema sanitario è urgente: questa è una promessa, è un impegno al quale ci sentiamo tutti vincolati senza riserve.

I cento giorni

Nei primi cento giorni di governo, ovvero nella prima fase di attuazione del programma, ci impegniamo a presentare le proposte legislative necessarie per:

a) ridurre gli oneri contributivi per le imprese che creano, al netto, nuovi posti di lavoro;

b) liberalizzare le assunzioni per chiamata nominativa;

c) introdurre l'assunzione diretta per le imprese con più di tre e fino a quindici dipendenti;

d) modificare in senso più incentivante per le imprese i contratti di formazione-lavoro;

e) introdurre l'istituto del lavoro interinale con modifiche alle proposte del precedente ministero;

f) introdurre norme che favoriscano il tempo determinato e il part time (soprattutto per gli impieghi femminili), nonché altre misure che accrescano la flessibilità del mercato del lavoro;

g) rivedere le normative sugli appalti pubblici per evitare il protrarsi del blocco dei contratti della pubblica amministrazione.

Il governo si impegna altresì:

a) ad accelerare il processo di privatizzazione delle imprese pubbliche, partendo da INA, STET, ENEL ed ENI;

b) a eliminare l'imposta sui redditi inferiori ai dieci milioni, anche per rispondere alle attese di milioni di cittadini in età di pensione, che hanno diritto a una tutela e a una difesa del potere d'acquisto del loro reddito;

c) a introdurre incentivi fiscali per il rilancio degli investimenti, con particolare riferimento alle piccole e medie imprese.

Meno leggi, più efficienza, più autogoverno

Signori senatori,

la ripresa economica, la risposta alle attese di rilancio della produzione, del lavoro e del consumo, e il consolidamento del ruolo italiano nell'Unione europea, sono obiettivi che devono fare i conti con l'effettiva situazione della macchina dello Stato. Il potere pubblico può essere indebolito allo stesso modo in due circostanze opposte: quando ha pochi strumenti oppure quando ha troppi strumenti di intervento, e strumenti farraginosi, tortuosi fin nell'interpretazione del loro significato, e in definitiva punitivi per il pubblico. La nostra situazione è per l'appunto quest'ultima.

Abbiamo prodotto e immagazzinato, e produciamo tuttora, troppe leggi; ci siamo dotati di un apparato fiscale che non è normalmente complesso ma patologicamente complicato e iniquo per il contribuente, con il risultato di un'area di evasione e di elusione del dovere contributivo che non ha paragoni nel continente europeo. Cercheremo di approntare codici o testi unici in tutti i settori legislativi in cui sarà possibile. Ridurre il numero delle leggi, ricorrere a regolamenti e ad altri strumenti amministrativi ogniqualvolta questo sia possibile, semplificare la tassazione diretta e indiretta, fare pubblica amministrazione tenendo conto delle esigenze e degli interessi dei cittadini, che sono il fondamento dello Stato e la ricchezza della società, non i nemici e le vittime della burocrazia: tutto questo ha carattere di priorità nell'azione futura del governo.

Anche perché l'enorme numero di leggi così prodotte ha portato a un vero paradosso: una forma di governo virtualmente extraparlamentare. Il presidente Carlo Azeglio Ciampi, al quale vanno i sensi della mia stima, sarebbe il primo a convenire con me sul fatto che l'ingente numero di decreti legge a cui si è sentito obbligato il suo governo è indizio, al di là della specifica situazione in cui il ministero che ci ha preceduto si è trovato a operare, di una patologica incapacità dello Stato a far fronte ai suoi compiti nelle forme della correttezza costituzionale.

Riforme istituzionali, giustizia e lotta alla mafia e alla criminalità organizzata

Questo governo si impegna a rimuovere, nelle forme possibili, l'ingombrante eredità di quasi settanta decreti legge non convertiti, e in pari tempo a ridurre l'area della decretazione d'urgenza secondo i principi della Costituzione e la legge che li attua; ma richiede al Parlamento uno sforzo eccezionale di comprensione verso l'esigenza, che la grande maggioranza dei cittadini sente come mai prima d'ora, di mettere il governo in grado di realizzare il proprio programma o di essere battuto alle Camere, ma senza tecniche di insabbiamento e di rinvio che appartengono a un sistema politico «consociativo» che non esiste e non ha da esistere più.

In materia di riforme istituzionali il governo riserva per sé una funzione di stimolo e di proposta, nel rispetto del ruolo centrale e autonomo del Parlamento. I principi che ispirano la maggioranza sono peraltro chiari, e si sono definiti correttamente nel confronto politico che ha portato alla nascita della XII legislatura repubblicana.

Il primo di questi principi, in sintonia con lo spirito e la lettera del sistema elettorale maggioritario, è il rafforzamento del potere di decisione diretta dei cittadini sul governo, pur nei limiti di una democrazia che è e resta una democrazia rappresentativa.

Il secondo riguarda una migliore articolazione dello Stato, con un deciso stimolo a forme di autogoverno che discendono in linea diretta dallo spirito autonomista e regionalista della Carta costituzionale, ma con attenta considerazione del dibattito sul federalismo che attraversa sia la maggioranza sia l'opposizione.

Il terzo principio riguarda le procedure della decisione e del controllo politico, a partire dall'urgente necessità di adeguare le regole al sistema politico nato dalla nuova legge elettorale, senza lungaggini e senza forzature.

Il quarto è la conferma, e l'irrobustimento, del sistema di garanzie che tutela i diritti dei cittadini in ogni campo: dall'amministrazione della giustizia all'informazione, un settore nel quale va assicurata, soprattutto nella comunicazione radiotelevisiva, una presenza pubblica qualificata accanto a una pluralità di soggetti operanti nel mercato.

Questo governo è dalla parte dell'opera di moralizzazione della vita pubblica intrapresa da valenti magistrati, dalla grande stampa di informazione e da quei settori del mondo politico e sociale che in quell'opera si sono riconosciuti. È un governo di persone irreprensibili, tenute a un comportamento irreprensibile, al rispetto della legge e del codice etico che regola la vita pubblica. Da questo governo non verrà messa in discussione l'indipendenza dei magistrati e sarà dato impulso a un'amministrazione equilibrata e saggia della giustizia penale, affinché lo svolgimento dei processi pendenti a carico di numerosi imputati di corruzione e concussione si compia in un clima di civiltà giuridica e di rispetto di tutte le regole, da quelle che tutelano i pubblici ministeri e i giudici a quelle che tutelano le parti civili e gli imputati.

Il primo compito operativo dell'esecutivo è quello di garantire l'ordine e la sicurezza pubblica, il rispetto e la tutela del diritto alla pace interna e alla vita dei cittadini. Su questo terreno il bilancio dell'attività dei miei predecessori è tutt'altro che negativo. La criminalità organizzata e la mafia restano un pericolo e un fattore di allarme, e sarebbe suicida abbassare ora la guardia; ma una lunga stagione di risveglio civile, che ha attraversato le istituzioni pubbliche e la società meridionale, ha prodotto straordinari risultati. La mafia è stata riconosciuta per quel che essa è: un'organizzazione criminale unitaria, chiamata Cosa Nostra, che ha radici storiche e sociali difficili da estirpare senza uno sforzo collettivo dello Stato e della comunità sociale.

Hanno avuto e hanno un grande valore, accanto all'opera di tanti magistrati probi, di tanti agenti di polizia e carabinieri, e delle stesse forze armate della Repubblica, i movimenti di impegno e di protesta che intorno alla questione della criminalità e della mafia hanno fatto sentire la loro voce. La questione dei legami, spesso ambigui e sempre insidiosi, tra mafia e politica, tra criminalità organizzata e formazione del consenso elettorale, è stata affrontata a viso aperto. È un vanto e un onore di questo Paese ciò che è stato fatto per combattere la guerra al crimine, senza pregiudicare per l'essenziale le condizioni di libertà e di diritto costituzionale della vita pubblica.

Esistono problemi seri da risolvere, come in ogni campo, anche in questo. Occorre dotare di migliori strumenti operativi le forze dell'ordine e di polizia giudiziaria, attrezzare la magistratura inquirente e garantire l'autonomia e la serenità della magistratura tutta. Al tempo stesso è opportuno, secondo le indicazioni che provengono da diverse parti, ivi compresi i settori più avvertiti del mondo del diritto, rivedere la legislazione sul cruciale fenomeno della collaborazione di giustizia, detto «pentitismo». Su questo tema il governo si atterrà a un principio cardine: non fare niente che indebolisca la capacità di denuncia e di corrosione dall'interno delle organizzazioni criminali, ma operare attivamente per evitare che il fenomeno della collaborazione di giustizia si trasformi in una violazione flagrante delle regole del diritto.

Fra gli altri, due grandi magistrati di questa Repubblica hanno dato la vita nel segno della battaglia per la legalità e contro la mafia; è nel loro nome, nel nome di Giovanni

Falcone e Paolo Borsellino, che il governo si sente vincola
to a proseguire l'opera.

La questione del conflitto d'interessi

È stato sollevato legittimamente, talvolta con equilibrio
e talvolta con punte di malevolenza propagandistica fin
troppo evidente, il problema del conflitto di interessi che
può sorgere nell'attività di governo in ragione dello status
di imprenditore nel campo della comunicazione di chi
questo governo presiede.

È nostra convinzione – al di là della fin troppo ovvia
considerazione del fatto che il presidente del Consiglio ha
limpida consapevolezza del suo ruolo di gelosa tutela del-
l'interesse pubblico, sempre e in ogni momento – che sia
vigente in Italia un forte sistema di garanzie e di controlli:
il ruolo del capo dello Stato, a cui ci lega un rapporto di fiducia e a cui va il nostro deferente saluto; quello dell'Autorità Antitrust, del Garante per l'editoria, della magistratura ordinaria e amministrativa, il carattere collegiale del
Consiglio dei ministri e delle sue procedure decisionali, e
naturalmente lo specialissimo ruolo dell'opposizione parlamentare.

Sul rafforzamento di alcuni di questi poteri, ancora oggi
privi di virtù sanzionatoria, il Consiglio dei ministri ha già
deciso, nella sua prima seduta, la formazione di una commissione di esperti chiamati entro la fine del mese di settembre a istruire proposte che ci impegniamo a trasformare in disegni di legge.

Il governo chiede, soprattutto su questa materia, di essere giudicato dai fatti e non in base a pregiudizi. D'altra
parte occorre osservare che tutto è possibile, in termini di
garanzie e di controlli, tranne una cosa: stabilire che un
imprenditore non detiene gli stessi diritti politici di ogni
altro cittadino.

Non c'è nulla, nella Costituzione e nel sistema legale di

questa Repubblica democratica e liberale, che getti il benché minimo dubbio sulla legittimità della formazione di questo governo e dell'incarico di presiederlo, conferitomi dal capo dello Stato.

Per un governo liberale

Signori senatori,
la storia italiana è anche la storia di un liberalismo difficile. I caratteri del nostro Risorgimento e del processo unitario, l'emergenza di un fenomeno politico peculiare quale il trasformismo, l'incompiutezza del grande disegno giolittiano e la stagione del fascismo hanno lasciato in eredità alla Repubblica un liberalismo che ha preso l'aspetto di un gigante culturale e di un nano politico. Oggi ci sono le condizioni per una svolta vera, per dare gambe al grande amore e alla passione della libertà che anima da secoli la nostra più alta e severa cultura politica e civile.

Lo Stato, che non ha altra ideologia se non quella della tolleranza e del rifiuto più netto di ogni forma di razzismo, di antisemitismo e di xenofobia, e che ha il dovere di rispettare tutte le minoranze, a partire da quelle etniche, ha raggiunto un equilibrio politico consolidato nei suoi rapporti con le diverse confessioni religiose. Principi e valori che riaffermiamo con convinta adesione, contrari come siamo a ogni forma di intolleranza e di discriminazione, consapevoli dei pericoli che si annidano dietro ogni forma di antisemitismo, la forma storicamente più odiosa in Europa, ma non certo la sola, della definizione dell'«Altro come Nemico».

Con la Chiesa cattolica, al di là dello stesso regime concordatario, opera un rapporto ricco e sereno di convivenza e collaborazione. Colgo l'occasione per rivolgere a Sua Santità Giovanni Paolo II, un Papa che ha fatto molto per le libertà e per la pace nel mondo, i più sentiti e fervidi auguri di pronto ristabilimento.

Il compito di costruire un'Italia più libera tocca a tutti, agli italiani laici e agli italiani di fede cattolica, tra i quali mi annovero. È un compito per realizzare il quale si deve partire dalla più straordinaria istituzione sociale che i tempi moderni abbiano prodotto: la scuola aperta a tutti in condizioni di eguaglianza dell'accesso. Queste prerogative di eguaglianza possono e devono essere riconfermate con un incremento della capacità di pluralismo e di libertà civile da parte dello Stato: non ritengo uno scandalo, secondo il richiamo fatto proprio dal presidente della Repubblica, affermare che i cittadini devono essere liberi di scegliere, sia pure nel rispetto del dettato costituzionale, il tipo di scuola che preferiscono. Cercare di dare questa possibilità alle famiglie vuol dire, tra l'altro, migliorare finalmente la scuola pubblica, qualificare e selezionare i grandi costi dell'istruzione, elevare il livello qualitativo degli studi e l'affezione agli studi degli allievi.

Tutti o quasi tutti oggi si dichiarano liberaldemocratici. È una conquista di cui dobbiamo essere orgogliosi. Se le parole hanno un senso, questo significa che il potere dello Stato deve porsi un argine, un limite che coincide con la sfera dei diritti individuali. Quando il cittadino finisce per dipendere, per la propria sopravvivenza, dai politici di professione e dalla burocrazia, allora diventa vano parlare di libertà. Quando una parte eccessiva del reddito prodotto o risparmiato viene confiscata dalla macchina politico-burocratica senza essere restituita in servizi necessari ed efficienti, allora il limite del potere viene superato e, al di là delle intenzioni, nasce il governo illiberale.

Senza accelerazioni demagogiche, senza traumi, con cauta gradualità, il governo intende operare per far sì che il fisco sottragga dal reddito dei cittadini solo la quota compatibile con l'assolvimento di inderogabili compiti collettivi, restituendo loro il sovrappiù e con esso una maggiore libertà.

Che fine farà, si sono domandati in molti di fronte alla crisi delle tradizionali politiche assistenziali, lo Stato sociale? Che fine farà la solidarietà? La mia personale risposta, e quella del governo, su questo tema non consente equivoci. Il rigore e la severità consigliano di escludere le pratiche assistenzialistiche del passato, nei servizi e nell'industria, perché la loro progressiva degenerazione clientelare ha portato a un impoverimento del complesso della società e a un simulacro, inefficiente e ingannevole, di solidarietà sociale.

Ma la fine dell'assistenzialismo deve coincidere con un nuovo inizio delle politiche di vera solidarietà, puntando su un efficiente e deciso sostegno ai ceti più deboli, ai nuclei sociali meno tutelati, a chi vive in una condizione di reale emarginazione e prova, in una società moderna, l'affronto quotidiano del dolore e della povertà.

Se dovessi dire qual è il vero esame finale della nostra attività di governo, direi che questo esame consiste nella dimostrazione, a cui tendiamo e verso cui mobiliteremo le nostre forze, che una società più libera può essere una società più solidale, più coesa, e che non c'è alcun bisogno di un governo arcigno ed estraneo alla vita concreta della nostra gente per realizzare traguardi di autonomia degli individui e delle comunità.

È tra l'altro in questo spirito, e senza nessun altro intendimento, che il governo ha deciso l'istituzione di un ministero per la famiglia.

Signori senatori,
lavoreremo con tutta l'energia di cui disponiamo per realizzare, con il conforto del Parlamento e nel dialogo costruttivo con le opposizioni, un'ispirazione e un programma che hanno ottenuto la maggioranza politico-elettorale nel Paese. È il nostro compito costituzionale, cercheremo di assolverlo con dignità e con passione.

Il governo è consapevole del fatto che esiste una disparità nell'equilibrio politico tra le due Camere, a partire dalla diversa distribuzione dei seggi. Il governo si considera impegnato al rispetto per l'autonomia di riflessione e di decisione delle opposizioni. Solo un aperto e leale dialogo, da costruire con reciproco sforzo e reciproco riconoscimento di valori, può produrre quel che il Paese si attende comunque, e di cui ha bisogno: un governo di cambiamento, un governo operativo che gode la fiducia di entrambi i rami del Parlamento, e una fase di stabilità politica in cui maggioranza e opposizione svolgano il loro ruolo distinto ma complementare. Su questo punto siamo aperti a una riflessione comune con tutte le opposizioni, in particolare con l'area di centro che scaturisce dalla tradizione del popolarismo cristiano. Rinunciare a questa riflessione e a questo ruolo sarebbe un atto di pura irresponsabilità verso il Paese.

Non ho, da questo punto di vista, alcuna difficoltà a chiedere lealmente e apertamente, anche alle opposizioni e al novero *super partes* dei senatori di diritto e a vita, un voto di fiducia che suoni come rispetto per le esigenze di governo del Paese e non necessariamente come un'apertura di credito politico verso la compagine che ho l'onore di presiedere.

Conclusione

Consentitemi infine di ricordare – Signor presidente, Signori senatori – il vero spirito che anima la coalizione, il governo e chi ha l'onore di presiederlo. Il nostro è un Paese di straordinaria vitalità, capace di slanci miracolosi, che stupiscono il mondo, e di gioia di vivere. Da qualche tempo, le difficoltà della politica, la crisi delle classi dirigenti e un certo clima di sfiducia hanno introdotto in Italia una dose di pessimismo e di scetticismo universale che rischia di trasformarsi in un sottile e letale veleno.

Il nostro spirito è quello di rovesciare questa situazione, il nostro stato d'animo è quello di persone che, esperte più della vita e delle sue durezze che non delle malizie della politica di palazzo, sanno tuttavia che le istituzioni e lo Stato sono la casa in cui si specchia la società. Anch'io, come altri prima di me, ho fatto un sogno: il sogno di rendere perfettamente trasparente questa casa e di restituire alla società civile, da cui tanta parte dei nuovi parlamentari e governanti provengono, quello slancio, quella vitalità e quella creatività che sono il vero, grande patrimonio genetico delle genti italiane.

Per tagliare questo traguardo il presidente del Consiglio ha bisogno del vostro aiuto, del sostegno della maggioranza e del controllo severo delle opposizioni; ma il Paese ha anche un forte e vorrei dire disperato bisogno di ritrovare intatta la sua natura volitiva e caparbia, il suo gusto della sfida e dell'esplorazione delle cose nuove, il piacere di sconfiggere, dovunque si annidino, le cattive tentazioni della paura, dell'invidia e della faziosità.

Il mio obiettivo di governo resta quello che mi ha spinto ad abbracciare la politica e l'impegno civile diretto. Credo in una grande impresa collettiva, in una grande avventura che ha bisogno di fuoco e di fede morale. Credo che si possa sognare, a occhi bene aperti, la realtà che viene, il futuro. Credo che potremo costruire un'Italia più giusta, più generosa e più sollecita verso chi ha bisogno e chi soffre, un'Italia più moderna e più efficiente, più prospera e serena, più ordinata e sicura. Sono assolutamente convinto che, con l'aiuto di Dio e degli uomini, ce la faremo.

Vi ringrazio.

Credo nelle qualità di un federalismo liberale,
con le molte radici piantate sull'unico tronco
dell'Italia, una e indivisibile

18 maggio 1994

*I membri della XII legislatura, eletti con le consultazioni politiche
del 27 e 28 marzo, s'insediano nelle due Camere il 15 aprile. A Montecitorio viene eletta presidente la leghista Irene Pivetti, mentre a Palazzo Madama Carlo Scognamiglio, di Forza Italia, supera di un solo voto il presidente uscente Giovanni Spadolini. Il 27 aprile, a un mese
dalle elezioni, il capo dello Stato affida a Berlusconi l'incarico di formare un nuovo governo. Il leader di Forza Italia scioglie la riserva solo
il 10 maggio, dopo aver raggiunto un accordo con la Lega. Il nuovo
governo, presentatosi al Senato il 16 maggio, otterrà da questo la fiducia due giorni più tardi, dopo la replica del neopremier al dibattito parlamentare.*

Discussione sulla fiducia al governo.
Replica al Senato della Repubblica

Signor presidente, Signori senatori,
consentitemi, prima di tutto, di ringraziarvi per la scru-
polosa attenzione con cui mi avete fatto l'onore di ascoltare e discutere, poi, per oltre dodici ore il discorso di presentazione del governo alle Camere. Ho seguito la
discussione con attenzione e – devo confessarlo – anche
con una certa trepidazione. Per tutti, e naturalmente anche per me, arriva nella vita una prima volta e questa era

la prima volta che parlavo nella veste di parlamentare e di presidente del Consiglio dei ministri davanti a una delle più antiche e prestigiose istituzioni della sovranità popolare.

Il mio discorso di presentazione ha avuto elogi, ha avuto critiche, com'era naturale. Delle critiche, una delle più insistenti riguarda quella che il capogruppo del PDS, e con parole non molto difformi anche il capogruppo dei popolari, hanno voluto definire una vaghezza di contenuti programmatici. In tutta sincerità non credo di essere stato vago nel delineare gli indirizzi politici e legislativi sui quali intende muoversi il governo nei settori principali della vita pubblica del Paese. Ma riconosco senza difficoltà che il discorso non aveva l'estensione analitica, punto per punto, proposta per proposta, di una tradizionale esposizione programmatica.

Coloro che tra i miei amici e collaboratori sono da annoverare tra quelli che conoscono il mestiere, che hanno maggiore dimestichezza con la vita parlamentare, mi hanno detto con un sorriso: caro presidente, se lei avesse fatto un'esposizione molto dettagliata, l'opposizione avrebbe intrapreso un'altra strada per criticarla e avrebbe detto che le sue parole non erano altro che parole da ragioniere, un'arida elencazione di cifre, di obiettivi e di strumenti. Sta di fatto che l'opposizione fa il suo mestiere, e io rispetto per natura chiunque faccia bene il suo mestiere; accetto volentieri le critiche. Ecco perché ora vi chiedo un istante di pazienza per ascoltare i motivi che mi hanno portato a concepire in quel modo il discorso di presentazione del governo.

Il primo di questi motivi è assai semplice. Siamo un governo composto da forze che non hanno mai partecipato prima d'ora a un ministero e almeno da questo punto di vista è innegabile che la nostra è un'esperienza radicalmente nuova nella vita politica italiana. Ho dunque sentito vivissima l'esigenza di presentare nel modo più compiuto possibile l'identità politica, i principi, i valori, le linee guida e, se così posso dire, il credo in cui si identificano la coalizione e chi dirige il governo da questa espresso.

Il secondo motivo discende direttamente dal modo in cui si è formata questa coalizione di forze nuove all'attività di governo. In passato i governi nascevano dagli accordi tra partiti, e dietro questi accordi c'erano impegni estremamente generici, presi in modo generico con gli elettori al momento del voto. Spesso i partiti rivendicavano apertamente le mani libere per la formazione delle alleanze che avvenivano dopo le elezioni. I leader in pratica dicevano agli elettori: dateci i vostri voti, le alleanze che andremo a fare saranno quelle determinate dai voti che ci avrete dato e da quelli che avrete dato all'opposizione. Questa volta, in concorrenza e in conseguenza della legge elettorale di tendenza maggioritaria, che è stata voluta dall'80 per cento degli italiani, le cose sono cambiate. Le alleanze elettorali, per quanto imperfette e per quanto ancora lontane da un bipartitismo di tipo anglosassone, si sono definite prima del voto e sono state sottoposte con i loro programmi al giudizio degli elettori. Se le elezioni fossero state vinte dai progressisti credo che sarebbe stato chiaro come il programma di governo sarebbe stato la sintesi del discorso di investitura parlamentare del presidente progressista designato e dei programmi elettorali sottoposti al voto.

Senatori dell'opposizione, lasciatemi quindi dire amichevolmente che avreste fatto la stessa scelta che ho fatto io e noi probabilmente vi avremmo criticato, magari usando gli stessi argomenti.

Ma lasciamo da parte le questioni di metodo e andiamo alla sostanza. Voglio infatti essere chiaro su un punto, e chiaro fino alla puntigliosità: gli obiettivi, i programmi discussi davanti a milioni di cittadini nel corso della campagna elettorale – fatta salva una certa comprensibile enfasi nei toni che forse tutti abbiamo usato – io oggi non li rinnego e non ho intenzione di rinnegarli in futuro in alcuna parte. Essi sono come un patto, un contratto che è stato siglato dagli elettori che hanno votato in molti milioni le forze che oggi costituiscono la maggioranza sulla base dei programmi che questa maggioranza ha presentato.

Un esempio per tutti. Ho parlato della possibilità di creare, in due anni, due anni e mezzo, un milione di nuovi posti di lavoro: è un obiettivo ambizioso, ma lo confermo; e a conforto di questo obiettivo posso portare le consultazioni delle associazioni di categoria del settore economico con i verbali delle risposte che ho ricevuto da imprenditori grandi, medi e piccoli, da commercianti, da artigiani, da sindacalisti, da lavoratori autonomi, da tutte le associazioni professionali. C'è chi dice che sono un sognatore a occhi aperti: qualche volta, anzi quasi sempre, ho saputo trasformare i miei sogni in realtà, ma vi garantisco che ho trovato una quantità di persone affette da questo stesso morbo onirico. Tutti i protagonisti dell'economia reale, coloro che intraprendono e rischiano nella produzione e nel commercio sono convinti che non sia affatto impossibile tagliare un traguardo di questo ordine di grandezza.

E noi, come ho detto senza nessuna vaghezza, ci proveremo con una serie di misure che intendono sostenere vigorosamente la ripresa economica e produttiva, indirizzandola nel senso della creazione di posti di lavoro.

Se dovessimo fallire, cercheremo di capire perché e faremo un onesto resoconto al Paese: ma credo che non falliremo.

Constato comunque con grande piacere che sull'urgenza di misure molto incisive per il lavoro, per l'occupazione, sacrificando quel che c'è da sacrificare a questa necessità nazionale, durante la discussione si è registrato un forte consenso di tutti i gruppi, al di là delle critiche sugli strumenti per realizzarle e della sfiducia dell'opposizione nella nostra capacità di farlo. Spero che questo consenso si estenda anche ad altri punti qualificanti del programma, fra i quali l'idea di garantire meglio un tetto alla spesa pubblica e un tetto al prelievo fiscale, in osservanza e in applicazione dell'articolo della Costituzione sulla copertura delle leggi di spesa, voluto da Luigi Einaudi. Perfino un'opposizione tanto radicale, come quella promessa da Rifondazione comunista, non potrà non misurarsi con questo chiaro indirizzo politico e legislativo dell'attività di governo. E, se non ho capito male, questo era il senso della parte d'intervento dedicata ai temi dello sviluppo dal senatore Petruccioli; ho particolarmente apprezzato che egli si sia mostrato convinto della necessità di agire senza spirito dirigista in sintonia con un sistema produttivo che può e deve essere stimolato con decisioni e senza illusioni a far da sé.

Naturalmente non si pensa di tornare ad Adamo Smith, non si pensa a un far da sé senza regole in un mercato incontrollato; si pensa a un mercato regolato, stimolato dall'iniziativa pubblica.

Da un senatore popolare è venuto a questo proposito un richiamo all'anima personalistica e solidaristica della Costituzione. Il collega ha parlato dei limiti della libertà economica e ha voluto affermare un primato dell'etica e della politica sull'economia. Per quanto mi riguarda, quando parlo di un liberismo disciplinato e rigoroso, non è in discussione – mi piace ripeterlo per l'ennesima volta – il principio della solidarietà e nemmeno la decisiva importanza dell'etica nelle relazioni economiche e sociali.

Quanto al primato della politica, occorre intendersi: se lo Stato fa il mestiere di fissare regole liberali per il mercato e vigilare su di esse nel rispetto delle leggi della concorrenza, il primato di cui si parla è ineccepibile; ma se lo Stato invade il campo dell'economia, irretisce il mercato nelle spire di una giungla legislativa e burocratica che lo soffoca e rende la vita difficile ai soggetti del mercato, agli imprenditori e alle libere parti sociali, allora il primato della politica diventa un fattore di freno alla crescita della società, diventa una bestemmia contro la libertà.

La nostra impressione, condivisa – posso assicurarvelo – dalla maggioranza degli italiani, è che in questi ultimi anni è avvenuto un patologico passaggio dallo Stato sociale allo

Stato assistenziale e che la mano pubblica nell'economia ha spesso agito come un fattore di clientelismo e di illiberalità.

Credo che su questo potrebbe concordare anche il senatore De Martino, del cui intervento ho ammirato la dignità di tono e lo spessore morale di un'antica cultura socialista.

Quando parlo di queste cose, senatori della Repubblica, parlo anche del nostro Mezzogiorno, che molti mi hanno rimproverato di aver trascurato nella mia esposizione. Provo, come tutte le persone assennate, una vera ammirazione per la grande cultura meridionalista che il nostro Paese ha prodotto, per i suoi maestri riconosciuti che qui non cito per non essere pedante. Dico di più. C'è stato un gruppo illustre di italiani del Sud diventati negli ultimi decenni milanesi e lombardi di adozione: basta fare i nomi di uno scrittore come Elio Vittorini, un siciliano che ha dominato per anni la cultura milanese, e del banchiere umanista Raffaele Mattioli, un abruzzese che ha improntato della sua opera di rigore e di cultura la Commerciale e la Editrice Ricciardi con la collana dei «Classici italiani».

Chi vi parla fa parte della squadra inversa, quella degli italiani del Nord che amano il Sud, la sua civiltà, la sua natura, la sua gente.

Il fatto che mi preme di dire è che ho provato un senso di grande soddisfazione intellettuale quando il presidente Spadolini ha ricordato il carattere profondamente unitario di tutte le grandi questioni nazionali su cui è chiamata a decidere la classe dirigente, da Busto Arsizio a Battipaglia, come egli ha detto.

Caro presidente Spadolini, voglio rassicurarla anche sul resto: non soltanto non penso che l'Italia finisca alla Linea gotica, ma mi guardo bene dal credere che questo governo rappresenti l'inizio della storia, la fine della politica parlamentare e la liquidazione della cultura della mediazione tra forze laiche e cattoliche. Una cosa nuova, sì, un cambiamento profondo anche, e magari la fine di quel fenomeno generalmente chiamato consociativismo politico; ma siamo persone con i piedi per terra, con la testa sulle spalle. Vogliamo che il Paese riesca a scrollarsi di dosso la parte peggiore del recente passato per salvare quella che giudichiamo migliore.

Voi tutti, per tornare al Mezzogiorno, conoscete perfettamente le cifre della disoccupazione e sapete quanto grande sia il divario tra il Nord e il Sud, a svantaggio naturalmente del Sud. Queste cifre le conosce anche il senatore Pellegrino, che mi ha rimproverato anch'egli di non capire la parte da protagonista svolta dal Mezzogiorno nella storia nazionale e la necessità di fronteggiare le sue immense difficoltà.

Ho stima per il presidente Pellegrino, che nella scorsa legislatura ha affrontato con serenità e con equilibrio, da vero garantista, la terribile prova della presidenza della Giunta delle elezioni e delle immunità parlamentari del Senato. Mi è sinceramente spiaciuta la sua mancata elezione alla stessa carica e spero che in entrambe le Camere si riesca a trovare il modo di rassicurare le opposizioni sui loro poteri di garanzia e sul loro spazio operativo pur senza tornare alla cogestione dell'iter legislativo, talvolta pasticciata e politicamente confusa, che era tipica del vecchio sistema.

Sempre in tema di Mezzogiorno, è chiaro che diminuire la disoccupazione e creare nuovo impiego rendendo più flessibile il mercato del lavoro e meno gravoso il carico fiscale per chi investe in nuovi posti lavorativi è un modo non bolso e non inutile di fare del vero meridionalismo, magari senza proclamarlo in modo troppo rituale e pomposo.

Ridurre il giogo, anche economico, imposto dalla criminalità alle regioni meridionali del Paese, insomma abbattere l'antistato e sradicare l'immenso fatturato del crimine, sulla scia della battaglia contro la mafia e la criminalità organizzata, è un altro modo di fare del meridionalismo fattuale, concreto e utile.

Quello della lotta alla criminalità, consentitemelo, onorevoli senatori, è l'unico dei capitoli del mio discorso verso il quale ho sentito in qualche commento, per la verità più giornalistico che parlamentare, un malanimo e un'astiosità che sono certo di non meritare e che non possono che ritorcersi contro chi li nutre. La stampa è stata fin troppo generosa nei confronti del mio discorso di presentazione del governo, con commenti equilibrati, critici, ma rispettosi dello sforzo che credo di aver compiuto per rendere ragione dell'opera cui si appresta questo governo, se riceverà, naturalmente, la fiducia delle Camere.

Il direttore di un quotidiano nazionale, che ha spesso accenti di violenta opposizione nei miei confronti, ha generosamente pubblicato nel suo articolo di fondo un riassunto del programma da me presentato, punto per punto, che mi è sembrato impeccabile. Ma ho giudicato francamente irritante che da qualche parte mi si potesse rimproverare una citazione profondamente sentita di due martiri [*Falcone e Borsellino*] dell'impegno civile nella lotta alle cosche.

Non sono un propagandista, né tanto meno un retore. Sono, e mi considero, un cittadino che sarà forse chiamato a governare lo Stato e, se lo sarà, lo sarà in base a procedure democratiche. Non faccio, non ho fatto e non farò mai nulla che sia motivato da pure ragioni di professionismo politico o partitico. Userò anch'io, come è naturale, le capacità e le arti di cui dispongo, ma cercherò fino e oltre i limiti del possibile di mantenere un clima di serenità, di civiltà e di reciproco rispetto nei rapporti fra il governo e il Parlamento, fra la maggioranza e l'opposizione, fra la classe dirigente e il Paese.

Preferisco il leale riconoscimento di un errore a una baruffa faziosa.

Accetto il gioco duro, ma esigo che sia corretto. Almeno questo – e lo dico amichevolmente al senatore Pellegrino, che ha parlato del mio impegno di dirigente sportivo con una certa qual degnazione – l'ho imparato dal calcio, una passione e un'arte fatalmente imparentate con il fair play.

Il senatore Miglio di fair play ne ha da vendere, e lo dico senza ombra d'ironia. Ha svolto un discorso rigoroso sul federalismo e alla fine ha definito la coalizione di maggioranza come una pozione di olio di ricino da ingurgitare in tutta urgenza. Ma ha annunciato il suo sì al governo, e lo ringrazio. Quanto al federalismo, mi ha sorpreso sentir dire da uno studioso del suo valore che la struttura regionalista e autonomista dello Stato è una protezione del centralismo. Spero che il professor Miglio abbia ragione solo in senso intellettuale e, vorrei dire, accademico.

Penso che in termini politici non abbia torto il senatore Dujany – che ringrazio per la cauta disponibilità dimostrata verso la maggioranza – quando rivendica all'esperienza del regionalismo e degli statuti autonomisti un valore di riferimento per tutta la discussione sulla fine del centralismo statalista. D'altra parte, in termini storici, è vero che i primi vagiti del movimento nordista e leghista si sono sentiti proprio nella regione autonoma della Valle d'Aosta.

Il senatore Tabladini mi chiede, a buon diritto, di essere più chiaro sulla questione federalista. Non gli voglio rispondere con parole staccate dai fatti. Credo anch'io, come autorevoli voci dell'opposizione, che un assetto di tipo federale sia ormai nel nostro Paese un evento improcrastinabile e non lo credo per ragioni strumentali, tant'è vero che ho cercato un accordo politico ed elettorale con la Lega Nord; a quell'accordo sono stato fedele in quell'occasione, senza infingimenti e senza trucchi alle spalle degli elettori.

Inoltre, nella compagine che presiedo, oltre ai ministri della Lega, siede un ministro, il professor Tremonti, che ai temi del federalismo fiscale ha dedicato recenti attenzioni molto specifiche e molto analitiche.

Infine, come ho detto nel discorso di presentazione, punteremo da subito su una restituzione alle autonomie locali di una robusta capacità di imposizione fiscale e sulla responsabilizzazione degli enti territoriali nella gestione del bilancio dello Stato.

Credo nella qualità di un federalismo liberale, con le molte radici piantate sull'unico tronco dell'Italia, una e indivisibile; ma soprattutto credo che il federalismo, come ogni grande evento politico, debba nascere dalle cose e dal lavoro degli uomini, più che dallo spirito di bandiera, di movimenti e di partiti.

Nonostante conosca queste mie convinzioni, il senatore Miglio è convinto che questo governo avrà bisogno di esercitare addirittura «uno spietato centralismo». Mi auguro di tutto cuore di poterlo smentire con i fatti nel più breve tempo possibile e mi impegno a farlo. Nonostante questo scetticismo radicale, egli ha comunque risposto al mio invito a una fiducia cosiddetta tecnica, cioè a un voto che non impegna l'opposizione ad arrendersi politicamente al governo, ma mette invece in grado sia il governo sia l'opposizione di diventare operativi e di cominciare a lavorare per il bene del Paese. Spero che non resti l'unico a comportarsi in questo modo, anche perché sono davvero convinto che non esistano alternative, serie praticabili e rispettose del voto degli italiani, alla soluzione politica che noi cerchiamo di offrire.

La maggioranza non ha alcuna volontà di ricatto, com'è stato insinuato da qualche parte. La coalizione di governo è disponibile a un serio dialogo politico ed è naturale che questo debba cominciare da quel settore del Parlamento che, sulla scia della lezione del cattolicesimo liberale di un De Gasperi, può essere considerata più vicina e affine a una coalizione liberaldemocratica moderata.

Comprendo il travaglio politico dei popolari e lo rispetto. Ho ascoltato con un senso di autentica ammirazione, come sempre mi accade, le parole pronunciate in quest'aula dal presidente Cossiga. Il suo discorso sul rapporto tra il cattolicesimo politico italiano e le istituzioni fa onore a lui e a tutta la sua storia personale. Non prendo la sua benevolenza nei confronti di questo governo come un'apertura di credito; la considero piuttosto un omaggio al funzionamento dello Stato e alla politica intesa come dimensione alta e severa dell'agire responsabile.

Spero con tutto il cuore che il suo appello trovi orecchie disposte all'ascolto; lo spero e vorrei dire che ne sono sicuro. Sono pronto a ogni sforzo per dare un segno tangibile di buona volontà e di collaborazione nel governo del Paese e nella dialettica parlamentare, a partire dall'organizzazione dei lavori delle Assemblee. Ma non posso accettare idee piuttosto curiose, come quelle di un governo bis o di una maggioranza differenziata per Camere. Penso che le proposte impossibili siano destinate a impedire che si realizzino le cose possibili. È invece possibile, positivo, razionale che questo governo sia messo in grado di diventare operativo da un'assemblea saggia e severa qual è il Senato della Repubblica.

Quanto agli appelli da sinistra per un cambio di maggioranza deciso a tavolino, penso che qualche senatore dell'opposizione abbia voluto fare della propaganda. Credo che questa maggioranza e questa legislatura debbano coincidere e che per costituire una nuova maggioranza siano politicamente necessarie nuove elezioni.

Sono convinto di ciò, ne sono fermamente convinto perché i simboli comuni sotto cui sono stati eletti i parlamentari del Polo delle libertà e del buon governo non sono all'incanto per nessuno.

Credo che tutti noi, che apparteniamo a questa maggioranza e che abbiamo la certezza di essere seguiti da una parte sempre crescente del Paese, costruiamo questi simboli nella nostra coscienza, come sono certo del diritto sacrosanto di tutti coloro che ci hanno eletti a vedere rispettato il loro mandato. Il Paese aspetta di metterci alla prova, di vedere se è possibile una svolta, un mutamento di stato d'animo e di politiche. Questo voi lo sapete bene, lo sapete come me e forse meglio di me, colleghi del Senato. Sta a voi decidere per il meglio, sapendo che non c'è arroganza alcuna da parte nostra e che, se è emersa qualche incertezza, qualche incomprensione, nei rapporti politici, questo può essere dipeso dalle difficoltà di un apprendistato e non certo da cattiva volontà.

Su temi cruciali come la politica estera ho registrato una impegnata convergenza da voci diverse e ringrazio in particolare il senatore Agnelli per aver colto l'elemento di rigorosa continuità atlantica ed europeista della politica del governo. Anche in questo campo non esistono tabù e la Storia si muove con grande rapidità, ma l'immagine internazionale dell'Italia e il suo ruolo diplomatico sono un oggetto politico di massima delicatezza da maneggiare – come si dice – con estrema cura. In particolare, confermo che il governo assicurerà senza indugio la partecipazione dell'Italia all'attuazione delle risoluzioni del Consiglio di sicurezza, al quale siamo candidati come membri non permanenti per il biennio 1995-96. E il senatore Porcari ha fatto benissimo a rilevare che la valorizzazione del ruolo delle comunità italiane all'estero, anche attraverso l'esercizio del diritto di voto troppo a lungo negato, è parte del programma di governo fin dalla struttura e composizione del nuovo ministero.

Quanto, infine, al libro bianco del presidente Delors, esso è una traccia per il nostro lavoro, un lavoro che inizia a sei mesi dall'entrata in vigore del Trattato di Maastricht e punta fin dal Consiglio europeo di Corfù del prossimo giugno al rafforzamento della struttura istituzionale dell'Unione europea.

Anche alla politica di bilancio è stata riservata nel discorso e nel dibattito un'attenzione speciale. Quanto più cercheremo di stimolare lo sviluppo e gli investimenti, tanto più importante sarà lo sforzo di mettere le briglie al debito, alla dura eredità finanziaria che questo governo riceve dal passato. Non è un'impresa facile, ma è l'unica che vale la pena di tentare.

Vedo che ormai da mesi, da quando la politica italiana è entrata in una fase nuova di movimento, la Borsa e i mercati monetari internazionali si sono messi in una posizione di attesa e di buona disposizione. Spero che nessuno voglia disperdere i segnali di forte incoraggiamento che anche il mondo finanziario ha lanciato verso un'Italia decisa a darsi un governo stabile, un governo politico nel pieno possesso delle sue funzioni, dopo la difficile fase di transizione e di turbolenza degli ultimi due anni.

È una caricatura ideologica presentare questo governo, per usare la forma ottocentesca coniata da Carlo Marx, come un comitato d'affari della borghesia o come un governo dagli spensierati propositi spendaccioni. Nelle misure programmatiche annunciate c'è lo sblocco delle grandi opere pubbliche ma, per adesso, solo sulla base di stanziamenti già previsti nel bilancio dello Stato e di cui era già stato calcolato l'impatto sul fabbisogno in sede previsionale.

Quanto all'individuazione di strumenti operativi per la progressiva detassazione del lavoro dipendente, per l'abolizione di oneri impropri che gravano sulle pensioni e sulla prima casa e per le misure incentivanti dello sviluppo della media e piccola impresa, lasciatemi dire che si tratta né più né meno di atti dovuti.

Il governo conferma il suo rispetto degli accordi intercorsi a luglio con le organizzazioni sindacali in materia di costo del lavoro. Su questo il governo ha una sola parola; devo però aggiungere che trovo stucchevole questo richiamo alla necessità di un'analisi della crisi strutturale dell'economia italiana contenuta in una sua intervista di oggi. Non sono tali analisi a essere mancate in questi anni di convegni e, se mi consentite, anche di chiacchiere. È mancata una sintesi, una capacità di proposta e d'intervento dei governi ed è su quella che intendo puntare tutte le mie energie, spero con la leale collaborazione delle forze sociali.

Senatori della Repubblica, ho preso nota di molte questioni settoriali che rivestono grande importanza per la vita della comunità civile e che esigono trattazioni separate, distinte, organiche, proprio allo scopo di non confezionare enciclopedie, piccole o grandi, in cui si affastellino, senza un senso unitario, argomenti dietro argomenti.

Sui temi della difesa, sulle questioni legate all'obiezione di coscienza, sui problemi dell'università e della ricerca, sui problemi dell'ambiente e su molti altri argomenti è chiaro che, se il governo otterrà la fiducia, il Consiglio dei ministri sarà aperto quotidianamente a ulteriori delucidazioni, a uno sforzo di analisi particolareggiato e perfino puntiglioso; il tutto (l'ho detto e lo ripeto) in attuazione dei programmi che questa maggioranza ha presentato agli elettori per chiedere il loro consenso.

Per quanto mi riguarda, non sono più un uomo d'impresa, un uomo d'azienda; ma quella è stata per molti anni la mia professione e vi assicuro che le imprese moderne economizzano le parole e cercano sempre di spendere i fatti.

Solo un ultimo appunto operativo. Al senatore Zeffirelli, che ha rivendicato attenzione al patrimonio culturale italiano, un patrimonio fatto di beni artistici e museali che il mondo ci invidia e che noi dobbiamo restituire ai nostri figli come e meglio (anzi, direi molto meglio) di come lo abbiamo ereditato, rispondo che questo è uno dei campi su cui possiamo partire bene, perché l'opera della precedente gestione del ministro Ronchey gode di generale apprezzamento e stima.

Per la parte del nostro patrimonio che consiste nella creatività italiana, tanto amata nel mondo intero, come ben sa un maestro di fama internazionale come Zeffirelli, c'è molto lavoro da fare da parte del governo e, come ha sottolineato il senatore Squitieri, da parte del Parlamento e del mondo della cultura

Ancora qualche parola sulla cosiddetta questione del conflitto d'interessi, una questione sulla quale non sono affatto stato reticente nel discorso di presentazione. Capisco che l'opposizione non sia soddisfatta del quadro di garanzie oggettive che ho prospettato e che non conceda più di tanto anche alle più impegnative dichiarazioni da me fatte in piena coscienza: nelle repubbliche, ne convengo, non esiste la parola di re. Consentitemi però di ricordare che la professione di chi vi parla non è stata, come qualcuno ha detto, quella dell'uomo d'affari, bensì dell'imprenditore, che è una cosa diversa.

Ciò di cui mi sono occupato per parte della mia vita, il prodotto che sono riuscito a costruire, la comunicazione, il fatto che questo prodotto sia immateriale non significano che io sia un mercante d'immagini: la televisione commerciale non è stata in questi anni soltanto una fabbrica di intrattenimento, di spettacolo e di informazione. È stata anche una fabbrica di posti di lavoro, una fucina di investimenti ad alta tecnologia, un veicolo generale dell'espansione economica e dello sviluppo industriale e commerciale del Paese, un fattore di crescita culturale e civile.

Non sono qui per difendere il buon nome dell'azienda che ebbi l'onore di fondare da quelle accuse che mi sono state rivolte, alcune delle quali impostate su una pura logica – lasciatemelo dire – di deformazione che ben conosco e conosco da anni. Basta sapere che tutto quello che ho realizzato è perfettamente trasparente ed è stato fatto sotto gli occhi di milioni di persone, nel più stretto e rigoroso rispetto della legge. Vorrei che tutti coloro che hanno operato nel mondo dell'impresa e della finanza potessero dire altrettanto e a testa alta come io lo dico.

Si è molto ironizzato sui miei sogni a occhi aperti. Rispondo che mi basta essere stimato sul piano personale e sul piano politico. Ricordo che forse, se solo la sinistra progressista avesse concesso qualcosa di più alla fantasia e all'innovazione politica, oggi al posto nostro ci sarebbe lei, il che, mi dispiace, non è.

Più in generale, forse, a sinistra bisognerebbe cominciare a considerare con maggior attenzione questi problemi e magari, senza nessuna saccenteria, a studiarli meglio, anche nella considerazione – e vi chiedo perdono in anticipo della semplicità del paradosso – del fatto che, con tanti politici diventati «imprenditori», un imprenditore che entra in politica non dovrebbe far notizia in senso negativo.

È anche una questione di buonsenso, quel buonsenso che per me non è affatto un antidoto alla disputa politica, ma un aiuto per una buona politica. Colgo l'occasione per ricordare che gli *old boys*, a cui si è fatto riferimento per autodefinirsi, sono simpatiche figure di ragazzi che non sono cresciuti, che non vogliono crescere e che non sanno crescere.

Io comunque ripeto e ripeterò con grande pazienza, fino alla noia, che la distinzione dei due ruoli di cui si parla è sotto gli occhi del capo dello Stato, è sotto gli occhi del governo nella sua collegialità, è sotto quelli del Parlamento, è sotto quelli delle autorità di garanzia, dell'ordinamento giudiziario e dell'opinione pubblica eretta a tribunale del buonsenso.

Non faccio due parti in commedia: per farlo, cioè per influenzare impropriamente l'economia attraverso la politica, in genere si preferisce restare nell'ombra o dietro le quinte, tirare i fili piuttosto che esporsi. Invece non ho mai raggiunto in vita mia un grado di esposizione tanto grande quanto quello attuale e forse mai alcuno si è trovato in una situazione più limpida e più limpidamente giudicabile da istituzioni e cittadini.

Signor presidente, signori senatori, il Paese ha bisogno di un governo operativo, di una coalizione stabile che risponda del suo operato a un Parlamento vigile e a un'opinione pubblica che si è espressa con la legittimità del suo voto libero e segreto. Il governo che ho l'onore di presiedere si è presentato alle Camere con la massima disponibilità a costruire un dialogo politico schietto con le opposizioni. Siamo stati chiari su tutte le questioni fondamentali, a partire dal quadro di legittimità politica e costituzionale in cui si inscrive saldamente il nostro progetto e sui valori di libertà in cui crediamo e che affondano le loro radici nella sconfitta dei fascismi europei.

Si è anche affermato che la presenza nel governo di ministri di Alleanza nazionale, il prodotto naturale di un processo di costituzionalizzazione delle estreme, in cui credevano fino a pochi giorni fa anche i leader dell'opposizione di sinistra, è solo un ennesimo pretesto per una battaglia di ostruzione e di delegittimazione.

Voglio sperare che non siano questi gli intendimenti dell'opposizione. Conosco da anni il senatore Mancino, il cui pensiero attendiamo tutti di ascoltare con interesse in sede di dichiarazione di voto. Conosco la sincerità dello sforzo che i popolari hanno compiuto per restituire dignità e presenza politico-sociale alla grande tradizione del cattolicesimo politico. Se questa tradizione ha oggi diversi punti di riferimento e si esprime in forze diverse, questa è una ricchezza in più del nostro Paese e non un suo impoverimento. Se ho letto bene i documenti, anche la Conferenza episcopale italiana guarda al futuro della presenza politica cattolica senza alcun accento di cupo pessimismo.

Il quadro della decisione è chiaro davanti a noi e tutti sappiamo quale sarà la conseguenza del nostro voto per la vita pubblica del nostro Paese. Abbiamo discusso con dignità e decideremo in piena libertà: questo è importante. Io, per parte mia, confermo un'aperta e leale richiesta di fiducia.

Una maggioranza di italiani ha stabilito con il voto che a questa coalizione tocchi l'onore e l'onere del governo della Repubblica. Sta a noi, ma in piena serenità, se confermare o rovesciare quel verdetto.

Signor presidente, signori senatori della Repubblica, vi ringrazio.

La coalizione che sostiene il governo
ha un minimo comun denominatore
moderato e democratico, dalla sinistra
liberale dei riformatori ai cattolici

20 maggio 1994

*Dopo aver giurato fedeltà alla Costituzione davanti al presidente
della Repubblica Scalfaro (11 maggio), il 18 maggio del 1994 il governo Berlusconi ottiene la fiducia del Senato. Il senso di responsabilità di
alcuni senatori dello schieramento di centro, che non vogliono accor-
darsi con i progressisti, permette all'esecutivo di ottenere la fiducia a
Palazzo Madama. Il giorno 20 il neopresidente del Consiglio si presenta alla Camera per replicare al dibattito che ha assunto toni spesso
aspri. Forte di una maggioranza più ampia, l'esecutivo ottiene 366 voti favorevoli e 245 contrari.*

Signor presidente, Signori deputati,
vi ringrazio per l'impegno che avete messo nella discussione del mio discorso, che secondo la prassi ho consegnato a questa Camera subito dopo averlo pronunciato in Senato. Una volta si usava ripetere la lettura integrale del
discorso del presidente del Consiglio, poi questo uso è stato abolito, credo saggiamente, perché la ripetizione di un
identico discorso è stata considerata una semplice forma-
lità, o se volete, un rito più che un omaggio alle regole della comunicazione istituzionale.
D'altra parte, il nostro è un sistema di bicameralismo
perfetto, in cui un'assemblea ripete esattamente o quasi
ciò che fa l'altra. Chissà che un giorno non si riesca, avva-

lendosi del lavoro di approfondimento fatto nella scorsa legislatura dalla Bicamerale, a eliminare in tutto o in parte questa specie di «ritorno dell'identico».

Le elezioni, come tutti sanno, si sono svolte nei giorni 27 e 28 marzo del corrente anno. La Repubblica dovrebbe disporre da stasera, se avrò la vostra fiducia, di un governo nel pieno esercizio delle sue funzioni. Sono passati esattamente cinquantatré giorni, circa milleduecentosettantadue ore. Se le cose andranno come spero, saranno comunque giorni spesi bene.

Signori deputati,
l'ex presidente della Camera ha giustamente polemizzato contro l'idea che tutto si possa risolvere con una semplificazione del linguaggio, e magari con un suo impoverimento, e ha chiesto che la maggioranza si impegni in un «serio dibattito istituzionale» con le opposizioni. Per le sue idee, e specialmente per il suo stile dignitoso e rispettoso, ho la più alta considerazione. Risponderò perciò a lui, come a molti altri onorevoli deputati, ma dico subito a tutti che non raccoglierò le supersemplificazioni polemiche indirizzate a chi vi parla e destinate a una sempre più pallida eco di stampa. Anche i giornali si annoieranno di ripetere sempre la stessa prima pagina.

Io, comunque, scarterò puntigliosamente dalla mia replica, giudicandole non già argomenti di serio dibattito istituzionale, bensì aggressioni polemiche di tipo personale, fondate sulla distorsione della realtà e sulla logica dell'insulto, tutte le visitazioni interessate di quello che un deputato ha avuto l'amabilità di definire il mio «recente passato».

Se si procede così, in questa legislatura, quella sequela di risse verbali e di sorda incomunicabilità, contro la quale mi sono permesso di pronunciarmi in Senato, non avrà fine.

Per quanto mi riguarda, ed è una scelta antica, non faccio processi, non giudico gli altri con sufficienza, non sono mosso da astiosità verso le persone, non attacco nemmeno la storia personale di coloro che in qualche senso, da liberale e da democratico, avrei il diritto di considerare avversari ideologici, più o meno pentiti, del sistema di valori e del modello di società in cui credo. Se mi capiterà di polemizzare, anche nel corso di questa replica, non sarà verso le persone ma verso le idee che esprimono.

Un altro nostro vivace collega, risollevando contro il presidente del Consiglio il tema del conflitto d'interessi tra l'imprenditore e il politico, e facendolo ormai con una ripetitività meccanica perfino noiosa, si è ritenuto libero di rispolverare il vecchio armamentario propagandistico della sinistra italiana contro la tv commerciale, o privata, o libera, e contro le leggi dello Stato che hanno accompagnato la sua affermazione sul mercato.

Mi consenta, il nostro onorevole collega, ma io sono libero di dirgli, con la serenità di un parlamentare e di un uomo di governo che conosce i suoi doveri, che la campagna elettorale per me, e credo per la maggioranza degli italiani, è finita – ed è finita, appunto – da cinquantatré giorni, da milleduecentosettantadue ore.

Ripeto come stanno le cose per l'ennesima volta e chiedo, per dir così, che quel che dico venga messo a verbale: ho fondato, fatto crescere e amministrato fino a qualche mese fa un gran numero di aziende, ho svolto nel pieno rispetto delle leggi e nel modo più trasparente la libera attività di imprenditore garantita dalla Costituzione, ma oggi non sono più un imprenditore; non svolgo alcuna attività direttiva; non partecipo alle decisioni e neppure alla vita delle aziende; non detengo cariche; non sono l'amministratore delegato di nulla; non partecipo ad alcun consiglio e neppure ad alcuna assemblea sociale. Inoltre, il mio comportamento etico in rapporto al patrimonio di cui sono titolare è sorvegliato, nell'ordine: dalla mia coscienza, che nessuno in buonafede può mettere in dubbio; dal capo dello Stato; dall'Autorità Antitrust; dal Garante per l'editoria; dal Consiglio dei ministri, organo collegiale; dal Parlamento, e in special modo dall'opposizione; dalla magistratura ordinaria e amministrativa; dalla libera stampa; dal corpo elettorale e dall'opinione pubblica.

Se tutto questo basta, se vogliamo guardare avanti ed esercitare senza astio e malanimo le normali funzioni di vigilanza di cui tutti gli uomini pubblici sono oggetto, bene; altrimenti vuol dire che si desidera disfare a colpi di insinuazioni i risultati elettorali usciti dalle urne. Chi vuole questo si accomodi, ma non chieda al presidente del Consiglio di seguirlo su questa strada che è una caricatura, una parodia della democrazia liberale.

Torniamo ora alle cose serie.

L'ex presidente della Camera ha svolto alcune considerazioni sulle quali francamente concordo. Era ispirato a grande serietà e onestà il suo sobrio elogio di quanto è stato prodotto dalla nuova legge elettorale, particolarmente all'indomani di un voto che ha premiato la coalizione avversa a quella in cui egli milita: egli ha parlato di una più evidente capacità di esprimere un governo da parte del sistema politico-parlamentare e di una benefica semplificazione della rappresentanza democratica.

Concordo anche sulla sua analisi critica del fenomeno del «consociativismo», con il riferimento orgoglioso alle sue tesi di dieci anni fa, anche se è ovvio ribattere che un conto è individuare un fenomeno di decadimento del regime politico e un altro conto è sapersene tirare fuori o saperlo impedire.

È vero che un sistema maggioritario ha bisogno di contrappesi. La democrazia americana, che è una democrazia presidenzialistica e maggioritaria per eccellenza, è proprio fondata su un meccanismo ferreo di pesi e contrappesi, di poteri autonomi che si controllano vicendevolmente con grande autorità. Ma in Italia siamo solo agli inizi. Da noi è in vigore da pochi mesi un sistema elettorale di tendenza maggioritaria, con una forte correzione proporzionale. E tutto il resto del sistema istituzionale non è stato toccato, anche se si profila all'orizzonte un nuovo referendum sulla legge elettorale, che potrebbe compiere l'opera avviata dall'XI legislatura e approvata, nei suoi principi fondamentali, da ottanta italiani su cento.

Sono sensibilissimo al tema dei contrappesi e delle garanzie, delle regole e del loro rigoroso rispetto, ma non vorrei che dietro questa giusta deferenza verso la norma si nascondesse una certa qual paura del nuovo, magari al di là delle stesse intenzioni di ognuno.

Il governo deve essere messo in grado di portare in Parlamento il suo indirizzo politico e legislativo, perché le Camere lo ratifichino o lo respingano, e se del caso lo modifichino in tempi politici che abbiano qualcosa dell'umano. Bisogna essere cauti ma anche determinati nel perseguire questa via, una via alla quale sono tutti interessati, coloro che governano e coloro che preparano il ricambio di governo, e che non ha niente a che vedere con l'ostentazione della muscolatura da parte della maggioranza o dell'opposizione.

Altrimenti si finisce come si è finiti negli ultimi due anni. Il numero di decreti che ingombrano la scrivania del governo è ingente, e la massa di spesa che questi decreti a ripetizione prevedono impegna una incredibile quantità di risorse pubbliche senza che il Parlamento sia in grado di esercitare alcun controllo.

La conseguenza più penosa di questa eredità così pesante, verso la quale il governo non ha un atteggiamento di ripulsa propagandistica ma nemmeno di supina acquiescenza, consiste nel fatto che i decreti reiterati all'infinito diventano, pian piano, una sorta di legislazione extraparlamentare, e nel frattempo il Parlamento non viene posto di fronte alle sue naturali e istituzionali responsabilità di organo della sovranità popolare deputato all'esercizio pieno della legislazione e al controllo delle politiche di bilancio. È anche così che nascono i deficit astronomici. E questa situazione va cambiata con urgenza, con l'ausilio delle Camere, dei loro uffici di Presidenza, delle Commissioni permanenti e dei Gruppi, di tutti i Gruppi.

Non ripeto qui le considerazioni sul programma e sui suoi vari punti che ho svolto in Senato, perché sono convinto che anche il miglior programma non esiste e non può vivere senza che esistano e vivano gli strumenti per attuarlo.

Un alto numero di interventi svolti in quest'assemblea ha insistito su diversi temi affrontati nel discorso di presentazione, con un interesse prevalente per le politiche del lavoro, per i problemi dell'università e della ricerca.

Nel dibattito hanno fatto ovviamente la parte del leone le osservazioni sulla questione della spesa pubblica e del fisco, sulle grandi questioni sociali della previdenza, della sanità, dei trasporti, della struttura del salario, delle politiche scolastiche e per la famiglia. Il governo, tra le altre cose, ha allo studio misure urgenti per un efficiente e serio sostegno al volontariato che milita nel campo straordinario della solidarietà sociale verso i ceti più deboli, verso le aree di vecchia e nuova povertà, verso gli immigrati extracomunitari e tutte le situazioni di integrazione difficile, di emarginazione e sofferenza.

In questo contesto, interventi di assoluta urgenza dovranno riguardare la tragica situazione delle nostre carceri. Secondo l'associazione dei medici penitenziari siamo sull'orlo del collasso civile: il numero dei detenuti è aumentato in due anni da 22 mila unità a 53 mila unità, i posti letto sono soltanto 27 mila, e la popolazione carceraria è composta per il 40 per cento da tossicodipendenti, con un altissimo numero di sieropositivi.

La società non vede il suo carcere, che è occultato da alte mura; ma dalla condizione del suo carcere si vede perfettamente il grado di civiltà giuridica della società. E noi, per dirla nel modo più diretto possibile, da questo punto di vista stiamo messi veramente male.

Non faccio di nuovo la lista delle politiche da noi proposte. A un certo punto è fisiologico che il programma di un governo si identifichi con l'attività dell'esecutivo, con la sua capacità di lavoro quotidiano, giorno dopo giorno, problema dopo problema, soluzione dopo soluzione. Sono certo di avere messo in piedi una squadra di persone capaci, competenti e appassionate o, per parlare con un tono più ufficiale, una compagine di tutto rispetto. Qualcuno ha fatto lo spiritoso sulla «cultura delle fabbrichette», citando i ministri del Bilancio e dell'Industria; gli rispondo che le «fabbrichette» sono talvolta più utili delle officine in cui si forgiano le «parolette», e che il Parlamento non dovrebbe sprecare con battutine offensive le occasioni solenni in cui si celebra la comunicazione democratica attraverso la parola della politica.

L'importante è che sia chiaro, e cercherò di chiarirlo di nuovo tra poco, l'insieme delle linee di intervento e di principi che ci ispirano. E che il governo si propone di favorire la rimessa in moto del meccanismo politico-legislativo che una situazione di dura crisi politica ha fortemente penalizzato nel passato.

Consentitemi dunque di riprendere la parte di analisi economica contenuta in numerosi interventi di oratori che parlavano dai banchi della sinistra.

Che cosa vuol dire, onorevole Bertinotti, che la crisi dell'economia italiana è «strutturale»? Vuol dire che è profonda, immagino, che non riguarda la congiuntura monetaria, che non è risolvibile senza interventi radicali e di indirizzo generale, che a essere coinvolte sono le strutture produttive, agricole e industriali, finanziarie e commerciali; e che sono in gioco, in una parola, i destini e gli scopi della nostra economia.

Se «strutturale» vuol dire questo, onorevole collega, sia così gentile da pensare che non c'è alcun dissenso tra noi nel giudizio sull'economia del nostro Paese. Il dissenso è sui modi per uscire da queste difficoltà. Un dissenso semplice, che tutti possono capire senza che per questo si semplifichi troppo la natura del problema.

Lei crede, e in questo è un figlio legittimo della cultura della «programmazione democratica degli investimenti» e del «controllo statale» sull'economia pubblica, che il governo possa e debba decidere come deve andare l'economia, dirigendola: e dunque fa appello a una politica industriale che decida che cosa, come e quando va rafforzato, che metta sotto il pieno controllo dello Stato l'innovazione tecnologica, che intervenga sull'orario di lavoro, che governi il mercato dei beni di consumo, e che faccia tutto questo imponendo per di più una serie di vincoli e di divieti ambientali molto rigidi.

In questo la sua esposizione non è molto diversa, anche se diverso era lo stile, da quella di molti altri deputati della sinistra. Ne ho apprezzato l'intelligenza apocalittica e la passione nel dire, meno le cose dette, che in alcuni punti mi sono addirittura sembrate leggermente stravaganti, e prenda questa affermazione con il massimo rispetto per la persona del capogruppo di Rifondazione comunista.

Mi riferisco in particolare alla citazione da un testo di Marx in cui l'avvento al governo del «Polo delle libertà e del buon governo» viene salutato (si fa per dire) come il cominciamento di un nuovo Medioevo. O all'osservazione secondo cui si è creata in Italia una «preoccupante asimmetria» nel potere, quando i rapporti politici sono sempre asimmetrici in ogni democrazia in cui la maggioranza governa e la minoranza controlla chi governa.

E mi riferisco al punto in cui lei, onorevole Bertinotti, imputa al capitalismo il dolore del mondo. Mi consenta di replicare che lei dimentica un fatto ormai universalmente riconosciuto nella nostra epoca. E cioè che il dolore non è quantitativamente misurabile, perché è parte della condizione umana, ma, se lo fosse, la gran parte del dolore dell'epoca contemporanea sarebbe da addebitare piuttosto al comunismo e al socialismo reale, e alle loro miserie, che alle squilibrate e criticabili ricchezze del capitalismo.

Su questi temi il mio pensiero è noto, è stato sottoposto alla prova della cultura d'impresa e anche a quella elettorale. Non pretendo che sia accettato, ma soltanto chiedo che sia messo alla prova. Anche perché, lo ripeto, non è un pensiero dogmatico.

In sostanza, io credo che i poteri di indirizzo dello Stato nell'economia debbano essere esercitati con discrezione liberale, e che sulle grandi varianti dello sviluppo e dell'accrescimento e allargamento della base produttiva di un Paese occidentale si debba intervenire con due funzioni: sostenere l'economia liberandola da troppi impacci che la imprigionano e, contemporaneamente, vigilare sul rispetto delle regole senza le quali non esiste alcun mercato. Sostenere e vigilare: questo non vuol dire dirigere, non vuol dire esercitare poteri di pianificazione a tavolino da parte dello Stato centrale e degli organi di pubblica amministrazione.

Quanto ai toni apocalittici, anche certi ambientalisti hanno tentato di emulare Bertinotti. E questo è uno dei motivi per cui l'ambientalismo, che è una risorsa politica in tutta Europa, in Italia si presenta, politicamente, come un'appendice nobile ma ininfluente della vecchia sinistra. Hanno citato, al solito, «l'effetto serra», parlando dei tanti pericoli di squilibrio che minacciano la Terra. Voglio ricordare che un giornale come l'«Economist» di Londra, che a me sembra spesso autorevole, tranne quando fa previsioni sulle elezioni e la politica italiana, ha scritto qualche tempo fa che forse il nostro pianeta comincerà a intiepidirsi in un lasso di tempo pari a quello che ci divide dalla morte per mano repubblicana di Caio Giulio Cesare, circa duemila anni.

Non so se siano allo stato possibili previsioni scientifiche di così lunga gittata: quel che è certo, colleghi deputati, è che è inutile agitarsi troppo perché un po' di tempo ce l'abbiamo!

Signor presidente, Signori deputati,
dalla sinistra di questo emiciclo, come anche dai settori del centro occupati da rappresentanti del cattolicesimo popolare, sono venuti nuovi accenti critici sulla questione

del liberismo economico. Il liberismo è una strategia di sviluppo che va trattata con molte cautele ma alla cui ispirazione di fondo il governo ha deciso di attenersi, sia pure con saggezza e misura.

Un deputato del gruppo cristiano-democratico ha ricordato gli accenti liberali presenti nella dottrina sociale della Chiesa, alle sue origini, e ha citato un grande pontefice come Leone XIII. Se gli amici popolari non si lasciano convincere a discutere quest'argomento da un deputato papista, forse troveranno più convincenti le parole di un popolare «honoris causa» come don Luigi Sturzo: «L'errore fondamentale dello statalismo è quello di affidare allo Stato attività a scopo produttivo, connesse a un vincolismo economico che soffoca la libertà dell'iniziativa privata».

E fin qui siamo nel segno della scienza economica. Ma politica ed economia hanno rapporti più complessi di quelli che alcuni statalisti fanatici tendono a immaginare. E infatti don Sturzo aggiunge, sempre nel 1955: «Le nazionalizzazioni e statizzazioni possono anche produrre effetti immediati, ma poi questi vantaggi si scontano strada facendo. [...] E il paternalismo dello Stato verso gli enti locali toglie il senso della responsabilità della pubblica amministrazione e concorre a deformare al centro il vero carattere del deputato. Era questi un servo degli elettori anche prima del fascismo, ma oggi arriva perfino a essere il trafficante degli interessi dei parassiti dello Stato».

Mi pare che, riletto adesso, questo pensiero, che l'onorevole Bossi sottoscriverebbe senza difficoltà così come lo sottoscrive chi vi parla, sia un giudizio su parte della nostra storia, che non è solo storia di manomissione dello Stato, per la verità.

Però non può sfuggirci, in quest'aula che è stata così drammaticamente coinvolta nella vicenda traumatica del finanziamento illegale dei partiti politici e dei fenomeni di corruzione a questo collegati, che per combattere ed estirpare le cattive abitudini ci vuole, prima di tutto, una buona dose di libertà restituita tutta intera alla società. Questo è il vero, decisivo compimento dell'opera di moralizzazione della vita pubblica intrapresa, ed è un loro vanto, dagli italiani.

Signori deputati,
ringrazio l'onorevole Occhetto per l'impostazione politico-programmatica del suo discorso alla Camera. Sono persuaso che abbia fatto la scelta giusta per tutti noi, il segretario del Partito democratico della sinistra, quando ha detto che non ci sarà una sinistra d'opposizione «cieca e faziosa», e che non ci sarà una divisione del Parlamento tra ottimisti e «piagnoni». Forse sono troppo indulgente con gli ottimisti, ma personalmente detesto i «piagnoni».

Il suo discorso è stato duro nei contenuti, molto critico verso la mia impostazione, ineccepibile nel prospettare una efficace e dura opposizione, che però non sarà – e io voglio esserne convinto senza riserve – una sorta di grande ostruzione al governo, una specie di sistematico impedimento a decidere e legiferare.

Il punto su cui però mi aspettavo una risposta, che al Senato non mi era venuta, è quello del giudizio di legittimità sul governo che si presenta alle Camere. È una questione molto delicata, perché riguarda una delle basi della convivenza civile e ha riflessi sull'immagine internazionale del Paese. Sì, è vero, l'onorevole Occhetto è stato tra i primi, subito dopo il voto, a riconoscere il diritto della coalizione vincente a governare. Ma poi, con una oscillazione di cui non ho capito le ragioni, il segretario del maggiore partito dell'opposizione di sinistra ha definito «umiliante per l'Italia» questo governo, e in più si è abbandonato a toni davvero inconsueti nel tentativo di sottrarre con le parole quella legittimazione che concedeva di fatto.

Un governo legittimo può essere giudicato a occhio e croce un «cattivo governo», un «governo incapace», un «governo di destra», un «governo illiberale», un «governo contrario alle aspirazioni del Paese»: sono tutti giudizi politici che danno il segno di una opposizione costituzionale seria e responsabile.

Io non credo affatto che questo sia, semplicisticamente, un «governo di destra».

L'onorevole Taradash prima e poi l'onorevole Bonino con il suo commosso silenzio, mi hanno chiesto fino a che punto io consideri interno al programma di maggioranza il ruolo dei riformatori e dei club Pannella: non ho difficoltà a rispondere che la decisione di federare gli eletti riformatori al gruppo parlamentare di Forza Italia è stata saggia e coerente con una visione delle cose che insiste, come i radicali fanno da anni, sulla fine del consociativismo politico. E che le cose che ci legano per un lavoro futuro sono molte di più di quelle che ci dividono.

D'altra parte, è proprio a una convenzione dei riformatori che ho parlato esplicitamente del punto di equilibrio su cui si fonda la coalizione. Per quanto riguarda la mia funzione di direzione e coordinamento dell'attività dell'esecutivo, lo ripeto, intendo tenere ben ferma al centro la barra del timone. La coalizione che sostiene il governo e lo nutre di idee e di proposte, come abbiamo potuto vedere nel corso del dibattito alle Camere, ha un minimo comune denominatore moderato e democratico, dalla sinistra liberale dei riformatori ai cattolici, da un cartello elettorale di centro come Forza Italia a una forza di movimento e d'impulso come la Lega Nord, fino alla destra costituzionale di cui ha parlato con accenti di verità politica l'onorevole Fini.

Comunque, ciascuno può coniare le definizioni che preferisce. Ma che c'entra l'umiliazione dell'Italia? Perché questa campagna ostile in via di principio, fin troppo evidente nei modi, perfino plateale, condotta senza risparmio di energie in Europa e nel mondo?

Il pretesto è la presenza nel governo di ministri di Alleanza nazionale, un cartello elettorale e un'organizzazione politica che ha stretto un suo patto con gli elettori e con altri movimenti per governare l'Italia, uscendo confortata dalle urne.

Un'organizzazione politica che – come l'onorevole Fini ha solennemente e recisamente riaffermato stamani in quest'aula – «ha ormai consegnato alla storia i conti con il fascismo». Una forza che è originata da una scelta di apertura e di costituzionalizzazione dell'estrema destra. Un movimento politico che, come ha ricordato in Senato il presidente Cossiga, ha offerto spesso in passato, quando non si chiamava ancora Alleanza nazionale ed era assai diverso da quel che è oggi, i suoi voti determinanti per eleggere le massime cariche della Repubblica. E ne è stato ricambiato con sentiti ringraziamenti.

È lecito condannare politicamente questa scelta, onorevole Occhetto, anche se aspetto ancora una sua riflessione sul libero voto di quasi metà dei cittadini di Roma e di Napoli: ci mancherebbe altro!

Ma è altra cosa imbastire su quest'opposizione politica una campagna regressiva che sa di rivalsa e di ricatto sentimentale verso i sentimenti antifascisti e la memoria della grande maggioranza degli italiani. Ed è imperdonabile trasferire questo risentimento mal dissimulato fuori dai confini nazionali, con toni di denuncia astiosa e qualche accento francamente irresponsabile che ora un ex deputato ed ex ministro francese riecheggia alla meglio nelle nostre piazze.

Onorevole Occhetto, ho sentito io con le mie orecchie la trasmissione televisiva in cui lei si è confrontato con il leader di Alleanza nazionale, l'onorevole Fini. Se non ricordo male, le hanno chiesto di fare il cosiddetto gioco della torre, e di dire pubblicamente chi avrebbe buttato giù, se Fini o Berlusconi. E ricordo la sua risposta senza equivoci: meglio Fini di Berlusconi. Ora la prego sentitamente di essere coerente con il suo impegno davanti ai cittadini: prenda a bersaglio me, che sono un antifascista democratico e liberale senza pregiudizi e senza paraocchi, e magari il mio programma di governo, ma non cerchi pretesti dalle parti di Alleanza nazionale.

Se questo argomento non la convince, onorevole Occhetto, allora le ricorderò ancora una volta le parole pronunciate dall'onorevole D'Alema il 10 febbraio scorso, a proposito della necessità di costituzionalizzare le estreme e dare vita a un bipolarismo politico in sintonia con la legge maggioritaria: «Potevamo governare per una stagione storica e avremmo dato luogo a un nuovo regime ventennale. Ma avremmo di nuovo chiuso le estreme ai lati, bloccando qualsiasi ipotesi di ricambio. Invece abbiamo rimesso in circolo forze più radicali, come ci sono in tutte le democrazie, e preparato le condizioni per un futuro bipartitismo. Questa è una dinamica virtuosa».

Scusi la mia puntigliosità, ma ho fatto un altro piccolo e innocente sogno: ho sognato che qualcuno di voi mi rispondesse e mi spiegasse il senso di queste parole, subito dopo che un'improvvida iniziativa europea di chiara ispirazione italiana aveva preteso di mettere sotto esame democratico questo Paese che è tra i più democratici e liberi del mondo, obbligando il capo dello Stato e i presidenti delle Camere a una sacrosanta risposta politica e civile.

Io devo sinceramente ringraziare, avviandomi alla conclusione, i gruppi che compongono la maggioranza e che hanno deciso di dare la fiducia al governo.

In particolare l'onorevole Bossi, con il quale pure ho intrattenuto nel recente passato alcune polemiche. Anzi, per dire tutta la verità, di quelle polemiche chi vi parla è stato soprattutto il bersaglio.

Ma la politica è fatta così e, quando si ha la testa sulle spalle, anche un clima di diffidenza molto accentuata può lasciare il passo, come nel caso dell'onorevole Bossi, a un discorso ricco di passione sulla storia del movimento leghista, sui problemi del Mezzogiorno, sulla visione di un'Italia unita e federale, in un'Europa unita e federale.

Il mio ringraziamento non è formale, onorevole Bossi. Lei ha detto con sincerità di spirito che, se il governo confermerà gli obiettivi stabiliti in comune dalle forze della coalizione, non gli mancherà il sostegno della Lega e dei suoi parlamentari. Io le credo senza riserve e, per parte mia, farò di tutto perché sia così.

Ho ascoltato con attenzione le cose dette dall'onorevole Fini nella cornice impegnativa di un dibattito parlamentare sulla fiducia al governo. Non so se si possa dire che l'antifascismo è soltanto il contrario del fascismo, e non anche un quadro di valori su cui, storicamente e positivamente, si è fondata la Repubblica e la vita civile del nostro Paese.

Ma è certo che l'onorevole Fini ha confermato stamani un costume di serietà e di autenticità che in molti, anche tra i suoi avversari, gli riconoscono. E so anche per certo che egli dice quello che pensa e che sente, quando afferma la sua condivisione dei principi di democrazia e di libertà, e quando manifesta l'avversione al totalitarismo politico che ha segnato di sé la storia drammatica di questo secolo.

La democrazia italiana ha sempre mostrato una grande capacità di attrarre verso di sé tutti i suoi avversari ideologici. E questo per un motivo che i veri liberali conoscono per istinto: la libertà libera.

Signor presidente, Signori deputati, da domani, se ci sarà la vostra fiducia, il lavoro del governo entra a pieno regime. Sapete quel che vogliamo. Non siamo il governo della videocrazia e dei sondaggi: abbiamo un'anima e, lo posso garantire a chi ancora non ha imparato a conoscere questa coalizione, abbiamo ideali, principi ed energie sufficienti a cambiare in meglio la vita pubblica di questo Paese.

Noi crediamo nella libertà, in tutte le forme della libertà: nella libertà di pensiero, nella libertà di opinione, nella libertà di espressione, nella libertà di culto, di tutti i culti, di tutte quelle fedi che spingono l'uomo a migliorarsi e a tendere all'alto, nella libertà di associazione, nella libertà d'impresa, nella libertà di mercato, regolata da norme certe, chiare e uguali per tutti.

Noi crediamo nell'individuo, crediamo che ciascuno abbia il diritto di realizzare se stesso, di costruirsi con le proprie mani il futuro, di aspirare al benessere.

Noi crediamo nella famiglia, che è il centro dei nostri affetti principali, è il nucleo fondamentale della nostra società; noi crediamo anche nell'impresa, nell'organizzazione e nell'istituto cui è demandata la creazione di lavoro, di benessere e di ricchezza.

Noi condividiamo, e non potrebbe essere diversamente, anche i valori della nostra cultura e della nostra tradizione cristiana, i valori irrinunciabili della vita, del bene comune, della libertà educativa, della pace, della solidarietà, della giustizia.

Noi crediamo nella tolleranza, e ci riesce facile, naturale, praticarla; crediamo nel rispetto, nel rispetto verso tutti, anche verso gli avversari, nel rispetto, soprattutto, verso chi è più debole.

Crediamo nella generosità, nell'altruismo, nella dedizione e, siccome siamo liberisti, crediamo naturalmente nell'amore per il lavoro, nello sviluppo, nella competizione, nel profitto, nel progresso, che non può esserci se non c'è libertà!

Puntiamo su una distinzione precisa dei ruoli di maggioranza e opposizione, ma sappiamo che cos'è il rispetto delle regole e siamo pronti a tutto, oggi a governare e domani a fare opposizione.

Siamo forze nuove alla guida dello Stato, e per questo preciso motivo politico, non per un artificio verbale, chiediamo di essere giudicati dai fatti.

I partiti e i politici più tradizionali hanno tutto il diritto di manifestare un certo scetticismo di fronte alla nostra determinazione e capacità di fare quel che abbiamo promesso. Delle cose nuove e impreviste spesso si ha paura o si sorride. E quando questa straordinaria, nuova fase della mia vita è cominciata, appena qualche mese fa, di sarcasmi e irrisioni ne ho ascoltati in quantità.

È ovvio che non sarà facile rimettere il Paese sulla via dello sviluppo, modificare l'impianto della spesa pubblica e del sistema fiscale, riformare l'amministrazione dello Stato sul criterio dell'efficienza e della funzionalità, riplasmare i grandi servizi collettivi dello Stato sociale, come le pensioni, la salute, i trasporti e la scuola. E nemmeno sarà facile disboscare la giungla di leggi e divieti che impaccia il processo di crescita della società civile.

Ma di una cosa, onorevoli colleghi, potete stare certi. Noi ci proveremo.

Vi ringrazio.

Questo governo può essere sostituito da una nuova compagine solo dopo un nuovo e chiaro mandato democratico dagli elettori

2 agosto 1994

La fiducia popolare per Forza Italia, espressa nelle consultazioni politiche del marzo 1994, viene confermata alle Europee del giugno successivo. Il partito di Silvio Berlusconi si rafforza ulteriormente e ottiene il 30,6 per cento dei consensi che, sommati a quelli delle altre forze del Polo, arrivano al 51,8 per cento. La seconda sconfitta consecutiva porta alle dimissioni di tre segretari di partito della coalizione progressista: Achille Occhetto (PDS), Ottaviano Del Turco (Socialisti italiani) e Willer Bordon (Alleanza democratica). Ma, a dispetto degli ottimi risultati elettorali, il governo Berlusconi è costretto a difendersi dai durissimi attacchi delle opposizioni e, soprattutto, dell'«alleato» Bossi, uscito ridimensionato dalle elezioni europee. Attacchi che si incentrano particolarmente su due punti: il conflitto di interessi e il «decreto Biondi» del 13 luglio con cui l'esecutivo mirava a riequilibrare i rapporti fra accusa e difesa nel processo penale e a correggere le storture della carcerazione preventiva.

Signor presidente, Signori deputati,
l'atmosfera politica si è surriscaldata nel corso delle ultime settimane.

Su alcune questioni importanti, come il rapporto fra il potere politico e l'ordinamento giudiziario o la soluzione del potenziale conflitto d'interessi creatosi con la mia nomina alla Presidenza del Consiglio dei ministri, si sono manifestati forti contrasti con l'opposizione parlamentare, aree di dissenso nel Paese, tensioni nella stessa maggioranza di governo.

Osservatori non proprio imparziali né disinteressati hanno addirittura preconizzato un «martedì nero per Silvio Berlusconi».

Sarà che sono una persona di buon carattere, un inguaribile ottimista, ma nella giornata che volge al termine non vedo nulla di nero. E in questo dibattito parlamentare, da voi richiesto e immediatamente fissato con il pieno consenso del governo, non vedo affatto le insidie di cui ho letto nei giorni scorsi.

Infatti, un presidente del Consiglio che risponde ai deputati su questioni da essi sollevate, e che riflette ad alta voce e davanti al Paese sulla situazione in cui si trova lo Stato, rappresenta la manifestazione più naturale e più costituzionalmente corretta della vita di una grande democrazia repubblicana, grande anche nei contrasti, quale noi siamo.

Un altro motivo di serenità, e forse anche di ottimismo, è per me il fatto che le cose in Italia cominciano ad andare bene.

Si fa molto chiasso nel mondo politico, ma nel Paese si è ricominciato a lavorare con fiducia. Non voglio fare propaganda, ma se volessi farla mi riuscirebbe assai bene, perché il governo ha molti dati e molte cifre dalla sua parte.

Tra aprile e giugno sono nate quasi centomila nuove imprese con un saldo attivo vicino alle trentamila. Si stanno cominciando a creare nuovi posti di lavoro. La produzione industriale è in aumento, il commercio è in ripresa e l'inflazione è al suo minimo negli ultimi venticinque anni.

In settanta giorni di lavoro del governo, con oltre duecento provvedimenti presi, abbiamo cercato di promuovere investimenti di rischio e assunzioni di personale da parte delle imprese, abbiamo rilanciato l'edilizia pubblica e l'edilizia privata. Non ci sono state nomine all'insegna della lottizzazione, ha sempre prevalso il criterio della professionalità.

Ma soprattutto abbiamo varato una manovra economica senza chiedere nuovi sacrifici fiscali agli italiani. Qualche rinuncia bisognerà farla, ma faremo in modo che non sia inutile come quelle del passato. Capisco che i settori più fanatici ed estremi dell'opposizione non apprezzino queste elementari verità. Preferirebbero vedere un presidente del Consiglio rassegnato ai loro sberleffi e magari rinunciatario. Ma, dal momento che il presidente della Camera ha concordato di riprendere la nostra discussione in diretta televisiva, per rispetto al Parlamento e al Paese non si possono tacere queste informazioni. Delle liti fra l'onorevole D'Alema e il governo, delle risse e del chiasso dei partiti gli italiani non si curano molto: preferiscono essere messi a conoscenza, per poter giudicare, di quello che si fa e anche di quello che non si riesce a fare.

Signor presidente, Signori deputati,
questo governo, come tutti i governi democratici del nostro ordinamento, ha tre fonti eguali di legittimazione.
La prima è il voto degli italiani.
La seconda è l'incarico da parte del capo dello Stato.
La terza è il voto di fiducia del Parlamento.

Nel nostro caso, dal momento che per mezzo di un referendum il popolo ha scelto una nuova legge elettorale maggioritaria, che impone una logica di coalizione tra forze diverse prima del voto, il consenso degli elettori ha un valore per così dire speciale: gli italiani, per la prima volta nella storia della Repubblica, hanno – quattro mesi fa – votato una coalizione che si presentava, malgrado le turbolenze interne e l'obbligata precipitazione con cui fu costruita, come una compagine destinata a governare, in caso di vittoria, o a fare l'opposizione, in caso di sconfitta.

Tengo a ricordare questo dato fondamentale della nostra vita pubblica per una ragione molto precisa.

In occasione della recente turbolenza politica, seguita al varo del decreto sul riequilibrio dei rapporti tra accusa e difesa nel processo penale e sull'uso della carcerazione preventiva, voci autorevoli hanno posto il problema dell'opportunità di una crisi di governo. Nel vecchio sistema le dimissioni del ministero erano un'arma ordinaria di lotta politica.

Si facevano e disfacevano governi, chiamandoli con il suffisso bis o tris, a seconda delle convenienze di partito, e perfino delle diverse correnti di partito. Si facevano e disfacevano governi di «transizione», di «attesa», di decantazione, di non sfiducia, delle astensioni e addirittura governi estivi di balneazione, detti «governi balneari».

Quando non si poteva fare o disfare a proprio piacimento un ministero di bel nuovo, allora ci si limitava a minacciare un governo cosiddetto istituzionale, come se esistessero governi non istituzionali, o addirittura «un governo del presidente», come se ciascun governo non si reggesse anche sulla fiducia del capo dello Stato. Lunghe attese per l'economia, instabilità eretta a sistema, dimissioni dell'esecutivo intese come trappola per avversari e alleati, un linguaggio oscuro e allusivo che pervadeva le estati romane come uno scirocco maligno e metteva il palazzo della politica al riparo della curiosità e dell'interesse della gente comune.

Con il sistema maggioritario, signori deputati, quel tempo è definitivamente tramontato.

Quel tempo è alle nostre spalle!

Viene spesso ricordato, a noi inesperti, a noi dilettanti della politica, che è decisivo il rispetto delle regole. Talvolta si tratta di un monito lanciato in buonafede, giustificato da qualche errore da noi compiuto o da qualche ritardo di cui ci siamo resi responsabili, qualche altra volta si nota una certa cattiva fede, una certa petulanza propagandistica.

Ma non importa. Noi crediamo sul serio nelle regole e, partendo dal rispetto di quelle che ci sono, siamo qui per cercare di costruirne di nuove, insieme con quell'opposizione che proprio su questo terreno ha il diritto e il dovere di collaborare nel senso più pieno e autentico della parola.

Ma le prime regole imposte dalla nuova legge elettorale e dalle sue conseguenze, se vogliamo mettere il buonsenso e la logica al posto delle risse barocche del vecchio sistema, sono le seguenti.

Primo. Un governo che, tra le sue diverse fonti di legittimazione, ha un mandato diretto dagli elettori, è tenuto, costi quel che costi, a governare in nome del programma

voluto dagli italiani finché un esplicito e motivato voto delle Camere non gli imponga le dimissioni.
Secondo. Questo governo può essere sostituito da una nuova compagine solo se il nuovo esecutivo di ricambio ottiene, oltre alla fiducia delle Camere e del capo dello Stato, un nuovo e chiaro mandato politico dagli elettori. Solo in questo caso il cambio di timone sarebbe un atto credibile e rispettoso dei diritti degli italiani.
Le alternative al governo attuale possono dunque ben maturare, e anche in un tempo ravvicinato. Ma su un punto credo si debba essere inflessibili, per rispetto a noi stessi e a chi ci ha voluto in quest'aula come rappresentanti del popolo: di queste alternative, oltre che nei conciliaboli e nei corridoi della politica, occorre parlarne con i nostri signori e padroni, cioè con gli italiani iscritti nelle liste elettorali.

Signor presidente, Signori deputati,
la vera sfida su cui questo governo è nato e ha costruito il successo della sua maggioranza è quella dell'alternativa alle sinistre e al consociativismo, è quella del cambiamento, è quella del rilancio dell'economia italiana. Ho già detto qualcosa su quel che abbiamo fatto e su quel che intendiamo fare, cominciando da una manovra economica fortemente innovativa e passando per il vaglio della legge finanziaria. Ma prima intendo rispondere con puntualità, e naturalmente con uno sforzo di sintesi, al contenuto delle vostre interpellanze e alle critiche delle opposizioni sulle due questioni del rapporto con i magistrati e delle norme riguardanti il potenziale conflitto d'interessi nella persona del presidente del Consiglio.

Non risponde a verità, ed è anzi un'aperta falsificazione a scopo strumentale, presentare questo esecutivo come un governo nemico dei magistrati, ostile ai giudici, estraneo all'opera di moralizzazione della vita pubblica o da essa infastidito. Il fatto che un componente della mia famiglia sia stato raggiunto da un provvedimento di custodia cautelare e che il gruppo da me fondato abbia subìto indagini giudiziarie, insieme con molti altri gruppi finanziari e industriali, non autorizza nessuno a confondere vicende private e vicende pubbliche.

In linea d'ipotesi tutte le speculazioni astratte sono sempre possibili. Si può pensare che ci sia accanimento contro di me da parte di magistrati troppo politicizzati o si può pensare che ci sia un pregiudizio di chi presiede questo governo contro magistrati solerti nell'accertamento obbligatorio di responsabilità che riguardano la sua sfera privata.

Ma le ipotesi astratte non devono avere, fino a prova contraria, diritto di cittadinanza in un sereno e ordinato svolgimento della vita politica e il fatto di utilizzare il privato di un avversario, e perfino i suoi affetti personali, brandendolo come un'arma propagandistica buona a tutti gli usi è una manifestazione di intolleranza e di inciviltà che, credo, questo Paese non si merita!

Il problema da me posto nel discorso tenuto alla Convenzione nazionale del Centro cristiano-democratico è un problema generale, che vale per tutti i cittadini e per l'insieme della società italiana e delle sue istituzioni.

Sapete bene di che si tratta. Si tratta di porre fine, nei modi appropriati, a un lungo periodo di supplenza della politica e del ruolo delle istituzioni elettive da parte dei magistrati dell'accusa, i procuratori della Repubblica, sulle cui spalle è caduto l'onere di avviare e guidare per due lunghi anni il processo di moralizzazione del sistema politico.

Si tratta di ristabilire un equilibrio dei poteri laddove questo equilibrio si è rotto, senza per questo processare le intenzioni o bruciare sul rogo del primato della politica il lavoro dei magistrati.

Queste cose le sanno bene anche i colleghi delle opposizioni. Non credo di dover citare le cose molto ragionevoli dette al «Corriere della Sera» dal professor Rocco Buttiglione mentre infuriava la tempesta sul decreto in materia di custodia cautelare.

Non credo di dover citare una vasta letteratura garantista

firmata da parlamentari dell'opposizione di sinistra come il senatore Pellegrino, il senatore Petruccioli, l'onorevole Correnti, l'onorevole Chiaromonte o il segretario del PDS, Massimo D'Alema, e anche il vicepresidente di questa assemblea, l'onorevole Luciano Violante, insieme a tanti altri non meno autorevoli esponenti della cultura liberale che fanno parte del Polo delle libertà.

Non credo di dover citare le reazioni inappuntabili suscitate in tutti gli ambienti politico-parlamentari, e suffragate da una lucida nota di riprovazione del capo dello Stato, a proposito degli sconfinamenti e delle tendenze invasive di parte dell'ordine giudiziario ai danni del Parlamento e del governo.

Non credo di dover dare lettura, per quanto riguarda gli orientamenti dell'associazione degli imprenditori italiani, alla raccolta delle ultime due settimane del «Sole 24 Ore», un quotidiano che ha ospitato alcuni dei commenti più lucidi e convincenti sull'intera vicenda del cosiddetto conflitto tra il governo e la magistratura.

Il riequilibrio tra accusa e difesa – premessa del processo giusto – ha come finalità la tutela del cittadino. Nelle scelte operate prima con il decreto, poi con il disegno di legge, il governo ha agito con totale collegialità e solidarietà nel Consiglio dei ministri e chiedendo in Parlamento una corsia preferenziale.

Quanto alla specifica questione dell'inchiesta sulla Guardia di Finanza, anche qui è bene usare parole chiare e precise. Nessuno può seriamente negare, di fronte alla vastità del problema costituito dai fenomeni di concussione e corruzione ambientale in questo campo, che esista la questione di un danno potenziale allo spirito civile del Paese e al funzionamento dell'economia italiana, in conseguenza di una rigida ed esclusiva consegna ai soli giudici di tutti i compiti di ristabilimento delle giuste regole di condotta e di moralizzazione della vita delle imprese.

La Guardia di Finanza è un corpo delicatissimo dello Stato, all'interno del quale si sono verificate degenerazioni, ora oggetto di accertamento penale, ma in tutto il meccanismo dell'accertamento tributario e di bilancio nei confronti delle imprese, grandi e piccole, c'è stato in questi anni qualcosa di patologico e di profondamente insano che occorre curare con leggi, provvedimenti e atti amministrativi, i quali risalgono anche e soprattutto alla responsabilità del Parlamento e del governo.

Se le istituzioni della politica rinunciano al loro compito, che è quello di comprendere quando un problema penale ha delicati risvolti nella vita della comunità e rappresenta una questione politica che non può essere lasciata sulle sole spalle della magistratura togata, allora il rischio di un «governo dei giudici» e di uno spirito giacobino di odio e di vendetta civile diventa un rischio concreto e attuale.

Gli italiani, d'altra parte, amano i magistrati coraggiosi che fanno le inchieste difficili, e questo è un sentimento sacrosanto di ammirazione per chi tutela il cittadino dagli abusi del potere; ma i demagoghi che volessero mescolare impuramente giustizia e politica, si ricordino bene del fatto che le prime vittime della demagogia sono i demagoghi, e che i governi fondati sul processo penale invece che sulle elezioni democratiche si sono visti in questo secolo solo nei Paesi dell'Est europeo, a Cuba e nella Corea del Nord. I giudici coraggiosi danno giustizia, ma i governi dei giudici non danno niente: né giustizia né pane!

Questo ragionamento, naturalmente, non significa mai e in alcun caso che sia lecito intervenire sulle inchieste in corso con lo scopo di fermarle o con l'obiettivo di legare le mani a chi le conduce.

Chi si preoccupa di vigilare affinché questo non avvenga è nel suo pieno diritto, e ha in questo governo un sostenitore; ma chi nega la prima e legittima preoccupazione per lo sconfinamento e la supplenza di potere da parte dei magistrati persegue scopi di parte rifugiandosi, come ho detto, sotto la toga dei procuratori. E così non si rende un buon servizio né alla politica né alla giustizia.

Sulla questione del potenziale conflitto d'interessi tra il

presidente del Consiglio e la proprietà Fininvest, le cose sono state imbrogliate e confuse da molta malevolenza e da molta cattiva coscienza. Gli italiani sanno che, in campagna elettorale, e cioè in uno dei momenti più alti e solenni della lotta politica, l'attuale segretario del PDS ebbe a prospettare un Berlusconi che mendicava l'elemosina nelle strade: questo era il modo con cui si intendeva risolvere il famoso conflitto d'interessi! Le cose sono andate altrimenti, e l'onorevole D'Alema si deve rassegnare alla – forse temporanea! – sconfitta del suo disegno. A me non verrebbe mai in mente di augurare a un leader avversario un destino di miseria e di esilio: forse è per questo che gli italiani si sono fidati in maggioranza del Polo delle libertà, che è anche il Polo della tolleranza e della ragionevolezza.

Le cose, in materia di conflitto d'interessi, stanno comunque così, e solo così.

Primo. Quando sono entrato nella battaglia civile e politica ho rinunciato del tutto alle mie funzioni di imprenditore, lasciando ogni carica nelle società da me fondate.

Secondo. Non ho compiuto alcun atto, come candidato alla Camera o come semplice deputato o come presidente del Consiglio, che entri in qualche modo in conflitto con l'interesse generale e sia di premio ai miei interessi particolari.

Terzo. Ho sempre e costantemente riconosciuto che c'era un'anomalia da sanare. Non era colpa mia se i vecchi partiti erano scomparsi e la gente aveva deciso di rimpiazzare quel vuoto con persone nuove, che venivano dalla società e dal lavoro e avevano creato qualcosa che aveva un peso nell'economia italiana; non era colpa mia se era scemata la fiducia negli apparati e nei funzionari di partito. Ma riconoscevo che era mia responsabilità trovare una soluzione al fatto, senza precedenti, di un editore e di un industriale della comunicazione che assumeva la carica di presidente del Consiglio dei ministri.

Quarto. All'atto dell'incarico ho nominato, con il consenso del capo dello Stato, tre esperti incaricati di studiare il problema e fare proposte. Alla prima riunione del Consiglio dei ministri la nomina è stata confermata dal governo della Repubblica ed è stato questo il primo decreto del nuovo Consiglio dei ministri.

Quinto. Venerdì scorso ho annunciato che lo schema di proposta degli esperti mi sembrava ragionevole e perciò accettabile. Gli esperti propongono un netto congelamento dei miei diritti di proprietario della Fininvest e una radicale separazione tra la gestione di questo gruppo e la mia persona. Questo è l'importante, come ho detto nella conferenza stampa della scorsa settimana, e i dettagli tecnici o i particolari istituzionali possono essere diversi da quelli studiati dai tre esperti. Il Parlamento è ovviamente nella piena sovranità di decidere come crede.

Mi sia consentito di aggiungere solo questo intorno alla Fininvest, che non è soltanto un patrimonio familiare del presidente del Consiglio ma anche e soprattutto una libera impresa, forse l'unica tra i grandi gruppi del Paese che non ha mai vissuto dell'assistenza pubblica né beneficiato di contributi dello Stato, di cui ha invece l'orgoglio di essere tra i primi e principali contribuenti. Una libera impresa che crea lavoro e i cui diritti sono protetti dalle leggi e dalla Costituzione di questo Paese. Ebbene, intorno a questa impresa, è stata ingaggiata una battaglia che ha per contenuto uno dei valori principali della nostra società: la libertà d'intraprendere, la libertà di lavorare, la libera proprietà individuale. Io sono il primo a proporre una soluzione di separazione drastica tra l'esercizio dei doveri di governo e l'esercizio dei diritti proprietari, una soluzione di carattere generale e legale che ovviamente valga per tutti; e sono anche disposto ad accettare qualunque soluzione tecnica ragionevole si voglia adottare in materia. Ma su un punto non transigo: la libertà di impresa e la libertà di lavoro non si toccano, perché la Costituzione non consente a nessuno di espropriare o collettivizzare la proprietà privata. Siamo in Italia, per grazia di Dio, e non nella Romania di Ceausescu!

Signor presidente, Signori deputati,
mi sono battuto come ho potuto, anche con gli errori e le ingenuità di chi non ha mai fatto della politica la sua professione, per dare all'Italia il governo delle libertà e della ripresa dell'economia. Ma non ho mai avuto e non ho una concezione ristretta e burocratica del lavoro che svolgo. Ho detto, e confermo, che ho intenzione di governare a lungo. Ma non a tutti i costi.

Un deputato della coalizione, anzi un suo leader influente, ha partecipato a una festa rionale della sua organizzazione e ha detto, secondo quanto recano le cronache dei giornali, che il presidente del Consiglio è un «ostaggio» della sua maggioranza.

La mia risposta è tranquilla e molto semplice. Perché ci sia un ostaggio, bisogna che ci sia un sequestratore, e ciascuno è libero di scegliere il suo ruolo. Se all'onorevole Bossi piace quello di sequestratore, si accomodi pure. Ma per dare soddisfazione all'anonima sequestri, almeno in politica, bisogna che l'ostaggio sia consenziente. E questo non succederà mai. Chi le parla è un uomo responsabile, che non accetta e non raccoglie le provocazioni, ma anche un uomo naturalmente e irrevocabilmente libero. Un uomo che preferisce lavorare e non polemizzare; che vuole costruire; che lotta non per demolire, ma per fare com'è nella tradizione e nel costume della operosità lombarda.

Torni anche lei, onorevole Bossi, a quella tradizione e riprendiamo insieme la strada della collaborazione leale nell'interesse del Paese.

Signori deputati,
l'economia italiana dà segni evidenti di ripresa. Il governo sta fortemente cercando di stimolare e favorire questa ripresa. Come ho ricordato, l'inflazione è ai minimi storici. Nascono nuove imprese produttive e di servizio.

Per la prima volta un governo ha cercato sul serio di usare la leva del fisco non per spremere i contribuenti ma per agevolare chi lavora, soprattutto i giovani in cerca di occupazione.

Abbiamo dato qualche colpo ben assestato alla mentalità vincolistica che imbriglia i soggetti economici e sottopone ogni cosa al potere di veto delle corporazioni, ma siamo stati anche attenti a mantenere un rapporto di reciproco rispetto con i sindacati.

La manovra finanziaria si annuncia con una rivoluzionaria novità. Invece di nuove tasse, tagli rigorosi agli sprechi e alla manomissione del pubblico denaro, con la massima attenzione a non deprimere la vocazione alla solidarietà verso i più deboli da parte dello Stato.

Abbiamo scoperto un tesoro di duemila miliardi giacente per incuria nelle casse del sistema sanitario; nessuno ha fatto mai tanto danno all'erario quanto l'incompetenza boriosa di certi esperti e tecnici campioni del consociativismo, che ci hanno lasciato in eredità un debito di 2 milioni di miliardi di lire!

Il coro dei critici continua invece a invocare nuove imposte e tasse su benzina e sigarette, predica un rigore punitivo e inutile che abbiamo conosciuto in passato, quando il governo faceva l'opposizione a se stesso e l'opposizione pretendeva di governare. Pensavamo che con il sistema maggioritario dovesse pure cambiare il metodo di governo e anche il mestiere dell'opposizione. Abbiamo coltivato l'illusione che uomini politici di cultura non liberale avessero imparato la lezione del liberalismo politico: chi governa governa, e chi fa l'opposizione oggi controlla e critica per prepararsi a governare domani.

Le cose stanno andando altrimenti. Noi però continueremo così, anche se l'opposizione ha ripreso il vecchio gioco dei trabocchetti, delle trappole, degli espedienti.

Dietro lo schermo un po' appannato del cosiddetto governo istituzionale, cioè un governo che tradirebbe il mandato degli elettori del marzo scorso, emerge l'antico vizio consociativo del sistema politico italiano.

Io credo fermamente nel programma di governo che ha vinto le elezioni: liberismo, federalismo e presidenzialismo. Un governo serio ed efficiente per costruire il benessere, la ripresa dell'economia e anche le regole della Seconda Repubblica, partendo dal rispetto più rigoroso di quelle esistenti.

Credo nell'alleanza tra lo spirito civile delle genti del Nord e la giusta protesta sempre più consapevole del nostro Mezzogiorno.

Credo in una coalizione aperta al meglio della cultura politica cattolica, una tradizione che si è distribuita in forze diverse, dai popolari all'attuale maggioranza di governo.

Credo nel grande progetto di definitiva costituzionalizzazione di una destra democratica ed europea.

Credo che dal Polo delle libertà possa venire il rilancio dello spirito riformatore che ha informato di sé le grandi battaglie federaliste e radicali del recente passato, prime fra tutte quelle dei referendum.

Sono certo delle mie idee e dei fatti già prodotti dal governo, idee e fatti che ritengo importanti più degli stessi sondaggi d'opinione; ed è con questa sicurezza, ma senza alcuna arroganza, che rispondo serenamente a tutte le forze parlamentari rivolgendo loro un semplice appello. Il governo ha lavorato sodo e vuole continuare a lavorare per la ripresa del Paese. A voi il compito di controllarlo, di criticarlo, di incalzarlo e di denunciare quello che non va. Ma resistete alla tentazione della delegittimazione e del discredito.

Lasciateci governare e lavorate voi stessi per sostituirci, se ci riuscirete, e quando ci riuscirete. Nelle democrazie che funzionano si fa così.

Vi ringrazio.

Nella nostra Costituzione è scritto a chiare lettere che la sovranità appartiene al popolo

21 dicembre 1994

Continua l'offensiva contro il governo Berlusconi. Il 14 ottobre, uno sciopero generale, indetto dai sindacati confederali contro la riforma delle pensioni elaborata dal ministro del Tesoro Lamberto Dini, porta centinaia di migliaia di persone in piazza. Il 22 novembre, mentre presiede a Napoli la Conferenza dell'ONU sulla criminalità organizzata, il presidente del Consiglio riceve un avviso di garanzia (relativo a una vicenda dalla quale sarà poi completamente scagionato), che gli italiani hanno già avuto modo di apprendere dal «Corriere della Sera». Nel frattempo si acuiscono i contrasti con il leader leghista Umberto Bossi, che attacca duramente anche la riforma delle pensioni. Borsa e lira ne risentono e il 12 dicembre crollano. Cinque giorni più tardi, alla Camera vengono presentate tre mozioni di sfiducia contro il governo Berlusconi: due provenienti dai banchi delle sinistre e una sottoscritta dai popolari di Rocco Buttiglione e dai leghisti. Dopo aver difeso l'operato del suo governo, Berlusconi, il 22 dicembre, presenterà le dimissioni al capo dello Stato, nonostante i sondaggi registrassero il 53 per cento di consensi per Forza Italia, AN e CCD.

Signor presidente, Signori deputati,
ho chiesto questo dibattito parlamentare – e vi ringrazio per l'attenzione – perché è giusto che la Camera dei deputati e i cittadini che l'hanno eletta sappiano che cosa è davvero in gioco nella disputa lacerante che si è aperta sul significato del voto del 27 marzo. Prima di darvi la mia

personale valutazione sulla crisi politica che sta investendo il Paese, consentitemi però un fermo richiamo ai principi fondamentali sui quali si basa la convivenza civile degli italiani. Quando l'assenza di principi offusca le menti e ingarbuglia le lingue, allora per uscire da Babele e ricominciare a parlare un linguaggio comune c'è una sola via: il ritorno alla Costituzione, nel pieno rispetto dei suoi valori di libertà e di responsabilità.

Nella Costituzione della Repubblica è scritto a chiare lettere che «la sovranità appartiene al popolo».

Non è per caso che sono state usate quelle parole e non altre. I fondatori della nostra democrazia hanno voluto essere chiari come il cristallo. Non hanno scritto che «la sovranità emana dal popolo» o che «la sovranità proviene dal popolo»: hanno invece stabilito, con una precisione chirurgica, che essa gli «appartiene», che il popolo è l'unico ed esclusivo titolare della sovranità politica. In parole chiare e semplici: l'Italia è una Repubblica parlamentare, ma tutto il nostro sistema istituzionale deriva la sua legittimità dal più scrupoloso rispetto della libera volontà degli elettori. Chiunque operi contro questa volontà, per qualunque motivo e in qualunque momento, offende per ciò stesso lo spirito e l'anima della Costituzione democratica e lacera la materia stessa di cui è fatto il patto che unisce i cittadini, taglia le radici stesse da cui questo patto si alimenta. Un grande spirito europeo, Maritain, diceva che «il popolo è la vera sostanza, vivente e libera, del corpo politico» e affermava con forza: «Il popolo è al di sopra dello Stato, il popolo non è per lo Stato, lo Stato semmai è per il popolo». Un altro grande, il presidente americano Abramo Lincoln, sosteneva che la democrazia si può definire soltanto così: «Il governo del popolo, attraverso il popolo, per il popolo». Anche i nostri padri fondatori, da Luigi Sturzo a Piero Calamandrei, da Umberto Terracini a Ugo La Malfa, sapevano che una vera democrazia non consente mai, in nessun caso e per nessun motivo, che il corpo delle istituzioni si ribelli alla sua matrice, a quel corpo elettorale che solo conferisce legittimità alle istituzioni sovrane e che non tollera di essere vilipeso e tradito, sbeffeggiato e ingannato dal politicantismo di palazzo. Il potere dei deputati e dei senatori è certamente molto ampio, ma ha anch'esso un limite insuperabile: questo potere non può e non deve mai essere usato contro la libera volontà di chi lo ha conferito. Su tale questione intendo essere ancora più chiaro e ricorro subito a un esempio che non ha bisogno di ulteriori spiegazioni. L'onorevole Umberto Bossi è stato eletto deputato al Parlamento con i voti determinanti degli elettori di Forza Italia. Finché esprime quei voti e li rappresenta, come tanti parlamentari leghisti sono convinti e consapevoli di rappresentare, l'onorevole Bossi esercita la sua funzione senza vincolo di mandato, come prescrive la Costituzione. Ma nel momento in cui egli rinnega i suoi stessi elettori e li tradisce, espropriando la loro volontà politica e trasportandola nel campo degli avversari, in quel preciso momento il suo mandato parlamentare si trasforma in un inganno che carpisce la buonafede dei cittadini italiani, in una clamorosa violazione del primo articolo della Costituzione: in quel preciso momento il suo mandato diventa carta straccia!

Signor presidente, signori deputati, avrei volentieri presentato alle Camere, nell'ambito della prevista verifica dell'attività di governo, un rapporto politico e parlamentare dettagliato su quanto abbiamo fatto e comunque ho inviato a tutti i parlamentari un volume, che è risultato ponderoso, sui sette mesi di attività di questo governo, il cui contenuto affido alla vostra meditazione. Avrei voluto aggiungere un altro volume sul tanto che resta da fare e sulla situazione generale del Paese. Ma questo problema è oggi superato da un'altra questione, molto più grande, e per certi versi, ancor più drammatica. La dirigenza di una delle componenti della maggioranza ha presentato una mozione di sfiducia al governo, una mozione che suona come uno schiaffo alle regole e come una clamorosa offesa al buonsenso e alla fiducia dei cittadini nelle proprie istituzioni democratiche. Infatti, con quella mozione, non si annuncia un ripensamento e un ritorno alla fonte della sovranità, agli elettori che hanno mandato qui, con il loro suffragio, i firmatari della mozione.

Quel ripensamento sarebbe politicamente sbagliato, ma moralmente legittimo. Non ci sarebbero obiezioni se l'onorevole Bossi dicesse: «Ebbene, mi sono sbagliato, l'alleanza che ho stipulato per me non è più valida, vi rimetto il mandato, vi propongo una nuova alleanza, si torni alle urne per battezzare una nuova maggioranza». Anzi, una frase simile contribuirebbe a rasserenare il clima politico e istituzionale. Invece no. Le cose non stanno così. Con quella mozione si annuncia soltanto un'autentica truffa a danno degli elettori e spavaldamente si afferma che con il ricavato del bottino si intende dare vita a un nuovo esecutivo che porti al governo i partiti sconfitti alle elezioni e metta all'opposizione i movimenti usciti vincitori dalle urne della scorsa primavera. Il referendum del 18 aprile 1993, in cui l'80 per cento degli italiani si pronunciò per una nuova legge elettorale, e l'ottenne, è stracciato e insultato da quella mozione. I voti del Polo delle libertà, che nel Nord del Paese sono stati dati a più simboli (Lega, Forza Italia, Cristiano-democratici e Unione di centro) e per una sola politica, apertamente contrapposta al programma del polo progressista e dei popolari, vengono oggi arbitrariamente sequestrati e offerti a una politica di palazzo che ha il timbro proditorio di una vera e propria attività di ricettazione. Questi voti – i voti del Polo delle libertà – erano stati espressi per difendere un programma liberista e federalista, per costruire un governo liberale capace di contrastare i programmi e lo stile di comando del vecchio apparato comunista riciclato. Ora vengono rubati e svenduti con un'operazione di puro trasformismo parlamentare. Come è stato autorevolmente scritto, questo sarebbe «un messaggio devastante per la democrazia», sarebbe un modo di dire: «Cari elettori, care elettrici: le elezioni non contano un bel niente». In tutta franchezza, vi dico che non oso nemmeno pensare che un simile messaggio possa portare l'avallo, la firma, l'incoraggiamento di tutti coloro che rivestono responsabilità istituzionali, civili e politiche nella nostra vita pubblica. Purtroppo questa triste storia, di cui si vorrebbe scrivere oggi l'epilogo, è cominciata subito dopo le recenti elezioni politiche.

Per sette lunghi mesi l'onorevole Bossi ha messo a dura prova la pazienza non soltanto mia, ma anche quella di tutto il governo. Per sette lunghi mesi gli italiani che lavorano, che vivono la loro vita quotidiana battendosi per salvare e migliorare questo Paese, sono stati sottoposti a un bombardamento di polemiche, di accuse calunniose, di intemerate bugie e di chiacchiere senza costrutto. Per sette lunghi mesi è stato preparato il terreno all'offensiva finale, alla grande rapina elettorale. Per sette lunghi mesi il prestigio internazionale dell'Italia, la credibilità della nostra moneta e dei nostri titoli sui mercati internazionali, la stabilità e la credibilità delle nostre istituzioni sono state messe in pericolo e gravemente danneggiate da chi oggi si manifesta, senza alcun pudore, come un autentico distruttore politico pervicacemente teso a portare discredito al nostro Paese. La stessa umanità dell'onorevole Bossi, il suo carattere rude e popolano che in una certa fase della vita italiana era sembrato un elemento di chiarezza contro le fumisterie della vecchia politica, sono stati piegati infine alla logica partigiana e faziosa del piccolo sotterfugio e dell'inganno, alle spalle del cittadino elettore come del cittadino risparmiatore, alle spalle di chi lavora e chiede al governo efficienza, trasparenza, autorevolezza e dignità.

Abbiamo avuto in Consiglio dei ministri episodi imbarazzanti, con ministri della Lega seri e consapevoli costretti a un ruolo di portaparola degli incubi di un leader che girava a vuoto nella giostra delle più spericolate improvvisazioni politiche. Alcune grandi idee, come il federalismo, che sono state un patrimonio storico della Lega lombarda e della Lega Nord, e che possono risultare ancora oggi un lievito decisivo per il decollo della Seconda Repubblica, sono state agitate, triturate, masticate e rimasticate solo per essere usate come armi improprie di destabilizzazione politica.

Mentre il ministro delle Finanze lavorava seriamente a quello che è un grande progetto di federalismo fiscale, un lavoro che onora questo governo e che deve costituire la base programmatica per ricostruire lo Stato e la fiducia dei cittadini nello Stato, il capo della Lega riproponeva di continuo un federalismo solo verbale, senza mai dire che cosa volesse davvero e senza mai spiegare neppure cosa significasse. Mentre i ministri del Bilancio e dell'Industria provavano a cimentarsi con le difficoltà della spesa pubblica fuori controllo e con il riequilibrio dei conti dello Stato, una scomposta agitazione demagogica colpiva, spintonava e indeboliva la manovra finanziaria impostata dal ministro del Tesoro, in un crescente clima di speculazione finanziaria perfettamente sposato a mille speculazioni giudiziarie.

Questo governo ha fatto molte cose buone e alcuni errori.

Purtroppo l'errore principale è stato un errore di ingenuità e di buonafede: abbiamo creduto di avere a che fare con un interlocutore politico magari bizzoso, ma leale, mentre in realtà avevamo a che fare con i comportamenti di una personalità doppia, tripla e fors'anche quadrupla. Un grande scrittore ha detto che «dove c'è un uomo, c'è una menzogna». E uno dei suoi personaggi sosteneva che «l'uomo, lo stesso uomo, in ultima analisi, può rivelarsi una mera associazione di soggetti diversi incongrui e indipendenti». Il 2 agosto scorso, parlando davanti a questa Camera, avevo invitato l'onorevole Bossi a tornare sulla strada intrapresa quando fu messo in campo il Polo delle libertà. Ma evidentemente la persona che avevo conosciuto e con la quale avevamo sottoscritto un preciso e pubblico patto politico (quello con i nostri comuni elettori) non c'era più, era già stata cancellata e sostituita da un'altra persona a causa di uno strano e per me inspiegabile rancore. Quel rancore, come tutti i sentimenti cattivi, non ha fatto del bene al nostro Paese e rischia di riservargli ancora di peggio in futuro. L'Italia, signori deputati, soffre oggi di un solo vero male:

una tremenda tendenza all'instabilità politica, una tendenza che diffonde comportamenti irresponsabili in settori della maggioranza e dell'opposizione e che mostra un'immagine poco affidabile del Paese. La crisi delle quotazioni in
Borsa e le difficoltà della lira e dei titoli nascono da questo
male, sono la febbre che ci dice quanto grave sia la nostra
propensione a devastare impietosamente quello che riu-
sciamo a costruire con tanta fatica. Ma l'economia reale funziona e procede forte e spedita. L'inflazione è restata bassa.
Al boom delle esportazioni si accompagna ormai una propensione al consumo nelle famiglie, un allargamento della
domanda che è la premessa per consolidare la produzione e
incentivare la propensione agli investimenti. Solo da questo
processo, accompagnato da una stabilizzazione della pressione fiscale e da una sua progressiva riduzione, possono
venire fuori quei posti di lavoro che sono a portata di mano
del nostro sistema economico e che solo una politica autole-
sionista e distruttiva rischia di compromettere. Io credo –
credo fermamente – nel futuro di questo straordinario Paese. Credo anche nella capacità che avremo, alla fine, di consolidare una vera classe dirigente e un sistema di governo
democratico, in cui chi vince le elezioni decide della politica
nazionale e porta la responsabilità delle sue decisioni, mentre chi perde le elezioni assolve alla sua funzione e organiz-
za il governo dell'alternativa. Devo dire che, all'indomani
delle elezioni, avevo sperato che nell'opposizione si facesse
largo un linguaggio nuovo, diverso da quello che aveva
portato il blocco progressista alla sconfitta e le forze cattoliche di centro alla paralisi e alla subalternità. È per questo
che avevo chiesto un franco dialogo sulle regole della democrazia all'onorevole D'Alema. Avevo chiesto all'onorevole Buttiglione di costruire una prospettiva comune tra
tutte le forze del centro politico, anche se diversamente
schierate nella geografia parlamentare, ma pur sempre unite da molti valori condivisi. Per tutta risposta gli uni hanno
troncato ogni dialogo e si sono consegnati mani e piedi alla
logica della propaganda astiosa, personale, con un evidente

tentativo di piegare a scopi di lotta politica i fatti di giustizia. Gli altri, i nostri amici popolari, hanno cercato di dividere la maggioranza, hanno manovrato senza sosta nella perversa logica del «ribaltone», al solo scopo di ricacciare all'opposizione una forza politica della destra costituzionale, il cui pieno inserimento nel nostro sistema è insieme un portato e un merito della saggezza degli elettori del 27 marzo. Il dialogo sulle regole è stato trasformato nella beffarda irrisione della prima regola di una democrazia seria: quella per cui governa chi vince le elezioni. Colleghi deputati della sinistra e del Partito popolare, permettetemi di dirvelo con franchezza: così facendo non credo si corrisponda né alle attese né agli interessi di maturazione e consolidamento della nostra democrazia politica. Una transizione alla Seconda Repubblica non si può costruire sulla menzogna e sul tradimento della parola data. Alleanza nazionale, come gli azzurri e i leghisti, come i cristiano-democratici e i riformatori, non è al governo o nella maggioranza per qualche disegno del destino cinico e baro, ma solo ed esclusivamente per volontà degli elettori.

Il senso di giustizia del nostro popolo non può essere vilipeso con tanta noncuranza. Ho certo commesso degli errori, ma non commetterò adesso quello di non riconoscerlo; tuttavia, sono rimasto fedele in tutto e per tutto all'idea che mi sono fatto del futuro dell'Italia. Bisogna costruire una giustizia severa e uguale per tutti, che non abbia alcun sapore di politica e di vendetta. Bisogna ristabilire un rispetto sacrale per i diritti umani e civili, primo fra tutti il diritto al lavoro, a farsi una famiglia, a educare i figli in condizioni di parità fra le diverse scuole pubbliche e private. E poi il diritto all'istruzione, alla salute, a un'assistenza equa per gli anziani e per i più deboli, che non gravi con il suo peso sulle generazioni future. Bisogna costruire un Paese capace di competere, di produrre ricchezza senza scialacquarla in un sistema di tasse e di spese che frustra imprenditori e lavoratori. Bisogna mettere in grado lo Stato di aiutare gli indivi-

dui a realizzare i sogni e le promesse di cui è fatta la libertà
umana.

Bisogna muovere con fiducia, con ottimismo, con ferma
volontà verso un futuro da costruire con le proprie mani.
Tutto questo lo può fare solo e soltanto un governo delle libertà, un governo animato da quello stesso spirito che ha
portato al grande evento politico del 27 marzo. Comunque,
un compito tanto esaltante e tanto difficile lo può assolvere
solo e soltanto un governo perfettamente legittimato a governare, accettato come tale dall'insieme del sistema politico e riconosciuto come tale da maggioranza e opposizioni.
Solo un governo voluto dagli italiani, e non costruito a forza
di manovre e di scippi di voti, può compiere l'opera che abbiamo appena cominciato. Questa è la lezione dei sette mesi
che abbiamo alle spalle, sette mesi spesi nel drammatico
tentativo di superare un'eredità disastrosa e un cumulo incredibile di odii e di rancori. Gettare ora il Paese nell'avvili-
mento e nell'ira sarebbe una colpa grave per chiunque se ne
assumesse la responsabilità.

In questo Parlamento, ora come ora, una sola maggioranza è legittimata dagli elettori, quella del Polo delle libertà e
del buon governo. Se questa maggioranza si sfalda, occorre
decisamente e serenamente tornare a chiedere il parere degli elettori. Sono profondamente convinto che questa sia
una strada obbligata e penso che ci si debba arrivare ineiut-
tabilmente. Più presto si prenderà atto di quest'obbligo democratico, minore sarà il costo per il Paese: abbiamo assoluto bisogno di una fase lunga e sicura di stabilità politica, con
un governo che non sia esposto al ricatto e alla sistematica
destabilizzazione. I deputati e i senatori che vogliono restare fedeli al patto di civiltà e di onestà stipulato con gli elettori sono molti e sono presenti in tutte le forze politiche, a cominciare dalla Lega, dove è in corso un dibattito forte, dove
sono in tanti a riconoscere la validità e l'intangibilità del
principio che è a base di quel patto. Io spero, io credo che si
riveleranno un numero tanto grande da impedire che quel
patto venga stracciato e infangato da scelte palesemente in

contrasto con lo spirito e la lettera della nostra democrazia. A questo gioco al massacro noi non ci stiamo, e facciamo appello a tutti gli italiani, a tutte le persone di buonsenso e di buona volontà, al supremo garante delle istituzioni, al capo dello Stato che, ne sono certo, saprà essere anche il garante e il difensore di quel sentimento di giustizia che è nel cuore di ciascuno di noi. Non possiamo e non vogliamo tornare indietro verso i veleni della vecchia politica di palazzo. La sovranità appartiene al popolo e nessuno ha il diritto di portargliela via.

Vi ringrazio.

Il presupposto di una vera e sana
democrazia è che le Camere esprimano il voto
di chi le ha elette e siano lo specchio del Paese

24 gennaio 1995

Le consultazioni avviate dal presidente della Repubblica dopo le dimissioni del governo Berlusconi, portano al nome di Lamberto Dini, ministro del Tesoro nell'esecutivo uscente ed ex direttore generale della Banca d'Italia. Il nuovo governo, composto da diciannove «tecnici», la maggior parte dei quali saranno candidati dal centrosinistra alle successive elezioni politiche, giura di fronte al capo dello Stato il 17 gennaio. Dopo pochi giorni, Dini si presenta alla Camera dei deputati, dove otterrà la fiducia, con l'astensione del Polo, grazie ai 302 voti favorevoli dei progressisti, della Lega e dei popolari, assicurando che resterà in carica solo il tempo strettamente necessario per portare a termine pochi adempimenti programmatici. Oscar Luigi Scalfaro garantisce al leader del Polo – che chiede di restituire la parola agli elettori – che le nuove elezioni si terranno entro il mese di giugno 1995.

Signor presidente, Signor presidente del Consiglio,
Signori deputati,
intorno a questa crisi di governo è stata orchestrata una notevole confusione. Si è cercato di trascinare nel gorgo delle chiacchiere e nel gergo della piccola politica anche le forze che avevano cercato e che tuttora stanno cercando di aiutare il Paese a uscire dalle fumisterie della Prima Repubblica. In realtà le cose non sono mai state così semplici.

L'Italia ha bisogno di fiducia e di stabilità.

Fiducia vuol dire che occorre una perfetta corrispondenza tra la volontà sovrana degli elettori e la composizione
delle Camere da essi elette il 27 marzo: senza di questo, un
clima di sfiducia e anche di indignazione continuerà inevitabilmente ad avvelenare la vita politica e civile del Paese. Il
Parlamento è sovrano nei suoi atti e i suoi componenti agi-
scono al di fuori di un mandato vincolante: su questo ho
ascoltato lezioni, spesso interessate e faziose, da parte di
colleghi che non hanno niente da insegnare a me in fatto di
democrazia e di culto delle libertà. Ma ripeto, e ripeterò fino
alla noia, che il presupposto di una democrazia sana, di una
democrazia vera, è che le Camere esprimano davvero il voto che le ha elette. E questo, oggi, dopo il voltafaccia del
gruppo dirigente leghista, non accade più per alcune decine di deputati, i quali sono risultati determinanti, fino a
nuova verifica popolare, nella manovra di palazzo con cui il
governo espresso dagli elettori del 27 marzo è stato costretto alle dimissioni.

Da questo punto di vista, sia ben chiaro, non c'è tregua
che tenga: la democrazia non è la guerra e dunque non si so-
spende, le sue regole devono valere sempre e non possono
essere affidate a tecnici ed esperti perché sono il patrimonio
inalienabile di ogni cittadino libero.

E veniamo alla seconda questione, quella della stabilità.

Stabilità vuol dire un governo di legislatura, capace di
durare e di conseguire grandi obiettivi di sviluppo economico, di risanamento dei conti pubblici, di riforma dello
Stato e dei suoi apparati nel senso del decentramento, del
federalismo fiscale e dell'efficienza, rimettendo il cittadino
e la sua responsabilità al centro della vita pubblica, restituendo speranza a chi oggi si vede negato il diritto al lavoro
e a una vita dignitosa e onesta.

Un governo tecnico, emanazione del capo dello Stato anziché espressione di una chiara maggioranza politica voluta
dai cittadini, può aiutarci a raggiungere questi due obiettivi

della fiducia e della stabilità solo a una condizione: che sia chiara a tutti, anche per bocca delle più alte autorità istituzionali, l'assoluta necessità di tornare a eleggere un nuovo Parlamento entro questa estate, entro il mese di giugno.

Su questo punto centrale deve essere chiaro che né chi vi parla né alcuno tra gli amici del Polo delle libertà e del buon governo ha la minima intenzione di transigere. Quando diciamo che occorre fare le elezioni in tempi ragionevoli, vogliamo dire che giugno è la data ultima, poiché correttezza morale e politica avrebbe voluto, a nostro giudizio, che le elezioni si svolgessero al massimo tra qualche settimana.

Chi vi parla, come ben sapete, non ha aperto la crisi di governo. La responsabilità del tempo perso, di un'azione di governo interrotta, dei guasti alla quotazione di lira e titoli sul mercato internazionale ricade interamente sulle spalle del gruppo dirigente della Lega Nord e di chi gli ha politicamente consentito di aprire uno scontro al buio, che non poteva avere e non ha avuto niente di costruttivo.

Il solo scopo di questo scontro dissennato, nutrito di un armamentario verbale dal sapore tribale, indegno di una repubblica civile, è stato quello di colpire quel nemico pubblico numero uno che è diventato, nella contorta mentalità di alcuni avversari del Polo delle libertà e del buon governo, Silvio Berlusconi. Ieri sera ho guardato con un misto di pena e di divertimento una bella scenetta televisiva: Enzo Biagi domandava a Indro Montanelli quale fosse il difetto di Berlusconi, e Montanelli rispondeva: «Quello di essere nato».

Sull'altare di questo obiettivo meschino è stata sacrificata una importante stagione politica del federalismo italiano, quella che aveva permesso alla Lega di farsi largo con la sua protesta antifiscale e anticentralista e di candidarsi a diventare una matura forza di governo. Una grande prospettiva buttata al vento per ragioni di livore personale e per interessi di piccola bottega.

Chi vi parla, al contrario dei molti sfascisti di turno, ha cercato di contribuire a trovare una soluzione per questa crisi, non esitando a suggerire, a difendere e ad appoggiare lealmente l'indicazione, da parte del capo dello Stato, della persona del dottor Lamberto Dini, già ministro del Tesoro nel governo che ho avuto l'onore di presiedere, come nuovo presidente del Consiglio dei ministri.

Non era scritto in nessun protocollo costituzionale che le cose dovessero andare così. Pensavo e penso che alla maggioranza uscita dalle urne, dopo la defezione dell'onorevole Bossi, si sarebbe dovuto dare qualche possibilità in più per verificare la sua tenuta in Parlamento. E tutti sappiamo che nei sistemi maggioritari la regola di condotta è assai semplice: quando non esistono maggioranze politiche organiche e fondate su un comune programma, la parola passa agli elettori sotto la vigilanza delle autorità garanti e mantenendo il governo in carica nel compito di disbrigare gli affari correnti in attesa del voto.

Tutti sappiamo inoltre che affidarsi ai tecnici, anche se in termini pratici può talvolta risultare una buona cosa, è in generale un passo indietro della democrazia, cioè del governo fondato sulla partecipazione elettorale e civile del popolo agli affari pubblici. È stupefacente la disinvoltura con cui oggi le sinistre italiane abbracciano questa vecchia utopia della destra illiberale, il governo dei grand commis.

Il capo dello Stato ha voluto percorrere un'altra strada e, dopo una legittima resistenza verso questa sua inclinazione, le forze del Polo delle libertà e del buon governo hanno acconsentito alla sua scelta. Nella decisione ha contato innanzitutto la stima personale che nutriamo nei confronti di chi scegliemmo tra i nostri più stretti collaboratori, per una impegnativa opera di rilancio dell'economia italiana. Ed è quasi una beffa, per me, ascoltare oggi le lodi meritate del dottor Dini da parte di coloro che, fino all'altro ieri, avevano fatto a gara nel demonizzarlo come un freddo burocrate «ammazzapensionati», insieme con il governo di cui faceva parte.

In tre o quattro giorni, e lo abbiamo osservato con ironia, la rappresentazione dello stato del Paese data da molti organi di informazione si è inspiegabilmente capovolta: eravamo al collasso e all'inferno, con Berlusconi, e ora in cento ore siamo improvvisamente in paradiso, tutto va bene e può andare ancora meglio!

Benvenuti, ottimisti dell'ultima ora! Sono felice che vi siate convinti del fatto che questi sono stati mesi decisivi per far ripartire l'economia reale, che l'inflazione è stata mantenuta sotto controllo, che mai come in questo periodo industria e produzione hanno tirato e galoppato con la forza di cento cavalli. D'altra parte, è bene attenersi a una vecchia massima: «La strada per realizzare le cose buone è quella di disinteressarsi di chi se ne prenderà il merito».

Il presidente Dini, comunque, è stato più che onesto nel mettere al centro del suo programma di governo quasi tutti i provvedimenti impostati dal governo precedente, di cui si è detto onorato di aver fatto parte. Questa circostanza è stata riconosciuta, sia pure per una limpida polemica, dall'onorevole Bertinotti, che ha attribuito al governo dei tecnici una sostanziale continuità con il ministero Berlusconi.

Comunque, nella decisione di dare avvio con il nostro consenso a un governo cosiddetto di tregua, più di ogni altra cosa ha pesato la prospettiva, esplicitamente richiamata in più di un colloquio dal capo dello Stato, di tornare alle urne. E di tornarci subito dopo l'assolvimento, da parte del nuovo esecutivo, dei suoi compiti programmatici. E cioè alla metà del mese di giugno. Questa premessa politica di fondo, che era anche una promessa d'onore, è stata alla base del consenso da noi dato all'idea di un governo cosiddetto di tregua.

Un solido governo parlamentare, espressione della volontà della maggioranza degli italiani e del programma di lavoro da essi giudicato il migliore, è la cosa più urgente che c'è per chiunque non sia accecato dal pregiudizio. Questa cosa la si può rinviare di qualche mese, per consentire a un esecutivo politicamente disimpegnato di mettere a punto poche cose importanti in breve tempo, solo a

patto che poi nessuno bari al gioco e che le elezioni vengano rese possibili da chi ha l'autorità istituzionale e il dovere morale di farlo. È rispettata questa premessa? È ancora
valida questa promessa d'onore?

Noi speriamo di sì e, in qualche misura, siamo tenuti a
sperare e a credere nella parola data. So che in politica non
si usa fare fede agli interlocutori, ma io sono testardamen-
te abbarbicato all'idea che anche in politica bisogna che
due più due torni a fare quattro. D'altra parte, anche nel
messaggio di Capodanno, in cui così irritualmente si chie-
se a chi vi parla di farsi da parte, era tuttavia contenuta
un'affermazione netta e precisa sulla volontà di garantire
il rispetto del voto del 27 marzo da parte del presidente
della Repubblica. Il quale aggiunse che, prima di un eventuale ritorno alle urne, era necessario porre mano a tre
questioni di estrema impellenza: regole per una parità di
accesso ai mezzi di comunicazione di massa in campagna
elettorale, visto che quelle attuali sono giudicate insuffi-
cienti; una nuova legge elettorale regionale; una manovra
economica aggiuntiva e, oltre a quanto concordato, la si-
stemazione della questione pendente delle pensioni.

Su questo programma il presidente Dini è stato abba-
stanza chiaro. Non lo si può negare. Chiari sono stati, in
pronunciamenti pubblici relativi al calendario delle priorità programmatiche, i suoi ministri del Lavoro, delle Finanze e per le Riforme istituzionali. E la compagine da lui
formata, anche se non è precisamente quella che credevamo opportuna e necessaria, ha complessivamente tutti i
caratteri di un più che dignitoso tentativo di offrire al Paese un altissimo e temporaneo servigio.

Avrà dunque, signor presidente del Consiglio, il nostro
via libera nella forma che decideremo dopo aver ascoltato la
sua replica. Sarà comunque il voto di tutte le forze uscite
vincitrici dal voto del 27 marzo. A questo punto, sentite le
sue dichiarazioni, dovrebbe essere un sì con riserva e la riserva deriva dal fatto che non si è voluto formalizzare a

chiare lettere l'impegno per le elezioni, come avvenne invece appena l'anno scorso, quando le sinistre reclamarono a gran voce e ottennero la sospirata data. Ricordo un titolo del «Corriere della Sera», pochi mesi prima dello scioglimento delle Camere e della fissazione del voto che ci ha portati qui il 27 marzo. È un titolo che la dice lunga su certi aspetti incomprensibili di questa crisi e che è composto di cinque parole molto esplicite: «Scalfaro avvia il timer elettorale».

Comunque sia, il nostro voto, anche se di benevola astensione, nasce, come ho detto, da un accordo informale, ma non per questo meno stringente e vincolante, sulla prospettiva elettorale della tarda primavera. Noi abbiamo fiato e forza per continuare a lungo nelle nostre battaglie liberali e liberiste, nel nostro tentativo di costruire un'Italia migliore e di far funzionare le nuove regole della Seconda Repubblica. Ma ci sentiamo anche custodi dell'impazienza degli italiani. E vogliamo ricordare a tutti che, con la manovra di palazzo che ha scippato a molti cittadini il loro libero voto per portarlo dove essi mai avrebbero potuto immaginare, si è inferta una ferita profonda e non rimarginata al nostro sistema democratico e alla fiducia della gente nella politica e nella stessa utilità del voto.

Sta a lei, signor presidente, far cadere questa riserva e trasformare l'astensione in voto favorevole: richiami questo impegno, proclami la necessità della verifica elettorale, dica con chiarezza nella sua replica che lo sbocco naturale del suo governo è nel confronto elettorale in tempi ragionevoli e avrà il nostro voto e il nostro consenso così come l'ebbe quando in tanti l'attaccavano come responsabile della politica economica del nostro governo.

Signor presidente, Signori deputati,
in questi mesi sono stato personalmente accusato di tutto e del contrario di tutto: demagogia, arrendevolezza, vanità, autoritarismo, condiscendenza, faziosità, incapacità di decidere e di imparare questo famoso mestiere della politica. La sistematica avversione verso il governo del 27 marzo ha

avuto qualcosa di patologico, di eccessivo, di poco chiaro. Il fatto che oggi il mio ministro del Tesoro, alla testa di un governo tecnico, riscuota l'applauso entusiastico e incondizionato dell'opposizione di sinistra e di molti altri corifei, perfino di qualche deputato comunista, la dice lunga su quella «psicosi da indennizzo», e cioè quella insana voglia di rivincita a ogni prezzo sul 27 marzo, che il vicepresidente del Senato ebbe modo di rimproverare ai partiti di sinistra in un recente dibattito. Ho incassato il profluvio delle accuse e, quando necessario, ho replicato.

Ma non posso concludere questo intervento senza mettere in rilievo uno straordinario paradosso, un curiosissimo rovesciamento dei ruoli, che fa capire molte cose. Nei Paesi normali, dove forze diverse si alternano alla guida dello Stato e la democrazia maggioritaria ha solide radici, quando un governo va in crisi, l'opposizione chiede le elezioni. Le chiede a gran voce, si batte per ottenerle, si prepara per cercare di vincerle e di rimpiazzare così la vecchia maggioranza. Da noi è successo esattamente l'opposto.

Quando il governo del 27 marzo è entrato in crisi, le forze leali a esso hanno subito chiesto la verifica del voto, mentre l'opposizione ha fatto di tutto, dico di tutto, per evitare il ritorno alle urne. Noi non abbiamo avuto paura del giudizio degli italiani; loro sì, e anche tanta paura.

Capisco che abbiano avuto paura della reazione elettorale degli italiani gli amici dell'onorevole Bossi: in genere alle elezioni la slealtà non paga. Capisco le perplessità del collega Buttiglione, costretto da nessun altro che da se stesso a vie tortuose e spesso incomprensibili ai più.

Quello che non capisco davvero è l'onorevole D'Alema. Da settimane in ogni telegiornale e in ogni talk show il leader dell'opposizione di sinistra continua a dire che il governo Berlusconi è stato un fallimento, eppure non si è mai deciso a sottoporre questo suo giudizio agli elettori italiani, anzi ha fatto ogni sforzo per impedirlo.

Non voglio usare toni troppo polemici, ma credo sia lecito il sospetto che il vero fallimento a cui abbiamo assistito in questi mesi sia quello dell'opposizione, incapace di fare sue le regole del sistema maggioritario, priva di una solida e attendibile leadership, che ha creduto di poter surrogare la sua incapacità di dar vita a un programma alternativo credibile aggredendo con grande violenza la persona del presidente del Consiglio. Non ha avuto altro programma se non l'eliminazione, costi quel che costi, del governo e del suo presidente dalla scena politica.

Quest'eliminazione, onorevole D'Alema, voi non l'avrete. L'Italia può aver provato smarrimento per l'alto livello di scontro fazioso a cui alcuni uomini dell'opposizione hanno costretto la vita pubblica in questi otto mesi. Ma gli italiani continuano a essere quello che sono sempre stati: un popolo fiducioso e ottimista, che sa che spesso i sogni più contrastati sono anche quelli più generosi, e che non vuole smettere di pensare alla possibilità di avere un sistema politico degno di un Paese civile, un sistema politico meno rissoso, in cui i governi si controllano e si contrastano, ma non si boicottano con lo spirito della pura logica di devastazione e di pregiudizio che spesso vi ha animato.

Noi, comunque, non siamo capaci di provare rancore. Ci rimbocchiamo le maniche un'altra volta e procediamo a una nuova impresa, forti della lealtà e dell'abnegazione mostrata da tanti costruttori del Polo delle libertà e del buon governo.

Vogliamo favorire oggi una tregua per arrivare, entro questa primavera, non già a una resa dei conti, che nessuno vuole, ma a una restituzione ai cittadini del loro diritto di essere fedelmente rappresentati in Parlamento. L'intera costruzione della nostra libertà civile, come in tutti i Paesi veramente democratici, si fonda su questa corrispondenza tra elettori ed eletti. Questa è la nostra fedeltà al voto, questa è la nostra fedeltà ai nostri impegni, questo è il nostro amore per l'Italia e per le sue libertà.

Vi ringrazio.

La sospensione di un risultato elettorale è un delitto contro la credibilità delle istituzioni democratiche

16 marzo 1995

Lamberto Dini viene sostenuto da una maggioranza che, solo poche settimane prima, quando il neopremier era ancora ministro del Tesoro nel governo Berlusconi, lo aveva liquidato con l'appellativo non certo edificante di «ammazzapensioni». Forte di quella maggioranza, l'esecutivo dell'ex direttore generale della Banca d'Italia prepara in breve tempo una manovra economica, che provoca l'immediato dissenso di Silvio Berlusconi e del Polo. Troppo distante appare quella manovra, sia per il ricorso eccessivo a nuove imposte sia per la totale mancanza di riforme strutturali, dalle linee-guida del precedente governo che lo stesso Dini aveva, a suo tempo, contribuito a delineare. La stessa Finanziaria è l'immagine di un governo che, di settimana in settimana, rivela sempre più la sua reale natura e il suo vero scopo: allontanare, quanto più possibile, il momento delle elezioni.

Signor presidente del Consiglio, Signori deputati,
   questo governo non può avere la nostra fiducia per motivi che sono ormai chiarissimi al Parlamento e a tutto il Paese.
   La manovra economica è fondata su una nuova ondata di tasse e imposte, cioè su una linea di governo che è il contrario di quella su cui abbiamo preso i nostri impegni con gli elettori.
   Un qualche aumento della fiscalità avrebbe potuto certamente essere previsto e accettato anche da noi, viste le condizioni difficili del bilancio pubblico, ma quel che non possia-

mo accettare è la rinuncia a interventi strutturali, a riforme organiche, a misure capaci sul serio di incidere sulla finanza pubblica nei mesi e negli anni a venire. Il governo uscito dalle urne del 27 marzo aveva annunciato la necessità di un intervento correttivo, ma questo intervento non doveva assolutamente essere basato per tre quarti su nuove imposte.

Di manovre come questa – basate nella quasi totalità su aumenti a carico dei contribuenti, dalla benzina all'elettricità, dal gas alla casa – ne sono state fatte a decine negli anni in cui i governi consociativi del passato hanno portato il debito pubblico, con il decisivo contributo dell'opposizione di sinistra, al disperato dissesto di 2 milioni di miliardi di lire.

Che a una manovra così poco innovativa, così rinunciataria, potesse associare il suo nome un economista del valore di Lamberto Dini, persona per la quale provo un rispetto superiore a ogni legittimo dissenso, questo davvero ci ha stupito, ci ha amaramente stupito.

La Finanziaria varata dal governo di cui il dottor Dini era ministro del Tesoro escludeva un massiccio incremento della pressione fiscale e cercava di risolvere il problema drammatico della spesa pensionistica, per dare sicurezza e un futuro a chi verrà domani, ai nostri figli.

Contro quella Finanziaria – una misura di bilancio impostata in modo rivoluzionario, che cancellava le cattive abitudini di decenni – si è scioperato e si è ricorsi all'agitazione di piazza. Si è scioperato, come qualcuno ha detto lucidamente, contro i nostri figli. E ora gli stessi che si sono mobilitati contro il risanamento della spesa pubblica ci chiedono di avallare un'operazione di restaurazione, una clamorosa marcia indietro che restituisce allo Stato il pessimo e invadente ruolo di esattore esoso e al tempo stesso prodigo. Questo avallo non ci può essere, e non ci sarà, perché questa manovra non avrà effetti positivi sul disavanzo, né sul debito, non convincerà i mercati internazionali e non produrrà conseguenze positive sull'andamento dei cambi.

Signori deputati, malgrado questo giudizio, molto netto e non revocabile, avremmo anche potuto facilitare con un'astensione il passaggio della manovra, dopo aver stipulato un accordo parlamentare per emendarla e migliorarla nel senso da noi indicato. Ma per far questo il governo avrebbe dovuto garantire in modo serio e impegnativo che la manovra non restasse un correttivo isolato e inutile, e infine anche dannoso. Noi le nostre proposte positive le abbiamo fatte. E le abbiamo avanzate anche tenendo conto della crisi della lira e delle quotazioni dei titoli, una crisi che è figlia anche del drammatico clima di instabilità in cui atti e decisioni irresponsabili hanno gettato il Paese dopo la defezione della Lega e la crisi del governo uscito dalle urne del 27 marzo.

Abbiamo proposto quello che la Bundesbank e gli osservatori imparziali di tutto il mondo ci chiedono: un calendario della certezza, una serie di scadenze concordate per associare alla manovra la riforma delle pensioni e poi, immediatamente dopo, un nuovo quadro di stabilità politica, un governo di legislatura che solo le elezioni possono portare; un governo autorevole, stabile, in grado di sviluppare un'azione pluriennale di riforme, un'azione di drastico contenimento delle decisioni di prelievo e di spesa che, sole, possono condurre, in un orizzonte temporale pluriennale, a un risanamento del debito pubblico, a un rilancio stabile dell'economia, alla sconfitta della disoccupazione. Un governo, insomma, che restituisca al nostro Paese considerazione e fiducia da parte della comunità finanziaria internazionale.

Abbiamo avuto risposte evasive e ambigue, sia per la parte che riguarda il comportamento e gli orientamenti del governo sia per la parte che riguarda l'alta responsabilità di altri soggetti istituzionali.

In queste condizioni il nostro «no» è una via che scegliamo liberamente, ma è insieme una via obbligata. Infatti la natura di questo governo è cambiata giorno dopo giorno, a partire dal momento dell'incarico al dottor Dini. Il presidente del Consiglio si è trovato alle prese con una maggioranza parlamentare d'occasione, che ha a stento i numeri per esistere ma che ha come unico collante la volontà di imbrigliare le istituzioni nella perversa logica del ribaltone. Scegliendo di dipendere da quella maggioranza, il governo ha fatto un errore che mi sorprende, conoscendo io molto più dei suoi laudatori dell'ultima ora la competenza e lo scrupolo repubblicano di chi lo presiede.

Decine di deputati, che alla vita di questa maggioranza sono indispensabili, sanno di essere stati eletti con i voti determinanti dati al simbolo di Forza Italia, e dunque hanno paura che il voto sanzioni la loro defezione rispetto alla volontà popolare, rispetto all'orientamento dei loro stessi elettori. Dunque il problema di questa maggioranza, che è la negazione del voto del 27 marzo, è uno solo: distruggere l'avversario e impedire il voto. O meglio: consentire agli italiani di votare solo dopo che l'avversario sia stato abbattuto come l'ultimo ostacolo sulla via del potere.

In questo senso il governo dei tecnici è considerato come uno scudo e una protezione. Alla sua ombra, parlando ossessivamente e insinceramente di regole, si vuole rovesciare a tavolino il risultato della partita del 27 marzo. Una partita che non fu truccata, una grande contesa elettorale che tutti hanno potuto giudicare come un libero confronto vinto dai moderati e dai riformatori, nella gara con le sinistre «progressiste».

In tutte le democrazie serie non esistono governi tecnici, non esistono tregue o emergenze che non debbano essere sanate al più presto da libere elezioni.

In tutte le democrazie serie non si consentono gli stravolgimenti e i trucchi a cui stiamo assistendo.

Signori deputati, non cambia certamente il mio sentimento personale per il dottor Dini, sul cui nome ho avuto modo di concordare con il capo dello Stato, dopo averlo nominato ministro del Tesoro nel governo da me presieduto. Sono ancora pronto a scommettere sulla buonafede della sua compagine ministeriale. Ma doveva venire un segno chiaro e forte dell'indisponibilità del governo a farsi tutore di giochi e manovre che non hanno niente di serio, di dignitoso e di democratico.

Quel segno non è arrivato. Dunque noi votiamo «no».

E questo nostro «no» è l'inizio, solo l'inizio, di un'opposizione costituzionale e parlamentare che sarà sempre corretta ma durissima, sempre serena ma intransigente, finché non sarà ripristinato il diritto degli italiani di avere il governo che vogliono scegliendolo con il loro voto.

La nostra battaglia è prima di tutto una battaglia di libertà. È una battaglia che riguarda le libertà di tutti i cittadini e la giusta rappresentanza della loro volontà politica.

Noi non accettiamo, semplicemente non accettiamo, che un'oligarchia timorosa del giudizio popolare, rovesciando il dettato delle urne e imponendo alla vita civile degli italiani una cappa di autoritarismo mal dissimulato, faccia abuso del Parlamento e lo asservisca a scopi di parte.

Noi non accettiamo che le regole del gioco vengano cambiate mentre si sta giocando.

Noi non accettiamo che possa essere compromesso, per atti e comportamenti che ledono nella sua integrità la Costituzione, il ruolo arbitrale e garante della massima autorità dello Stato.

Con il nostro «no» siamo noi che difendiamo il rispetto delle regole, la sicurezza nazionale, lo sviluppo dell'economia e la certezza del diritto in questo Paese.

Impedire che la democrazia appaia menomata e zoppa è un dovere per forze autenticamente liberali e riformatrici, quali noi siamo. La sospensione di un risultato elettorale è un delitto contro la credibilità delle istituzioni democratiche, è un atto che offende la sensibilità civile dei nostri concittadini, è un comportamento che ha il sapore acre dell'arroganza e perfino del dispotismo.

L'Italia è un grande e civile Paese dell'Occidente democratico e liberale. Noi rendiamo un servizio a questo Paese quando ci battiamo per ripristinare un funzionamento corretto della democrazia politica. Nel mondo ormai c'è chi si prende la licenza di giudicarci come si giudicano quelle Repubbliche in cui le elezioni sono una farsa, un evento opinabile e reversibile.

Pensate a che cosa accadrebbe se in Inghilterra, oggi, il premier conservatore fosse spodestato da una defezione parlamentare a vantaggio di un governo tecnico a maggioranza laburista, e se la regina si rifiutasse pervicacemente di chiamare il popolo alle urne, perché giudichi e disponga. Pensate a quale grado di umiliazione si rischia di abbassare, per scopi partigiani e faziosi, l'immagine internazionale del nostro Paese.

Ma c'è tempo e modo ancora per riparare e per uscire dalle difficoltà. Certo tutti i soggetti democratici devono sentirsi garantiti, e per nostra parte abbiamo dimostrato di essere disposti a un dialogo leale sulle garanzie elettorali, ma è arrivato il momento di segnalare al Parlamento e al Paese che i movimenti vincitori delle elezioni del 27 marzo, un anno dopo, non sono disposti, per nessun motivo al mondo, a consentire che la democrazia italiana venga sospesa e il suo funzionamento effettivo rinviato a data da destinarsi. Il nostro *no* è questo segnale.

Ascoltatelo, dovete ascoltarlo, avete il dovere di ascoltarlo.

Dobbiamo decidere per un grande cambiamento, per una grande riforma

2 agosto 1995

A dispetto di una situazione politica anomala, con il governo Dini che si mantiene in vita al di là del dovuto e del pattuito, l'opposizione, guidata da Silvio Berlusconi, promuove fra tutte le forze politiche un dibattito per le riforme costituzionali. Riforme che devono partire da quella, fondamentale, della legge elettorale, scaturita dal referendum dell'aprile 1993. È un appello solenne, un progetto approfondito e articolato che delinea con rigore e precisione una nuova architettura costituzionale, l'elezione diretta del vertice dell'esecutivo, l'introduzione del federalismo, l'istituzione di una Camera delle Autonomie, l'accettazione completa del principio di sussidiarietà e un ammodernamento delle strutture dello Stato. Una visione a tutto campo che sottolinea altresì come il cambiamento della seconda parte della Costituzione debba andare di pari passo con una riconferma e un inveramento dei principi espressi nella prima parte, quella riguardante i diritti e i doveri dei cittadini.

Signor presidente, Signori deputati,
precisamente un anno fa, il 2 agosto, ebbi l'onore di parlare alla Camera, come presidente del Consiglio, in risposta ad atti ispettivi di parlamentari della maggioranza e dell'opposizione. Ricorderete, signori deputati, che la situazione politica era fortemente surriscaldata: maggioranza e opposizione non trovavano alcun terreno di intesa. Il voto aveva designato al governo i moderati e i riformatori del Polo delle libertà, mentre i progressisti erano il gruppo più forte dell'opposizione. I toni della contesa politica era-

no assai aspri e si parlava apertamente di crisi di governo: regnava una sovrana incomunicabilità.

Oggi non parlo dal banco del governo, ma sento la responsabilità e l'orgoglio di parlare come leader del Polo delle libertà e del buon governo, che parla con una sola voce. Intervengo, perciò, anche a nome di Alleanza nazionale, del Centro cristiano-democratico, dei Cristiano-democratici uniti, della Lega italiana federalista, dell'Unione federalista, dei federalisti e liberaldemocratici e dei riformatori.

Tali gruppi parlamentari mi hanno dato congiuntamente mandato di rappresentare qui la nostra comune posizione sulle riforme costituzionali, che deriva da comuni principi e da un comune sentire. Non voglio ora rievocare i fatti successivi al discorso di un anno fa e il loro significato per la vita di questo Paese. Mi limito a ricordare che al termine del mio intervento rivolsi un appello all'opposizione costituzionale, che suonava così: incalzateci, controllateci, criticateci, opponetevi con ogni mezzo alle nostre decisioni, preparatevi a sostituirci dopo le prossime elezioni politiche, ma riconoscete la nostra legittimità a governare e lasciateci lavorare, lasciateci attuare il programma per l'Italia che abbiamo proposto agli elettori e che questi hanno scelto. Nelle democrazie che funzionano – ebbi modo di concludere – si fa così. La questione istituzionale di cui oggi discutiamo nasce da lì, dal concreto di quello scontro politico asperrimo.

Per decenni nel nostro Paese si è discusso in ogni forma e in ogni modo di riforme costituzionali, di urgenti mutamenti del sistema politico, di grandi svolte e correzioni rispetto alla lunga storia della Prima Repubblica. È stato un dibattito alto e severo nei suoi contenuti, al quale hanno dato un contributo grandi personalità della nostra vita pubblica. Ma quel dibattito era viziato da una certa astrattezza di fondo; si capiva che le cose di cui si discuteva erano considerate con un interesse estrinseco di tipo dotto e accademico, senza un diretto collegamento con la realtà della battaglia politica e civile. L'Italia dei partiti, fondata sul sistema elettorale proporzionale e sulla dottrina non scritta del consociativismo, si permetteva il lusso di immaginare un futuro che però non doveva arrivare mai. Il delicato equilibrio dei rapporti consociativi tra partiti-Stato poteva essere messo in discussione solo e soltanto con il pensiero, con la fantasia costituzionale: i fatti e con essi il debito pubblico e la credibilità internazionale del Paese andavano in un'altra direzione.

Quell'equilibrio oggi non esiste più. Il referendum che ha introdotto in Italia il sistema maggioritario e poi il concreto funzionamento di questo sistema con il voto del 27 marzo 1994, hanno creato nuove condizioni e un nuovo scenario per tutti. Nell'attuale sistema politico, per quanto testardi e scaltri siano i tentativi di restaurare surrettiziamente le vecchie abitudini, non deve esserci più spazio per il vecchio balletto dei governi che durano un'effimera stagione, per il sequestro della decisione politica da parte di potenti apparati di partito, per una logica di rinvio dei problemi e di crisi permanente dello Stato.

I cittadini con il sistema maggioritario hanno conquistato il diritto di votare per coalizioni chiaramente alternative tra loro, per programmi diversi che esprimono culture e sensibilità diverse e spesso opposte e, soprattutto, hanno il diritto di costruire con il loro voto una seria stabilità politica, fornendo ai governi il tempo e gli strumenti utili per attuare i programmi di cui sono espressione. A questo diritto corrisponde la possibilità inequivoca di cambiare – al termine di un mandato di legislatura – governo e maggioranza.

La politica così diventa un'occasione civile e un momento alto di espressione della società civile, anziché una professione a vita. La classe di governo non è, e non deve più essere, buona per tutte le stagioni, le facce non devono più essere le stesse per mezzo secolo. Il compito di chi fa politica, se vuole confermare il consenso di cui gode, non è più quello di autoriprodursi e di perpetuarsi: chi fa politica deve fare cose utili per il proprio Paese. Se ci riesce, resta per un tempo circoscritto; se non ci riesce, va via.

La questione istituzionale, il problema dello strumento di guida del governo, del volante che deve essere dato a chi guida lo Stato, si pone dunque in tutta la sua concretezza solo e soltanto oggi. Stavolta bisogna decidere per un grande cambiamento, per una grande svolta, per una grande riforma.

Ho apprezzato l'ipotesi, che è stata avanzata anche da molti deputati del Polo, che la grande riforma a cui dobbiamo lavorare sia deliberata da un'Assemblea Costituente per meglio scandire la discontinuità tra la nuova fase della Repubblica e quella che ci stiamo lasciando alle spalle. Ma questa ipotesi, che avevo giudicato poco praticabile per motivi sostanziali e che comunque – per i tempi necessari – allontanerebbe nel tempo l'obiettivo del cambiamento, non ha in ogni caso incontrato quel consenso diffuso e generalizzato a cui dovrebbe aspirare un'Assemblea costituente realmente legittimata. In queste condizioni, temo che essa si risolverebbe in una forzatura. È bene quindi che alla grande riforma si ponga mano nella prossima legislatura, utilizzando l'apposito procedimento di revisione costituzionale regolato dall'articolo 138.

In questa direzione ci siamo dichiarati e ci dichiariamo favorevoli a una revisione della nostra forma di governo che veda il vertice dell'esecutivo insediato direttamente e senza mediazioni dal voto degli elettori; un esecutivo che tragga la sua forza e legittimazione a governare dall'investitura diretta dei cittadini e non dalle difficili, mutevoli e sempre precarie intese tra i partiti.

Quale sia lo sbocco finale di un governo che per sopravvivere debba fare i conti quotidianamente con maggioranze parlamentari che il più delle volte sono tali soltanto di nome, e che sono invece percorse al loro interno da divergenze, disomogeneità o vere e proprie fratture latenti, lo insegna la nostra storia istituzionale, anche recente: governi deboli, prigionieri di maggioranze che riescono a stare insieme solo facendo dello scambio politico e della dissoluzione della finanza pubblica la loro vera identità politica e la loro più profonda ragion d'essere.

Per governi di questo genere non può esservi posto nell'Italia che vogliamo, nel sistema istituzionale che costruiremo e per il quale chiederemo il sostegno degli elettori. Il governo ha da essere autorevole, trasparente, responsabile della sua politica di fronte ai cittadini; deve essere capace di difendere la sua politica (sulla quale ha raccolto il consenso elettorale) dai sotterfugi, dagli intralci, dai trabocchetti e dalle congiure di palazzo. Il governo, l'istituzione più debole nell'attuale organizzazione costituzionale, deve essere dotato di strumenti efficaci di iniziativa politica e dei poteri necessari per dare attuazione e seguito al suo programma. Nella nostra storia, questo non è mai stato. Ogni legge, ogni decisione, anche quelle di minimo rilievo, è misura occasionale, contingente, provvisoria. E non si richiede che le leggi siano pensate nel contesto di un disegno strategico, di linee coerenti di politica pubblica.

Nella mia esperienza di governo ho potuto direttamente constatare quale sia l'assenza di responsabilità ai diversi livelli e la grave mancanza di efficaci strumenti a disposizione dell'esecutivo, e ho potuto apprendere quanto profondi e insanabili siano i guasti che tutto ciò ha comportato per la vita pubblica.

Alla debolezza dell'istituzione Governo si è sempre accompagnata – né poteva essere altrimenti – la debolezza del Parlamento, che si mostra sempre più incapace di elaborare coerenti linee di indirizzo politico e di assumere con tempestività quelle grandi decisioni alle quali, nei diversi ambiti della vita associata, i tempi ci costringono. La lentezza, la macchinosità del procedimento legislativo, la dispersione delle attività delle Camere in una miriade di piccole misure e provvedimenti minimi, che servono questa o quella piccola clientela, hanno portato alla legificazione di ogni settore dell'ordinamento, che impedisce a qualsiasi governo, anche se animato da buone intenzioni, di farsi protagonista di un'attività riformatrice. All'insegna della centralità del Parlamento, le Camere si sono occupate di tutto, riducendo lo spazio di azione dell'esecutivo entro margini ridottissimi e impedendo al governo di esercitare quella funzione esecutiva che gli deve competere, senza peraltro riuscire – aggiungo – a garantire un efficace sistema di controllo.

L'unico strumento che il governo ha a disposizione per far sentire la sua voce è il decreto legge. Ma di questo strumento eccezionale e straordinario la prassi del nostro sistema costituzionale ha imposto un uso distorto e deviante, trasformandolo in un normale e ordinario strumento di governo che viene utilizzato, ormai senza limiti, in ogni materia: decreti legge in materia elettorale, decreti legge in materia di libertà, perfino decreti legge con i quali viene soffocato il pubblico dibattito in campagna elettorale, in momenti cioè nei quali la democrazia deve assumere la pienezza del suo significato sostanziale e celebrare il suo momento più elevato.

Sarebbe ingeneroso imputare ai singoli governi l'esclusiva responsabilità dell'uso distorto del decreto legge e della prassi aberrante della reiterazione, che lo trasforma in ordinario e permanente strumento di legificazione sottratto a ogni forma di controllo.

È il Parlamento, per lo più sperduto dietro cure minute, sono le forze politiche, i partiti nella loro cronica incapacità decisionale a premere perché i governi, anche se privi di obiettivi consapevoli e di linee generali di indirizzo prestabilite e condivise da una maggioranza omogenea, legiferino in via straordinaria e precaria.

Ecco, da noi per governare al minimo è necessario il massimo di precarietà e di straordinarietà. È tempo che tutto ciò finisca! È tempo che con l'investitura diretta del suo vertice il governo acquisti autorevolezza e capacità decisionale e disponga di strumenti ordinari di intervento. È tempo che, nel rispetto della separazione dei poteri e in una diversa visione del rapporto tra esecutivo e legislativo, il Parlamento non invada potestà esecutive, limiti la sua azione a norme di legge semplici, chiare e generali e cessi di ingombrare il campo con leggine.

Insomma, ci vuole l'elezione diretta del vertice dell'esecutivo! Coloro che per anni si sono alimentati al presente sistema, che ha profondamente alterato la logica della separazione dei poteri; coloro che hanno diffuso i loro metodi politico-clientelari basati sul proporzionalismo e sulle leggine di spesa – questa quota a te che sei il partito di maggioranza relativa, quest'altra quota a te che sei il principale partito dell'opposizione, quest'ulteriore quota anche a te, che, pur essendo piccolo, hai un forte potere di interdizione –, tutti costoro sono insorti alla nostra proposta di riforma!

Dopo essersi spartiti lo Stato e la società civile, ed essersi inseriti in ogni più remoto ambito della vita sociale, portandovi filosofie lottizzatrici e assistenziali, dopo aver spinto lo Stato e le istituzioni al collasso finanziario e ai margini del processo di unificazione europea, alcuni inveterati protagonisti del passato si arroccano a protezione di questo sfascio che hanno contribuito in misura non lieve a determinare!

All'idea di un risolutivo rafforzamento dell'esecutivo, che può venire solo dall'elezione diretta e dall'attuazione piena del principio della separazione dei poteri; all'idea di un ambito proprio di competenze costituzionali del governo, sottratto alla logica della mediazione continua e pervasiva (anche sui provvedimenti più scontati e doverosi); all'idea della costruzione di un'autonomia istituzionale dell'esecutivo e di una legittimazione propria, i nostalgici del proporzionalismo e della consociazione insorgono. Si dichiarano non protetti e chiedono garanzie.

E la garanzia quale sarebbe? Blindiamo la nostra Costituzione, costruiamole attorno una muraglia invalicabile, facciamo sì che per la riforma che ci viene proposta occorrano maggioranze irraggiungibili, modifichiamo il procedimento di revisione in modo che la vera revisione, di cui c'è bisogno, non possa aver luogo.

Questa inversione delle linee di tendenza della nostra storia, segnata da un referendum che ha impresso al nostro sistema una spinta verso il bipolarismo non così facilmente reversibile nel breve periodo, questa inversione, negli ambiti variegati della sinistra, che pure si proclamano liberali e anzi impartiscono un po' a tutti lezioni di liberalismo, pretende di avere una giustificazione ideale.

L'elezione diretta del vertice dell'esecutivo comporta la personalizzazione della politica e contiene pericoli autoritari, essi dicono. Con questa proposta – ecco la parola d'ordine delle sinistre – si vogliono azzerare le libertà.

L'equazione tra elezione diretta del vertice dell'esecutivo e sistema autoritario è però un falso. Bisogna smetterla di falsificare le proposte altrui. Se le sinistre ritengono che il sistema che ci ha governato sia buono, se intendono perpetuarlo chiamandone a raccolta tutti gli eredi, se intendono curare quel malato grave che sono le nostre istituzioni con finte riforme che lasciano tutto com'è – e magari ci si riesce conquistando posizioni di ulteriore privilegio con sacrificio del Paese –, abbiano il coraggio di dirlo e di assumersene davanti a tutti la responsabilità.

Volete che con una riforma costituzionale sia posto ai governi l'obbligo di pareggio di bilancio? O volete lasciarvi libere le mani e scegliere lo sbilancio e l'aggravio delle condizioni della finanza pubblica come strumento di conquista e di mantenimento del consenso?

Le nostre libertà, quelle che sono scritte nella prima parte della Costituzione, sono care a noi, innanzi tutto. E noi vogliamo che quelle libertà civili, politiche, amministrative e sociali siano preservate e realizzate. Non sarà certo l'elezione diretta dell'esecutivo a conculcarle. Questa anzi contribuirà a renderle effettive.

Un mutamento della nostra forma di governo con il sistema presidenziale noi lo vediamo come la sola via praticabile non solo per favorire la nascita e il consolidarsi di aggregazioni politiche solide, orientate a competere per la guida del governo, ma anche per inverare quelle libertà che la consociazione ha negato rendendo precarie le basi finanziarie sulle quali un moderno sistema di libertà si regge.

Nulla vogliamo toccare e per parte nostra nulla sarà toccato dei principi sostanziali della Costituzione. Da quando anche voi delle sinistre avete riconosciuto che la Costituzione economica non è una variabile indipendente del sistema di libertà, da quando, proclamativi liberali, dichiarate di credere nel mercato come bene fondamentale, ripudiando – non tutti, in verità – la vostra vecchia idea, quella che chiamavate la democrazia progressiva, che doveva portare con l'egemonia dell'ideologia marxiana alla collettivizzazione e al superamento del mercato e della libera iniziativa economica, ebbene dopo tutti questi fondamentali cambiamenti, quel sistema di libertà e di diritti fondamentali, finalmente da inverare, può diventare la casa comune.

L'idea di libertà che abbiamo in mente e che guarda al mercato, alla produzione, al lavoro, all'inventiva, all'intelligenza e alla cultura come le nostre autentiche risorse, che possono portarci a competere alla pari con le nazioni progredite, non ha nulla a che spartire con il liberismo selvaggio e darwiniano. I diritti sociali, colleghi delle sinistre, non sono solo questione vostra. Essi fanno parte della nostra cultura e sono legati a quell'idea di solidarietà tra gli uomini dalla quale il nostro liberalismo in economia non è disgiunto. Ma c'è una differenza tra noi e voi: i diritti sociali per noi non sono una variabile indipendente rispetto alle condizioni della finanza pubblica! La sostanziale assenza di governi autorevoli e legittimati, che non fossero prigionieri delle consorterie della spesa pubblica e che non considerassero il crescente indebitamento dello Stato come una condizione benefica e comunque ineliminabile nel Welfare State, è per noi la causa prima del disastro finanziario e morale della cosa pubblica!

L'azione diretta del vertice dell'esecutivo che, con una forte legittimazione di investitura, ponga il governo al riparo delle consorterie politiche della spesa pubblica, è per noi la chiave di volta che può determinare un diverso modo d'essere del rapporto tra cittadino e Stato! L'elezione diretta del vertice dell'esecutivo rende questo responsabile delle politiche pubbliche di fronte agli elettori! Il rafforzamento dell'esecutivo e la sua preminente responsabilità della politica finanziaria e di bilancio concorrono a mantenere i diritti sociali nel loro ambito naturale, a legarli alle condizioni della finanza pubblica, a far sì che essi non trasformino – com'è accaduto da noi – lo Stato sociale in Stato assistenziale.

La riforma che proponiamo riguarda dunque il modo d'essere e di funzionare di una Costituzione che mantenga intatto un patrimonio di valori che appartiene alla tradizione e che, anzi, intenda svolgerlo in maniera equilibrata, collocando alla base dell'intero edificio un sistema di diritti che, in campo economico, guardino all'impresa e all'iniziativa privata come al motore del sistema produttivo e, in campo sociale, guardino alla finanza pubblica come condizione *sine qua non* di qualunque aspettativa il cui soddisfacimento richieda l'intervento finanziario dello Stato!

Il sistema che abbiamo in mente tende a valorizzare il mercato non solo come luogo ove si produce il benessere della nazione, ma dove si indirizzano e trovano appagamento aspettative di servizi efficienti, di beni materiali, morali e culturali; aspettative che, nell'età del consociativismo, guardavano ai pubblici poteri e relegavano il mercato e le imprese in una posizione subalterna.

Nel sistema che vogliamo, il rafforzamento dei poteri dell'esecutivo si accompagna a un rafforzamento del mercato e dei suoi protagonisti. La privatizzazione pressoché totale dell'economia pubblica è perciò una premessa perché il disegno si realizzi. Ma in questo stesso sistema si rafforza anche il Parlamento che, oltre a essere il vertice della legislazione generale e della tutela delle libertà (le cosiddette riserve di legge in materia, appunto, di libertà devono essere mantenute, affinché ogni disciplina sia posta a seguito di un dibattito pubblico che dia voce alla maggioranza e all'opposizione), deve diventare la sede del controllo stringente dell'attività dell'esecutivo affinché questa sia sempre più attività trasparente! La minoranza dovrà vedere rafforzato il proprio ruolo con l'elaborazione di un vero e proprio statuto delle opposizioni. Nell'ambito di tale statuto, potranno essere addirittura previste forme di ricorso diretto alla Corte costituzionale a tutela dei diritti e dello status di parlamentare tutte le volte in cui le maggioranze, con propri atti, abbiano conculcato la posizione delle minoranze.

Ma c'è un altro problema di fondo: il federalismo. In un equilibrato sistema di bilanciamenti verso il completamento di una vera e propria democrazia maggioritaria, vanno rinvigorite le autonomie.

Il principio fondamentale dell'unità e indivisibilità della Repubblica, scritto nell'articolo 5 della Costituzione, deve essere mantenuto fermo, sottratto a qualunque tentativo di revisione e protetto da tutte le istituzioni statali, anche contro i tentativi di minarne il valore etico, con virulente promesse di secessione simboleggiate dalla goffa creazione di parlamenti del Nord!

La nostra fedeltà ai principi fondamentali è assai più salda di quella di chi, per miope tatticismo politico, avendo evidentemente perduto ogni idealità e non sapendo più liberarsi da un machiavellismo fine a se stesso, blandisce il vero nemico della Costituzione come possibile alleato contro le forze autenticamente riformatrici presenti nel Paese.

Fermo dunque il principio di indivisibilità della Repubblica, bisogna avviare, finalmente, il percorso delle autonomie, come del resto espressamente previsto dalla nostra Costituzione. Dico «avviare», perché i salti in avanti verso un federalismo oscuro e parolaio vengono proposti e trovano sorprendentemente seguito – un seguito tutto tattico e strumentale – senza che in Italia la strada di un vero Stato regionalista e delle autonomie sia stata neppure tentata. Le regioni e gli enti locali debbono avere competenze proprie ed esclusive in materie in cui lo Stato non possa interferire con proprie leggi, né l'esecutivo esercitare poteri politici sotto le mentite spoglie del controllo di legittimità. I controlli statali di legittimità o di merito sull'attività delle regioni vanno tutti aboliti; deve restare solo la tutela giurisdizionale dei singoli e dei gruppi davanti ai giudici competenti.

Le regioni debbono avere quell'autonomia finanziaria, sia sul versante dell'entrata sia sul versante della spesa, che la Costituzione vagamente promette e che le leggi ordinarie hanno sistematicamente negato, riducendo regioni ed enti locali a soggetti erogatori di spese predeterminate nella qualità e nella quantità. Leggi statali hanno contribuito a deresponsabilizzare i diversi livelli di governo: lo Stato che, di fronte alla grave inadeguatezza dei servizi, ha sempre potuto dire che la responsabilità è delle regioni alle quali spettano le competenze materiali sull'organizzazione e sull'erogazione di una molteplicità di servizi, la regione che ha sempre potuto dire – e ha sempre detto – che l'entità delle risorse è stabilita dallo Stato e che la direzione della spesa pubblica è vincolata per decisioni statali. Come nei rapporti tra Parlamento e governo, così in quelli tra Stato e regioni, nulla funziona, ma nessuno è responsabile di alcunché.

Con l'autonomia finanziaria le regioni disporranno finalmente di propri indirizzi politici e ne saranno esclusivamente responsabili, con l'ovvia precisazione che la capacità impositiva che va riconosciuta alle regioni non potrà rappresentare per esse una risorsa finanziaria esaustiva e che continueranno a essere necessari trasferimenti di risorse verso le regioni più sfortunate, per ragioni di solidarietà, anche territoriale, che fanno una e indivisibile la nostra Repubblica.

Ma le regioni, a loro volta, non possono soffocare le autonomie minori, che sono la dimensione nella quale la stessa autonomia trova il suo più denso significato storico e sociologico. L'organizzazione dei poteri pubblici su base territoriale deve quindi essere improntata al principio di sussidiarietà, che nella nostra visione è anche un grande principio di libertà e che riguarda gli stessi rapporti tra società e istituzioni. Alla base vi sono la società civile, gli individui e la loro possibile sfera di azione. Tutti i bisogni di beni, di acquisto di servizi, tutte le aspettative che i singoli possono soddisfare da soli, senza la necessità del sostegno pubblico, fanno parte dell'ambito di libertà di una società moderna, che è segnato da un limite entro il quale lo Stato ha solo compiti di disciplina e di regolamentazione. Dove, invece, gli individui da soli non riescono – e qui già occorre distinguere i cittadini a seconda delle loro condizioni economiche e sociali –, soccorre la comunità territoriale immediatamente più vicina, la cui sfera di competenze si spinge fino al punto in cui a un livello territoriale superiore si può far meglio e a costi minori; il tutto in un processo ascendente e non discendente, che parte dai singoli cittadini e giunge fino alle comunità sovranazionali, rispetto alle quali lo Stato è solo una dimensione intermedia.

È poi necessaria una riforma dell'attuale sistema bicamerale che, anche per l'eccessivo numero dei parlamentari, comporta un inutile spreco di lavoro e lungaggini nei procedimenti decisionali quali nessuna moderna democrazia potrebbe e può sopportare. Tale riforma dovrà essere nel senso della trasformazione della seconda Camera in un organo rappresentativo delle autonomie locali; sarà questo il luogo dove le competenze spettanti ai diversi livelli territoriali troveranno la prima e più importante garanzia politica e dove il principio di sussidiarietà troverà la sua protezione.

Il completamento della forma di governo a elezione diretta del vertice dovrà venire da un pregnante sistema di protezione dei diritti fondamentali, che deve rovesciare il rapporto tra Stato e cittadini e che dovrà essere la base e al tempo stesso il coronamento dell'edificio. Tutti coloro che saranno lesi in un loro fondamentale diritto da un atto dei pubblici poteri (non importa se del Parlamento, del governo, della pubblica amministrazione o dei giudici) dovranno avere la possibilità di ricorrere efficacemente fino alla Corte costituzionale. È questa, fra tutte, la garanzia che ci è più cara e nella quale poniamo le maggiori speranze per la piena realizzazione di una vera democrazia nel nostro Paese.

Non siamo in presenza di garanzie rivendicate dalle opposizioni parlamentari che sono, certo, importanti ma non esaustive, perché nel Parlamento non si esaurisce la vita di uno Stato; si tratta, invece, di offrire garanzie ai cittadini. L'ampiezza e l'efficienza di tali garanzie danno la reale misura del grado di civiltà raggiunto dal Paese.

Dopo tanto vano vociare sui diritti, tenuti presenti in Italia solo in quanto comportavano un'utilità politica per i partiti, si deve oggi guardare al cittadino libero, non protetto dall'appartenenza politica, perché dal cittadino deve partire il processo riformatore e verso il cittadino deve orientarsi.

Merita infine qualche considerazione l'ipotesi di innalzare il quorum dell'articolo 138 per rendere più ardua la revisione della prima parte della Costituzione. Le riforme che abbiamo in mente, e che saranno i punti salienti del programma politico del Polo, non mirano certo a eliminare o anche soltanto ad attenuare le libertà fondamentali; sono semmai intese a potenziarle e a far sì che esse divengano principi attivi, libertà reali dei cittadini.

Non abbiamo pertanto alcuna obiezione d'ordine generale a che i principi fondamentali di libertà siano rinvigoriti e resi più difficilmente modificabili anche attraverso garanzie formali. È su tali principi di libertà che dobbiamo verificare la possibilità, la necessità di costruire insieme la casa autenticamente comune. Mi limito a pochi esempi.

Riserve ci vengono dal fatto che non siamo certi che vi sia identità di vedute sul modo di intendere quelle libertà e siamo colti dal sospetto che sia diffusa tra i nostri oppositori una visione molto ideologica, che considera quelle libertà come mezzo di superamento del sistema economico di mercato. Non siamo neppure certi che abbiate la nostra stessa sensibilità per le garanzie di libertà individuali, sulle quali la prima parte della Costituzione è imperniata. Quando vi leggiamo, ad esempio, all'articolo 13, che la libertà individuale è inviolabile, siamo certi di assumere il termine «inviolabile» nella sua accezione più piena e collochiamo tale libertà nel punto più elevato del sistema dei valori?

Altrettanto ci accade quando leggiamo nell'articolo 14 della Costituzione che la libertà domiciliare è inviolabile, o ancora, nell'articolo 15, che inviolabili sono la segretezza della corrispondenza e delle comunicazioni o che inviolabile è il diritto di difesa in ogni stadio e grado del giudizio (art. 24). Quando, nell'articolo 27 della Costituzione, leggiamo che nessuno può essere ritenuto colpevole prima della condanna definitiva, avvertiamo il medesimo sentimento di insoddisfazione per le gravi illibertà nelle quali viene amministrata la giustizia e sentiamo che i nostri propositi di riforma corrispondono a grandi valori costituzionali ancora inattuati?

Se permettete, le vostre reazioni ci fanno sorgere dubbi legittimi e ci fanno ritenere che non siano dubbi immotivati.

Qualche dubbio sorge anche a proposito dei diritti sociali e del ruolo che essi devono svolgere in un sistema retto dai principi dell'economia di mercato; credo, quindi, valga la pena affrontarne qualcuno.

Emblematica è la vicenda del cosiddetto diritto al lavoro. Da grande valore, che avrebbe dovuto orientare le politiche pubbliche verso il rafforzamento dell'economia di mercato, è stato trasformato a poco a poco in uno dei fattori di disgregazione delle basi economiche dello Stato sociale, a causa dell'accollo agli apparati pubblici, oltre ogni limite di sopportazione, di clientele politiche dedite, nel migliore dei casi, a compiti di surrogazione occupazionale di un'impresa privata mortificata e impoverita.

So bene, dal canto mio, cosa esattamente voglia dire l'articolo 4 della Costituzione, secondo il quale la Repubblica riconosce a tutti i cittadini il diritto al lavoro e promuove le condizioni che rendano effettivo tale diritto.

Vuol dire che la lotta alla disoccupazione deve essere al primo posto nel programma di un governo rispettoso della Costituzione. Vuol dire che l'iniziativa economica, dalla quale soltanto può venire il progresso della società, deve essere favorita; vuol dire che l'impresa deve essere liberata dai mille legacci, dagli irrazionali burocratismi e taglieggiamenti che ovunque la contrastano e le impediscono di assolvere alla sua missione di benessere. L'articolo 4 della Costituzione, però, non può significare, come invece si è sostenuto e si sostiene tuttora tra voi, che lo Stato possa farsi garante, finanziatore o addirittura gestore di attività economiche improduttive, che non accrescono la ricchezza, ma distolgono le risorse dagli impieghi economicamente produttivi.

Su questi punti, ai fautori della irrivedibilità della prima parte della Costituzione chiediamo la massima chiarezza. Qual è la loro interpretazione dei diritti sociali? I principi che li esprimono devono essere letti nel contesto di uno Stato sociale, in un sistema di economia di mercato, o in quello di uno Stato assistenziale a economia collettivista?

La prima parte della Costituzione è viva e può essere ancora vitale. Solo alcune interpretazioni ideologizzanti sono divenute obsolete, quando non sono state addirittura travolte dalla Storia, come in effetti è accaduto alla pretesa di leggere nell'articolo 43 una promessa di collettivizzazione dell'economia, da contrapporre alla libera iniziativa economica garantita a tutti dall'articolo 41.

Se viene chiaro e forte, da parte vostra, un pronunciamento sul significato di un ulteriore irrigidimento formale della prima parte della Costituzione; se per voi quell'irrigidimento formale non vuol dire assicurare ultrattività e copertura costituzionale alle dissolute politiche pubbliche che hanno condotto il Paese sull'orlo del collasso finanziario, non ho altre obiezioni, per parte nostra non abbiamo altre obiezioni – e parlo a nome di tutto il Polo – a che i principi liberaldemocratici, non disgiunti dai principi di solidarietà fra gli uomini e fra le generazioni, intesi finalmente in un'accezione comune a tutti, siano mantenuti a fondamento della Costituzione e dichiarati non rivedibili.

Sull'ulteriore irrigidimento e sull'innalzamento dei quorum le mie obiezioni sono di carattere culturale. Se i diritti fondamentali non entrano nella cultura di un popolo, se intorno alla loro portata e al loro reale contenuto non c'è accordo nel Paese, non c'è garanzia formale che tenga. Quei diritti sono destinati a non inverarsi e a essere perenne motivo di conflitto politico, con la conseguenza che quel conflitto, mantenendo ferma la vostra originaria ideologia, l'avrete portato tutto intero nella Costituzione. Se invece c'è accordo, omogeneità di vedute e chiarezza nella scelta di civiltà, nessuna garanzia è migliore dell'esercizio di quei diritti da parte dei cittadini e del raccogliersi attorno a tali diritti della parte migliore della nostra cultura. Ecco perché nel proporre formali irrigidimenti avete l'onere di dichiarare se volete ritornare all'età del conflitto costituzionale permanente, che sotto le sembianze di interpretazioni divergenti della Costituzione ci ha impedito di avere un sistema unitario, o se volete davvero una Costituzione unica nei suoi principi cardine. E se la seconda è la vostra scelta, la parte sostanziale della nostra Costituzione per noi va bene e deve restare intatta.

La nostra proposta di elezione diretta del vertice dell'esecutivo non è, del resto, che il tentativo di ampliare e rafforzare il nostro sistema di libertà, proprio a partire dalla libertà politica. Solo assicurando ai cittadini la possibilità di scegliere direttamente chi è destinato a governarli, quel sistema di libertà, che noi per primi vogliamo proteggere, trova il suo punto di riferimento in un governo trasparente e politicamente responsabile di fronte agli elettori e il principio di sovranità popolare cessa di essere una vuota proclamazione. Ciascun elettore, grazie alla sua immediata opportunità di opzione, si sentirà immesso direttamente nel circuito della decisione pubblica.

Signor presidente, Signori deputati,
nei momenti in cui occorre far funzionare sul serio la democrazia e scegliere per il bene del Paese sulla base di proposte alternative tra loro è decisivo trovare un terreno d'intesa sulle regole e sulle garanzie che consentano di fare questa scelta in un clima sereno, in un contesto chiaro, non già di consociazione politica ma di condivisione civile.

Il mio vero rammarico è di non essere riuscito a ottenere prima, quando ne scrissi all'onorevole D'Alema, da leader del Polo che aveva vinto le elezioni e da presidente del

Consiglio dei ministri, una discussione seria e impegnativa sul tema delle regole.

Nell'ultimo periodo si sono fatti sensibili progressi in questa direzione. Il clima è cambiato; c'è un'aria nuova. Le coalizioni candidate a governare il Paese si vanno consolidando nei loro programmi, nella scelta degli uomini, nella maturità politica, in vista del voto popolare che, da solo, può restituire piena legittimità di funzionamento al sistema politico emerso dalla rivoluzione referendaria del 18 aprile 1993.

Non esistono patti surrettizi e non sarà certo il Polo delle libertà a coltivare una mescolanza impropria delle identità e delle responsabilità politiche nel senso di un nuovo consociativismo.

Credo che sul tema della decisione finale, e cioè su quale debba essere la scelta in ordine alla revisione della seconda parte della Costituzione e alla forma di governo della Seconda Repubblica, sia possibile trovare soluzioni limpide, che non blindino la Costituzione e la democrazia, che non offendano il buonsenso e che garantiscano tutti che la scelta, reversibile come tutte le scelte democratiche, sarà consapevole e responsabile.

Credo che l'idea di un referendum confermativo, reso comunque obbligatorio, o perfino quella di un referendum alternativo, recentemente riaffacciatasi nel dibattito istituzionale, possa esprimere in massimo grado questo elemento indispensabile di garanzia.

Credo che agli italiani, che sono gli ultimi giudici di quello che noi qui discutiamo e che hanno il diritto di essere loro a scegliere la forma di governo, possa e debba essere sottoposta, dopo un ampio dibattito nel prossimo Parlamento, la decisione sulle proposte alternative di modifica della seconda parte della Costituzione. Gli italiani sanno scegliere e sanno votare nei referendum, come hanno dimostrato dal 1974 a oggi, con una puntigliosità e con una capacità di essere liberi che è il tratto migliore della nostra storia.

Vi ringrazio.

Nessuna democrazia può sopportare indenne l'eventualità che un governo tecnico prolunghi la sua esistenza oltre i suoi limiti naturali

24 ottobre 1995

Il governo Dini, che doveva durare solo il tempo necessario per creare un clima sereno nel Parlamento e nel Paese, continua a sopravvivere oltre il limite naturale, e, da esecutivo politico, quale non sarebbe dovuto essere, arriva a redigere la manovra finanziaria per il 1996. Ma il carattere «politico» di questo governo «tecnico» si svela ancora di più nel «caso Mancuso». L'11 ottobre, Filippo Mancuso, ministro di Grazia e Giustizia, ordina un'ispezione sul PM milanese Paolo Ielo. I progressisti, contrari all'azione, presentano al Senato, dove possono contare su una maggioranza assoluta, una mozione di sfiducia contro il Guardasigilli, il cui operato è contestato anche dall'Associazione nazionale magistrati e dall'ex PM Antonio Di Pietro. Senza curarsi delle polemiche, il ministro ordina un'azione disciplinare contro il procuratore di Milano Borrelli, accusato di aver anticipato al presidente della Repubblica Oscar Luigi Scalfaro la notizia del famoso avviso di garanzia recapitato a Berlusconi nel 1994. Il 19 ottobre, la mozione di sfiducia al Senato viene approvata: il Guardasigilli è costretto alle dimissioni e Dini assume, ad interim, il ministero di Grazia e Giustizia. Il Polo presenta una mozione di sfiducia alla Camera contro il governo Dini.

Signor presidente, Signori deputati,
non voglio ripercorrere le vicende della caduta del governo da me presieduto, della nascita di quello attualmente in carica, della specificità e transitorietà dei suoi compiti, della necessità – da tutti o quasi tutti condivisa – che la

sua durata fosse breve: la più breve possibile per restituire agli italiani il diritto di scelta.

Quella del governo Dini doveva essere una piccola parentesi, perché nessuna democrazia può sopportare indenne l'eventualità che un governo tecnico prolunghi la sua esistenza oltre i suoi limiti naturali. Per me e molti di noi è già difficile concepire l'esistenza di un governo tecnico se non come evento, non solo eccezionale, ma assolutamente fugace. Concepire poi un governo tecnico che, nel nome dell'interesse generale, avanza pretese di durata indefinita, significa bandire la stessa idea di politica e rinunziare ad avere una democrazia parlamentare degna di questo nome.

Non ci si dica che questa è una fase transitoria necessariamente più lunga del previsto, trascorsa la quale la democrazia italiana tornerà a vivere la sua normalità democratica. Quando avrete assuefatto il Paese all'idea di poter essere governato anche a lungo da un governo tecnico, avrete inferto ai principi della democrazia una ferita difficile da rimarginare.

È questa la principale ragione per la quale noi del Polo abbiamo proposto una mozione di sfiducia nei confronti del governo Dini; ed è per questo che invitiamo tutte le forze che hanno un minimo comune sentire della democrazia a votare a favore di questa mozione. Per votarla non è infatti necessario avere la stessa concezione dello Stato ed esser sorretti dalle medesime idee.

Qui è in discussione la democrazia, se nell'idea di democrazia includiamo anche il diritto di scelta degli elettori e non invece la supina, prolungata accettazione da parte del Parlamento di un governo di palazzo. Ed è qui che si misurano i sentimenti di tutti noi e il nostro autentico pensiero sulle istituzioni democratiche. Chi pensa che la democrazia italiana possa continuare a sopportare il deterioramento e lo svilimento della politica e il suo asservimento all'opportunismo di un governo di tecnici che vuole durare a tutti i costi, voti pure contro la nostra mozione. Si sappia, però, che lo fa per un piccolo e meschino tornaconto di parte e che non ha a cuore la nostra democrazia.

Le forze del Polo, per parte loro, sono sorrette da una comune idea della democrazia che non tollera la confisca, per un periodo ormai così irragionevolmente lungo, del diritto delle forze vincitrici alle elezioni di non essere cacciate all'opposizione se non a seguito di nuove elezioni. Non ci lamentiamo, quindi, soltanto del fatto che un governo tecnico resti tenacemente avvinghiato agli scranni quando è tempo ormai di tornare alla democrazia e di ascoltare la libera voce degli italiani; anche se questo solo basterebbe per votare la sfiducia; altre e non meno gravi ragioni ci inducono a dire basta e a invitare il governo a dimettersi.

Nato per adottare specifiche e limitate misure che consentissero un passaggio elettorale in un contesto di maggiore serenità della vita pubblica, il governo Dini, assumendo compiti squisitamente politici, che non si addicono a un governo di tecnici, ha voluto redigere la Finanziaria, che costituisce l'atto politicamente più significativo di un governo.

Signori deputati,
nessuno può nascondersi che il mantenimento di una prospettiva europea e il raggiungimento degli indici di economia e di finanza pubblica richiesti da Maastricht affinché nel 1999 l'Italia possa restare compresa fra le nazioni che partecipano all'Unione europea a pieno titolo, richiedono un governo autorevole, dotato di un serio sostegno parlamentare, in grado di proporre agli elettori quelle grandi riforme liberali che non sono più differibili.

È nel 1997 che i nostri partner europei decideranno se due anni dopo l'Italia sarà in grado di affrontare il duro passaggio dell'unione monetaria. È adesso, quindi, che dobbiamo dedicarci con tutte le nostre forze a quelle riforme liberali, a quella ristrutturazione radicale della spesa pubblica, della politica economica e della politica fiscale, senza le quali la via dell'Europa ci sarà preclusa.

Questo esecutivo, con la sua inadeguata e al tempo stesso ingiusta proposta di legge finanziaria, con l'abolizione di quei sostegni alle industrie e all'iniziativa privata, che erano invece, mi si consenta di esserne fiero, il primo segnale lanciato dal governo che ebbi a presiedere, conferma la sua inadeguatezza a guidare l'Italia in Europa.

Ho detto conferma, perché le sue misure di inasprimento fiscale, nella cosiddetta manovra di aggiustamento, hanno condotto, come avevamo facilmente previsto, a un'allarmante ripresa dell'inflazione in una misura che, restando in carica l'attuale governo, ci impedirà l'accesso all'Europa e comporterà il declino inarrestabile del nostro sistema economico-produttivo.

Tutto questo non è stato un operare da tecnici; è stato invece un agire da consumati uomini politici della vecchia specie, quella specie che gli italiani avevano sperato, il 27 marzo, di avere allontanato per sempre: tutto per avere consenso a buon mercato tra quelle forze, tuttora presenti, che ancora pensano di poter illudere il Paese sulla inesauribile capacità di perpetuarsi dello Stato assistenziale.

E così questo governo, lasciandosi galleggiare e scrivendo leggi sotto la dettatura della sinistra politica e sindacale, si è progressivamente trasformato da tecnico in politico ed è riuscito a suscitare il consenso e il sostegno dei tragici epigoni dello Stato assistenziale. Perfino la Lega Nord, nata sotto la spinta di istanze riformatrici, assicura il suo appoggio a questo governo illiberale e restauratore; nella speranza, forse, che la definitiva cacciata dell'Italia dall'Europa faccia esplodere il risentimento degli italiani del Nord.

Il processo di politicizzazione strisciante, al quale questo governo tecnico non ha saputo sottrarsi, è giunto al suo compimento nella vicenda del ministro Mancuso. Un ministro irreprensibile, integerrimo, che incarna la migliore tradizione della magistratura italiana, è stato slealmente sacrificato dal governo quale prezzo della propria sopravvivenza.

Non so dire fino a qual punto ci si sia resi conto, nel governo in carica e fra le forze che hanno approvato quella sventurata mozione di sfiducia individuale, dell'enormità del fatto e del grave turbamento che esso ha arrecato al corretto svolgimento dei rapporti tra ministro di Grazia e Giustizia e Magistratura.

La promozione dell'azione disciplinare da parte del Guardasigilli (il solo ministro nominato dalla Costituzione per la peculiarità della sua posizione) comporta logicamente la titolarità di poteri ispettivi, che lo stesso ministro ha il dovere di esercitare tutte le volte in cui abbia notizia di comportamenti di magistrati non conformi ai loro doveri professionali.

Un governo che consenta che un suo ministro venga mandato a casa solo perché ha avviato un'attività di vigilanza e ha chiamato l'organo di alto governo della Magistratura a verificare se determinati comportamenti fossero censurabili, è un governo che, per prona e opportunistica acquiescenza a una maggioranza politica, ha fatto proprio un indirizzo di politica giudiziaria illiberale e autoritario; un indirizzo che contraddice al ruolo che la Costituzione assegna alla Magistratura e che le forze del Polo respingono con fermezza.

Ma la vicenda è ancora più grave. Dissociare la responsabilità del governo dalla politica giudiziaria, addirittura mostrando disinteresse verso le vicissitudini parlamentari del ministro Mancuso, vuol dire avere un'assai angusta visione dell'indirizzo politico governativo e un'idea della responsabilità di governo inaccettabile in un regime parlamentare.

Non so se nello Statuto albertino, dove il re nominava e revocava i suoi ministri, tutto ciò sarebbe stato concepibile. Ma in un moderno governo parlamentare, con riferimento a un ambito governativo così decisivo e strategico nell'attuale fase della vita istituzionale (l'ambito, appunto, della vigilanza sull'attività dei magistrati), pensare che l'eventuale responsabilità del Guardasigilli non ricada sull'intero esecutivo, significa avere un'idea della responsabilità governativa per noi inaccettabile.

La politica giudiziaria del governo Dini con la sfiducia al ministro Mancuso è pervenuta a esiti illiberali, illegittimi e fallimentari. Così come si è rivelata fallimentare (fummo troppo facili profeti) la sua politica economica, finanziaria e monetaria.

Sento dire che i cedimenti della lira, dei titoli di Stato, della Borsa azionaria intervenuti in questi giorni ricadrebbero sulla nostra responsabilità. Si tratta di una vera e propria menzogna, smascherata dai fatti. E i fatti sono questi.

Il governo del Polo ha lasciato il cambio della lira rispetto al marco a una quota di circa 1038 lire: da allora, la lira ha già raggiunto e superato varie volte le 1150 lire, e oggi viaggia oltre le 1160.

Il tasso d'inflazione, che il governo precedente aveva lasciato al livello del 3,8 per cento, è da mesi al 5,8 per cento.

I tassi d'interesse sono in questi mesi aumentati di due punti, e in proporzione sono caduti i titoli di Stato. Infine, la Borsa ha conosciuto ripetuti rovesci (con un calo di oltre il 10 per cento nell'ultimo mese, prima del caso Mancuso), rendendo via via più difficile la politica delle privatizzazioni.

Durante il governo del Polo, a ogni stormir dei mercati, la sinistra non ha perso occasione per rovesciare attacchi contro l'esecutivo. Oggi che non si tratta di stormir di foglie, ma di vera e propria crisi del mercato valutario, finanziario e azionario, la responsabilità non è naturalmente del governo in carica, non della maggioranza numerica che lo sostiene ma, incredibile a dirsi, del Polo e delle sue legittime e, come vedete, documentate denunce.

La verità è che il Paese è stato precipitato in una crisi istituzionale senza precedenti, con un susseguirsi di acrobazie politiche e costituzionali che lasciano interdetti gli operatori esteri, confusi i mercati, sfiduciati i cittadini.

Si è violato il responso delle urne, si è inventata la formula del governo tecnico e si è infine giunti a sfiduciare un ministro tecnico per ragioni politiche.

Si tratta di fatti inauditi, senza precedenti nel mezzo secolo di vita di questa Repubblica. Non ci si può davvero meravigliare del giudizio negativo dei mercati verso la crisi istituzionale in cui il Paese è stato cinicamente sospinto.

Non vi è stato atto politico di qualche rilievo compiuto da questo governo che non abbia suscitato critiche di inadeguatezza. Così è stato per la riforma delle pensioni, così è per la legge finanziaria: una Finanziaria contro lo sviluppo, una Finanziaria virtuale, non credibile.

Intanto, mentre ci si esercita nelle acrobazie politiche e nei giochi di palazzo (non avete pensato che si potrebbe arrivare a sfiduciare Dini come ministro del Tesoro, confermandogli la fiducia come presidente del Consiglio?), i problemi quotidiani del Paese attendono di essere risolti e, nell'attesa, diventano più complicati e difficili da districare.

La disoccupazione resta elevata, e il governo non trova di meglio che ridimensionare un provvedimento di grande efficacia sotto il profilo della creazione di posti di lavoro, come la legge Tremonti. Un provvedimento che non dovrebbe essere indebolito ma anzi affiancato e arricchito da altri provvedimenti dello stesso tipo.

È infatti necessario tornare a una politica per lo sviluppo, a una politica per il Mezzogiorno, a una politica per i giovani cui bisogna dare una speranza di lavoro, a una politica di moderna infrastrutturazione del Paese, e anche a una politica che escluda dallo Stato sociale i finti invalidi, i pensionati eccellenti, gli inquilini privilegiati, e tutti gli sprechi e le ingiustizie di cui pagano lo scotto i veri deboli della nostra società, le tante povertà misconosciute, tradite e umiliate.

Signor presidente, Signori deputati,
mi sia consentito di rivolgere un estremo invito al presidente Dini: quello di considerare l'ipotesi di rassegnare le dimissioni prima del voto della Camera per rendere possibile il chiarimento politico.

Per quanto ci riguarda, a una provocazione gravissima, come la sfiducia personale data al ministro Mancuso, abbiamo risposto con fermezza ma anche con grande moderazione, limitandoci a chiedere subito quel chiarimento, che da tutti era comunque ritenuto necessario e auspicato al più tardi dopo l'approvazione della Finanziaria.

Quel chiarimento adesso è necessario farlo subito. Se il governo Dini non lo renderà possibile rassegnando le dimissioni, allora noi di Forza Italia insieme alle altre forze del Polo voteremo la sfiducia al governo in carica e ci auguriamo che altre forze, altri uomini liberi votino nella stessa maniera.

Ma anche se questa mozione fosse respinta, avremo avuto il merito di esserci battuti in maniera trasparente per una causa nobile: quella dei diritti e della democrazia.

Noi svolgeremo il nostro ruolo di opposizione in maniera responsabile ma ferma e ci adopereremo con ogni mezzo legale per tentare di contenere i gravi danni, i gravi pregiudizi che una maggioranza, sorda ai richiami del buonsenso, ai richiami della democrazia, ai richiami della Storia, ostinatamente schierata in difesa dei privilegi dello Stato assistenziale, non mancherà di produrre al nostro Paese, alle nostre famiglie, al nostro presente e al nostro futuro.

Vi ringrazio.

Il grande accordo costituzionale non è un'alternativa al voto, ma alla strategia dell'eterno rinvio, ormai intollerabile per il Paese

10 gennaio 1996

La mozione di sfiducia presentata dal Polo alla Camera contro il governo non più tecnico di Lamberto Dini, viene votata il 26 ottobre 1995 e bocciata con 310 voti contrari e 291 favorevoli grazie anche all'uscita dall'aula dei deputati di Rifondazione comunista, che consentono così la sopravvivenza dell'esecutivo. Il 22 dicembre viene definitivamente approvata la legge finanziaria. Una settimana più tardi, Dini dà le dimissioni. Ma il presidente della Repubblica Scalfaro non le accoglie e rinvia il governo alle Camere. Dopo un dibattito parlamentare, il presidente del Consiglio confermerà le sue dimissioni. Le alternative, a questo punto, saranno due: o il voto o un governo di larghe intese, che il leader dell'opposizione accetta di sostenere nell'esclusivo interesse del Paese. L'incarico di formare un nuovo governo affidato ad Antonio Maccanico sfuma per il rifiuto, da un lato, dei centristi della maggioranza e, dall'altro, di AN e CCD. Si apre così la strada del voto anticipato.

Signor presidente, Signori deputati,
in questa Camera, nel corso della legislatura, avete avuto la cortesia di ascoltare più volte quanto avevo da dirvi. Da presidente del Consiglio e da deputato, ho sempre cercato di rappresentare, senza faziosità, prima di tutto gli italiani che si sono riconosciuti nei programmi e nei valori della coalizione liberista, federalista e presidenzialista che ha prevalso nelle elezioni politiche del 27 marzo del '94.

Credo che, anche nel dissenso, mi possiate tuttavia riconoscere un'assoluta linearità di comportamento e di linguaggio. Gli atti parlamentari sono lì a dimostrare che, nel corso dell'ultimo anno, ho insistito sempre e sistematicamente, con una puntigliosità che gli avversari hanno tacciato di pedanteria, su un semplice ma decisivo ragionamento politico.

Io sono convinto che il Paese deve darsi un governo politico-parlamentare stabile, duraturo, autorevole sulla scena europea e mondiale. Sono altresì persuaso che solo la legittimazione elettorale può davvero ricaricare la nostra democrazia, dare forza e autentica capacità operativa alle istituzioni, rilanciare l'economia, svelenire il brutto clima degli ultimi mesi e soprattutto risanare la ferita che si è aperta nel rapporto tra la politica e i cittadini. Nessuno di noi, nessuno nel Polo delle libertà vuole le elezioni per il gusto di vendicarsi dell'evento che ha portato all'opposizione i vincitori delle elezioni, caso assolutamente unico nella recente storia europea.

Il voto è solo lo strumento più credibile per ottenere la stabilità politica e una nuova spinta democratica. È la via più consona alle regole per sanare e ricomporre i conflitti, il mezzo più rispettoso per onorare la scelta di una democrazia maggioritaria, fatta dagli italiani il 18 aprile del '93 con un referendum popolare dal risultato inequivocabile.

Sulla strada maestra del voto, si disse nello scorso mese di gennaio, giusto un anno fa, ci si poteva incamminare solo dopo un breve periodo di tregua tecnica, dopo aver fatto alcune poche cose in grado di rendere meno conflittuale per tutti la scelta di tornare a chiedere agli italiani come, da chi e con quali programmi desiderassero essere governati. Il governo Dini ha svolto questo compito di garanzia e di tregua. Molte delle sue scelte noi non le abbiamo condivise, su alcune altre abbiamo avuto comportamenti parlamentari differenziati, come si addice alle opposizioni non pregiudiziali. Siamo sempre stati leali, e da parte mia, anche nei momenti di contrapposizione più aspra, quando su scelte programmatiche decisive c'è stato un contrasto parlamentare, non è mai venuta meno l'espressione della mia stima personale e del rispetto nei confronti del presidente del Consiglio e del suo ruolo.

Ma ora sento il dovere di dire con estrema chiarezza, a nome di tutte le forze parlamentari moderate, coalizzate nel centrodestra, che questa fase è davvero finita, e che trascinare ancora l'equivoco di un governo tecnico senza una vera e solida maggioranza, senza legittimazione elettorale, vuol dire infliggere un grave danno al Paese. E vuol dire, senza ombra di dubbio, irridere il bisogno di chiarezza della gente, di quella gente che ci chiede, quale che sia il suo orientamento politico ed elettorale, più trasparenza, più dignità e una politica più comprensibile.

Da destra, dal centro e da sinistra ci viene incontro una protesta: gli italiani rivogliono indietro quella «politica» che gli era stata promessa e che ora gli è stata tolta, una politica limpida, chiara, lo ripeto, trasparente, che faccia capire a tutti quali sono le vere alternative, quali sono i programmi in competizione, che metta in grado tutti di decidere, da cittadini adulti, chi governa e chi fa l'opposizione!

Mi si potrebbe chiedere, a questo punto, perché io mi sia impegnato in una esplorazione, in un dialogo, in un tentativo di accordo tra le forze parlamentari sulla base di un grande disegno di riforma della Costituzione, garantito da un governo della buona volontà. Rispondo subito e senza tentennamenti, perché così come sono fermo nella mia convinzione favorevole al giudizio elettorale, così non mi sono pentito del tentativo di dialogo che ho intrapreso.

Anche in questo caso, il mio è un ragionamento «semplice». L'Italia ha bisogno di un governo politico-parlamentare con una forte base di legittimazione. Un governo siffatto potrebbe accompagnare un'ampia iniziativa costituente data l'indifferibile e preliminare necessità di adeguare la seconda parte della Carta costituzionale alla realtà moderna, assicurando da un lato la riforma in senso federalista dell'organizzazione statale e, dall'altro, una forma di governo stabile e autorevole, espressione diretta del voto popolare.

Questo è il punto sul quale mi permetto di insistere, perché è il punto decisivo.

Mi limito a ricordare i quattro problemi principali del Paese: ricostruzione e ammodernamento dello Stato, risanamento delle finanze pubbliche, lotta alla disoccupazione, riorganizzazione della giustizia. Vi risparmio diagnosi note. Si tratta di altrettanti macigni sulla strada di qualsiasi governo democratico che potranno essere rimossi più agevolmente attraverso coraggiosi sforzi in comune da parte di tutte le grandi forze rappresentative dei cittadini italiani. Dico tutte non solo perché sono in gioco questioni particolarmente ardue, ma soprattutto perché la soluzione di ognuno di questi problemi coinvolge valori fondamentali della convivenza civile.

Il pericolo che oggi corriamo è quello di una ulteriore politica di rinvii, di una ulteriore perdita di tempo, del rifiuto a guardare in faccia i problemi reali del Paese e a ritardarne ogni soluzione. Noi non ci possiamo permettere di vivacchiare, di tirare a campare, di passare di verifica in verifica, di mostrare agli europei il volto di un governo rispettabile per le persone che lo compongono, ma fragile, per la sua base politica e programmatica e, proprio per questo, privo della credibilità e del tempo necessari per mettere mano alle grandi riforme. Questo non è un buon servizio che rendiamo al Paese, all'Unione europea, al nostro sistema delle imprese, al mondo del lavoro, del commercio e della produzione, ai disoccupati e ai giovani di un Mezzogiorno che soffre la ripresa dell'inflazione, il costo alto del denaro e altri impedimenti alla crescita.

Presidente Dini, capisco la sua irritazione quando l'aula rumoreggia a certi passaggi del suo discorso; passaggi, per la verità, anche ingenerosi nei confronti del governo che la vide in prima linea quale autorevole ministro del Tesoro. Capisco la suscettibilità alle critiche, il desiderio e la volontà di valorizzare il suo operato. Ricorderà anche lei quanto fosse ingiusto vedersi svilire il lavoro di governo, spesso per partito preso, nell'epoca non molto lontana in cui quel lavoro lo facevamo insieme, con una diversa maggioranza, una maggioranza voluta dagli elettori. Ma così com'è sbagliato mancare di rispetto agli sforzi del suo governo, che pure ci sono stati, sarebbe assurdo, onorevole presidente, non riconoscere i limiti oggettivi dell'esecutivo tecnico, la sua anomalia costituzionale, i condizionamenti politici e le ambiguità che hanno reso il lavoro di governo spesso difficile e spesso dilatorio, compromissorio, improduttivo, anche al di là delle sue migliori intenzioni.

È anche per questo, dunque, che ho avviato il dialogo di fine d'anno. Perché ho avuto il timore che, prevalendo il tabù del vietato votare, ancora una volta, magari per pochi voti si facesse largo, di nuovo, la tentazione del rinvio, dell'impantanamento, del non governo.

Non c'è un solo motivo, che non sia l'esclusivo interesse del Paese, all'origine del mio tentativo. E infatti la posizione che ho cercato di delineare è molto chiara. La proposta che ho avanzato, anche sfidando il rischio dell'incomprensione e dell'impopolarità, è perfettamente limpida e comprensibile. Se si accetta di votare, ben venga finalmente la svolta decisiva, il giudizio inappellabile degli elettori per un grande cambiamento. Ma se questo non fosse possibile, piuttosto di rinviare ancora, cerchiamo da un male di trarre un bene e cioè un governo più solido, autorevole e duraturo attraverso il dialogo parlamentare invece che attraverso il voto.

Questa è stata la mia proposta.

Io, onorevole D'Alema, credo di aver fatto la mia parte. Ho messo da un canto le mie riserve sul carattere non parlamentare e politicamente ambiguo della leadership del professor Prodi, e l'ho volentieri incontrato in rappresentanza della vostra coalizione.

Ho chiesto ai miei alleati del Polo un mandato per cercare una nuova via, e l'ho ottenuto, avviando un dialogo per cui ringrazio tutti coloro che vi hanno consapevolmente partecipato con spirito costruttivo, da Rifondazione comunista al PDS, dal Partito popolare ai Laburisti e ai Socialisti, all'onorevole Segni, ad Alleanza democratica, ai Verdi, alla Lega.

Io non voglio entrare in polemiche meschine, e dunque non voglio rispondere a chi mi accusa, per puro spirito di propaganda, di avere ceduto a presunte impazienze o estremismi dell'onorevole Fini, al quale mi lega un'alleanza consapevole, matura, da persone adulte e libere che si riconoscono in una prospettiva comune.

Voglio invece manifestare qui la mia delusione, onorevole D'Alema, perché ho l'impressione che le campagne orchestrate sulla presunta subalternità di Berlusconi a Fini siano servite soltanto a coprire una vostra mancanza di coraggio, una vostra riluttanza a discutere seriamente del futuro del Paese.

Io ho parlato chiaro. Ho proposto un governo stabile e autorevole, di due anni almeno, per attuare un serio programma di riforme e fronteggiare, con i necessari compromessi tra forze diverse, l'emergenza economica e finanziaria che abbiamo di fronte. Ho chiarito subito che non ero interessato a ulteriori rinvii, a tattiche dilatorie. L'alternativa era chiara. O il voto subito o un accordo, per arrivare all'obiettivo importante per l'Italia in uno di questi due modi, e soprattutto per scongiurare un altro anno di tempo perso, un nuovo pantano, una nuova fase di ambiguità.

Il grande accordo costituzionale non è un'alternativa al voto, ma alla strategia, ormai intollerabile per il Paese, dell'eterno rinvio. È un modo pratico per tirare fuori dalle secche una situazione politica sempre meno chiara e sempre meno accettata dalla maggioranza degli italiani.

A questa proposta chiara, che ovviamente deve passare

per una corretta e solare crisi di governo, una crisi tutt'altro che al buio, non ho sentito una risposta altrettanto chiara.

Anzi, mi pare ormai di poter dire che la vostra risposta è no. Mi pare di poter dire che preferite «rinviare» piuttosto che scegliere, preferite continuare a trincerarvi dietro il governo tecnico piuttosto che arrivare a un governo con una base di legittimazione elettorale o politica più seria e impegnativa. Mi pare di poter dire che gli interessi della vostra coalizione, e del suo maggior partito, passano sopra agli interessi veri del Paese. Io vi ho detto: «Votiamo o governiamo con la massima serietà questa fase difficile di transizione».

Voi mi avete risposto, fino a ora: rinviamo tutto e nel frattempo continuiamo a discutere.

Le pare costruttivo questo modo di atteggiarsi, onorevole D'Alema? Le sembra che, dopo un anno di confusione, gli italiani possano essere felici di un generico «inciucio», per usare le sue parole, che rimanda tutto alle calende greche? Non vorrei che si rivelasse pertinente un giudizio amareggiato sullo stato della sinistra italiana, giudizio che ho letto sui giornali di ieri e che riporto integralmente: «Guardo la sinistra italiana di oggi e mi pare un po' folle nel suo volere restare sospesa a metà. Certo, possono avere ragione loro, la mia impressione però è che, dopo la vittoria di Berlusconi, abbiamo innestato la marcia indietro rispetto al bipolarismo. Sono tornati a far politica come si faceva prima». Ben detto, onorevole Occhetto!

Anche dal presidente Dini, sebbene abbia scelto di trincerarsi dietro il carattere istituzionale e presidenziale del suo governo, mi sarei aspettato, lo dico con sincerità e con una certa amarezza, maggiore sensibilità politica.

La conferma delle dimissioni del governo sarebbe un grande atto di chiarificazione politica.

Vorrebbe dire che il presidente del Consiglio considera «pietre» le sue stesse parole, che dà peso ai suoi impegni e che favorisce il raggiungimento di un obiettivo più alto di governabilità del Paese.

Invece questa indifferenza, questa disponibilità un po'
pilatesca a qualunque soluzione, tranne quella più limpida e chiara, devo dirle che mi delude, signor presidente.

Noi, comunque, cercheremo, nei modi previsti dal regolamento della Camera e scegliendo gli strumenti che ap-
pariranno più idonei, di indurre tutti alla chiarezza: governo e partiti.

Quel che faremo al termine di questo dibattito, lo faremo non per chiudere le porte al dialogo, ma per riaprirle.

Non per seminare nuove divisioni, ma per favorire una
soluzione seria nell'esclusivo interesse del Paese.

E impedire che un nuovo rinvio renda più fragile, più
opaca, più ambigua e meno credibile, questa nostra democrazia e queste nostre istituzioni che tanto amiamo.

Vi ringrazio.

Roma, 6 febbraio 1994: Convegno Nazionale di Forza Italia.

uirinale, 29 aprile 1994: Silvio Berlusconi riceve l'incarico di Presidente del Consiglio

Roma, Palazzo Chigi, 2 giugno 1994: conferenza stampa con il Presidente degli Stati Uniti Bill Clinton.

Roma, Palazzo Chigi, 2 giugno 1994: incontro con il Presidente degli Stati Uniti Bill Clinton.

Napoli, 8-10 luglio 1994: vertice G7. Pranzo dei capi di Stato a Castel dell'Ovo.

Napoli, 8-10 luglio 1994: vertice G7.

Relazione finale di Silvio Berlusconi ai capi di Stato a Palazzo Reale.

Aix-en-Provence, 19 dicembre 1994: vertice italo-francese. Conferenza del Presidente François Mitterrand

stanno attorno al suo governo. Queste organizzazioni sono da sempre impegnate a suscitare e a controllare il consenso: controllare il consenso è, in realtà, l'essenza della Prima Repubblica. Se la tv commerciale ha avuto un impatto innovativo nella società italiana questo si deve al fatto che essa sottrae le persone al controllo, fa venir meno il consenso controllato. Spezza, la tv, quel processo nefasto che in Italia non abbiamo pagato con la perdita della libertà, come è avvenuto nei Paesi comunisti, ma con la dilatazione della spesa pubblica, finendo per scaricare sulle spalle dei giovani e delle generazioni future il peso del consenso ottenuto mediante il privilegio diffuso. Questa è stata l'essenza etica e politica della Prima Repubblica: il privilegio diffuso.

Noi siamo dunque l'opposizione. Moderata, questo sì, perché lo è il nostro elettorato di centro e di centrodestra, saldamente convergente su alcuni sentimenti profondi. Il primo è l'unità morale e civile della nazione. Ma è stata proprio la politica del «privilegio diffuso» della Prima Repubblica a provocare la crisi dell'unità nazionale.

La politica verso il Sud è stata proposta come politica di solidarietà e di assistenza, come un regime eccezionale, diverso. In realtà, questa politica del privilegio non ha giovato al Mezzogiorno. Investimenti pubblici concepiti come mezzi per il controllo del consenso hanno arricchito il Sud solo di cimiteri industriali. Capitali attirati dal privilegio hanno lasciato solo rovine e cassa integrazione.

La politica che il grande meridionalismo liberale proponeva per il Mezzogiorno, e mi basta ricordare don Luigi Sturzo, non chiedeva privilegi o assistenza, ma legalità, libertà d'intrapresa, libertà di accesso al credito. Nel meridionalismo si è espresso il pensiero politico liberale più avanzato che l'Italia abbia conosciuto.

Invece, il mito dell'industria di Stato non è servito a nulla. Anzi, le ricadute dell'investimento pubblico hanno nutrito le organizzazioni malavitose. Il credito verso le piccole e medie industrie è mancato. Le banche si sono impegnate in altre cure. L'usura ha preso il loro posto.

Aver imprigionato la soluzione del problema meridionale dentro l'assistenzialismo, scartando i principi della libertà economica come base dello sviluppo, ha generato nel Nord l'idea che il Sud goda di un privilegio scaricato sulle spalle dei settentrionali.

Così la Lega di Bossi, mentre predica la secessione e l'indipendenza a Mantova, pratica la trattativa a Roma. Credo che saranno gli stessi elettori della Lega Nord a notare il lungo braccio di mare che separa le parole della Lega dai fatti. Siamo un'opposizione di libertà. E prendiamo atto che il suo governo, così continuista nella composizione, esprime un fatto nuovo: il PDS come maggioranza della maggioranza. Il partito derivato dal PCI ha preso il posto che fu della DC. Lo si vede nella scelta dei dicasteri. I ministeri del comando, gli Interni e l'Istruzione, quei ministeri che la DC volle sempre per sé, sono ora in mano al PDS.

E il ministro degli Interni ha posto significativamente in rilievo come lui, postcomunista, giovane sconfitto il 18 aprile 1948, sieda oggi davanti alla scrivania di Scelba. Il cambio è significativo e avviene quando da tempo la cultura egemone, accademica e militante, appartiene al PDS.

Un cambio politico e culturale di tale natura pone a un'opposizione moderata, cattolica e liberale, obblighi di vigilanza: e mi riferisco in particolare alla scuola, all'educazione, alla cultura. Un partito che ha una tradizione di egemonia culturale così rilevante nella storia italiana, come quello comunista, assume oggi, con grande rilievo, tutti i ministeri del pensiero e dell'educazione.

E nonostante la presenza dei popolari nel governo, non abbiamo sentito una sola parola a favore della libertà d'insegnamento e a sostegno della scuola privata, verso la quale si è rivolta di recente l'attenzione del Papa, con un appello pressante.

Siamo il partito dell'opposizione alternativa. Ciò significa che quest'opposizione presenterà su ogni tema le sue proposte, in modo da configurare la possibilità di un'azione alternativa di governo.

E soprattutto continueremo la nostra lotta per la Seconda Repubblica. Avevo preso nella passata legislatura un'iniziativa in questa direzione che aveva ottenuto la collaborazione dell'onorevole D'Alema. Non fu possibile procedere allora. Non per mia volontà. Mi auguro sia possibile procedere adesso.

Credo che tutti i partiti dovrebbero essere d'accordo. Il cambiamento politico è stato così profondo che solo una nuova Costituzione può dargli risposta. Credo che anche gran parte della sinistra sia oggi d'accordo sulla necessità di legittimare la convivenza non solo tra poli diversi ma anche tra parti territoriali diverse dello stesso Paese.

La destra e la sinistra dell'alternanza non sono ancora espresse dalla destra e dalla sinistra di oggi. Noi ne siamo consci, per quanto ci riguarda.

Innovando, ho inventato la formula del Polo, che l'Ulivo ha poi replicato con successo. E per questo credo di aver dato un contributo decisivo alla formazione di quel sistema dell'alternanza che i referendum avevano già prefigurato. Ma so che il processo non è ancora concluso.

In realtà il problema, per il futuro del suo governo, nasce dal fatto che quella del 21 aprile è una maggioranza «per battere la destra». Non una maggioranza di governo. Una coalizione diretta, in particolar modo e con particolare accanimento, contro di me e la coalizione che rappresento. Questa scelta ne ha determinato la composizione e i contenuti.

Lei, che può avere nella maggioranza tutte le forze politiche della Prima Repubblica più Rifondazione comunista, non fornisce al Paese altro che l'elenco dei problemi e la sua personale benevolenza. Portando al potere la sinistra, lei è costretto a colmare il suo discorso di troppi silenzi. Abbiamo preso atto che, al di là della sua stessa volontà, i suoi obiettivi non sono coerenti con le sue dichiarazioni.

Non sappiamo se il rientro in tempi rapidi della lira nel

sistema monetario europeo sia compatibile con le altre sue affermazioni. In Francia e in Germania si fanno discorsi diversi. E si intravedono gravi difficoltà. Ovunque si apre una contestazione con i sindacati. Lei invece si limita a dire che «procederà con la concertazione».

Ma l'Italia si trova forse in una situazione diversa dagli altri Paesi, per non avvertire che in Europa vi è il problema della frattura sociale, come la chiamano i francesi? Lei è certo di rientrare nel sistema monetario europeo con l'accordo dei sindacati e con l'ausilio di Rifondazione comunista?

E ancora, l'Italia è uno dei Paesi europei in migliori condizioni economiche, grazie a quel sistema delle piccole e medie imprese che proprio Forza Italia e il Polo hanno posto al centro della politica. A questa realtà lei non ha rivolto altro che un fugace accenno.

Eppure, è questo uno dei nodi del problema Italia. Se le esportazioni divenissero più difficili, la disoccupazione potrebbe toccare anche il Nord o addirittura il Nordest del Paese.

E infine, cosa fare per facilitare l'occupazione dei giovani nel Mezzogiorno? Se termina l'industrializzazione di Stato – una politica fallita – e si riduce la spesa pubblica, in quale modo lei pensa di creare lavoro al Sud? Seguendo quale programma di sviluppo? Forse rendendo più facili gli appalti, grazie alla personale garanzia del ministro Di Pietro?

Sono tante realtà difficili e complesse, tanti problemi per i quali lei e il suo governo non hanno prospettato soluzioni concrete.

E mi permetto di ripeterle, qui alla Camera, alcune domande che, in altra forma, le ha rivolto il nostro Marcello Pera al Senato. Sappiamo bene che lei dovrà fare una manovra economica immediata da 20.000 miliardi e un'altra da almeno 50.000 entro la fine dell'anno. Chiederà altre tasse, oppure taglierà drasticamente le spese, riducendo i servizi, in palese contrasto con le sue dichiarazioni programmatiche?

Passando poi alle riforme istituzionali, perché non dice

qui, chiaramente, qual è il suo obiettivo personale? Se si vuole ripartire dal modello semipresidenzialista al quale stava lavorando l'onorevole Maccanico, l'Ulivo cosa vuole? Ha una proposta diversa dalla sua? E se sì, quale?

Signor presidente, lei non ha fatto un discorso di lacrime e sangue, e la capisco bene. Ha preferito parlare in burocratese. Così, il dramma del Paese le sfugge.

Eppure è un dramma di tutto l'Occidente. La tecnologia crea nuova ricchezza ma cancella posti di lavoro. Sale la produzione e diminuisce il tenore di vita. Il peso della finanza finisce per schiacciare l'economia reale: questo era il problema che il mio governo ha tentato di risolvere, sia pure nei pochi mesi in cui è stato lasciato procedere prima di essere ribaltato, senza avere mai la benevolenza del capitale finanziario di cui lei è circondato.

Di fronte a questa carenza di obiettivi, le ricordo il nostro programma, la nostra ricetta economica che ha messo a fuoco cento problemi dell'Italia, suggerendo precise soluzioni. Il progetto del Polo per l'Italia è il nostro punto di partenza per condurre l'opposizione e si incentra su tre capisaldi:

1) Un programma per il rilancio dell'economia, una politica per lo sviluppo attraverso una riforma del fisco che, da ingiusto e oppressivo qual è adesso, dovrà diventare la leva per incentivare l'occupazione, il risparmio, l'investimento, l'intrapresa. Questa riforma è già pronta.

2) La riorganizzazione dell'amministrazione pubblica e di tutti i settori dello Stato secondo un metodo di lavoro che è quello della cultura di tutte le imprese del mondo, con lo Stato che deve fare passi indietro, occupandosi prevalentemente dei propri compiti fondamentali – dalla difesa alla sicurezza dei cittadini, dalla giustizia all'amministrazione fiscale – lasciando spazio ai privati nella scuola, nella sanità, nella previdenza. Per questi settori abbiamo presentato e ripresenteremo piani di riforma per migliorare i servizi e dare pari diritti a tutti i cittadini, anche ai meno abbienti.

Solo in questo modo – l'opposizione ne è convinta oggi come ieri, quando si proponeva come forza di governo – si può ridurre la spesa pubblica e, con l'espansione del prodotto reale, ridurre gradualmente anche la pressione fiscale.

3) Infine l'entrata nel sistema della moneta unica europea, sostituendo la nostra lira a rischio con l'euro, mantenendo l'Italia come membro a pieno diritto dell'Unione europea e allontanando i rischi dell'inflazione, del costo del denaro, dei tassi di cambio.

La nostra prima responsabilità di forza di opposizione sarà dunque quella di proporre tutte le iniziative politiche e parlamentari volte all'attuazione del nostro programma. Sarà il «programma dell'opposizione», che avrà la priorità nei primi cento giorni dall'inizio effettivo dei lavori parlamentari. Anzitutto, confermiamo la proposta di riforma della seconda parte della Costituzione che io stesso avevo delineato, qui alla Camera, il 2 agosto scorso, secondo linee e con obiettivi – il cambiamento della forma dello Stato e del governo – che oggi vengono da più parti condivisi e che invece allora furono accolti dallo stupore e dal sarcasmo di chi non aveva compreso, e forse ancora non comprende, il significato della protesta di milioni di cittadini.

Sono convinto che un'Assemblea costituente eletta dai cittadini consentirebbe, in tempi ragionevoli, di giungere a quella proposta di riforma che il Paese chiede con insistenza. Il Polo delle libertà intende, in secondo luogo, anticipare, rispetto al percorso di riforma costituente, un obiettivo di federalismo realizzabile in tempi brevi. È pronto, e sarà presentato in Parlamento, il nostro disegno di federalismo fiscale, che attribuisce finalmente alle regioni e ai comuni il potere di imposizione e la piena responsabilità della buona amministrazione delle somme riscosse dai cittadini.

La semplificazione delle procedure amministrative, la delegificazione e la riforma della pubblica amministrazione costituiscono, in terzo luogo, punti essenziali del programma dell'opposizione. È già pronto un disegno di legge per semplificare i procedimenti amministrativi in settori delicati per la vita dei cittadini e delle imprese.

Una profonda riforma della Presidenza del Consiglio, il potenziamento del ruolo del premier, la costituzione di un'agenzia per promuovere l'efficienza della pubblica amministrazione, combattendo l'illegalità e la corruzione completano le iniziative dell'opposizione per i primi cento giorni.

Queste sono le proposte concrete e le risposte immediate del Polo alle incomplete e vaghe indicazioni programmatiche del governo. Da domani, nelle commissioni e nelle assemblee delle Camere, si dovrà per forza discutere anche di queste proposte dell'opposizione.

Le nostre iniziative, signor presidente, lasciano chiaramente intendere che il ruolo dell'opposizione non sarà certo quello di uno spettatore passivo.

Conosceremo e valuteremo il suo governo alla prova dei fatti, visto che non siamo riusciti a conoscerlo bene, e non per nostra colpa, alla prova delle parole.

La coalizione che sostiene questo governo non potrà risolvere i problemi del Paese perché è il frutto dei partiti, delle culture e dei metodi che li hanno prodotti.

Non potrà preservare l'unità nazionale perché non sa cogliere le cause antiche e profonde della protesta.

Non potrà riformare lo Stato perché lo ha trasformato in un gigante oppressivo nel fisco, incapace nell'amministrazione e penalizzato dalla sua inefficienza.

Forte di un consenso popolare che ha le sue motivazioni in un grande desiderio di rinnovamento morale e civile, il Polo delle libertà si propone di esercitare un'opposizione tenace ma non cieca. Incalzando, controllando e, se possibile, correggendo l'azione del governo. Soprattutto impegnandosi, quando sarà il momento, a offrire al Paese il ricambio definitivo a questa lunga agonia della Prima Repubblica.

Vi ringrazio.

Il Parlamento è la prima espressione
della sovranità popolare, ma questo governo
tende a ridurlo a qualcosa meno di un ufficio
burocratico di terza categoria

11 luglio 1996

Il governo Prodi, insediatosi a maggio, si trova di fronte a ben novan-
taquattro decreti legge emanati dai precedenti governi. Affinché questi
decreti non creino un'impasse al lavoro dell'esecutivo e del Parlamento,
in sede di Commissione affari costituzionali, le forze di maggioranza e
opposizione trovano un accordo di massima sulla necessità di rivederli,
uno per uno. Ma l'esecutivo, a luglio, decide di presentare un disegno di
legge per la sanatoria degli effetti di diciannove dei decreti in questione
(uno del governo Ciampi e diciotto di quello Dini). Un «esproprio» delle
prerogative del Parlamento che, dopo la sentenza della Corte costituzio-
nale che vieta la reiterazione dei decreti non convertiti, prenderà una
nuova forma: l'abuso delle deleghe legislative che punta a bypassare il
Parlamento persino su materie importantissime come il fisco e la scuola.
Da qui la ferma presa di posizione del leader del Polo.

Signor presidente,
ho chiesto di intervenire sull'ordine dei lavori perché
credo che l'attività di questa assemblea e, più in generale,
della Camera dei deputati sia minacciata da un atto di
inaudita gravità costituzionale compiuto dal governo.

Mi riferisco alla presentazione di un disegno di legge in-
titolato «Sanatoria degli effetti di decreti legge non convertiti», alla cui lettura invito caldamente tutti i colleghi
che non l'avessero ancora esaminato.

Personalmente ho avuto l'occasione di farlo e ne sono
rimasto profondamente colpito e offeso, come parlamentare della Repubblica e come cittadino dello Stato italiano.

Come parlamentare avverto l'indignazione per un modo di legiferare costituzionalmente abnorme, con cui il governo pone la Camera, sostanzialmente, di fronte al fatto compiuto: «Questi sono i provvedimenti» – si tratta di oltre settanta decreti legge, succedutisi nel tempo, su diciannove diversi argomenti –, «a te Parlamento spetta solamente di apporre un timbro che convalidi, in un colpo solo e una volta per tutte, decine e decine di articoli di legge, centinaia di norme, migliaia di miliardi entrati o usciti dalle casse dello Stato».

Tutto ciò, signor presidente, non contrasta solamente, come credo, con la nostra Costituzione, ma prima ancora con la nostra coscienza democratica, che individua nel Parlamento la prima espressione della sovranità popolare mentre siamo di fronte a un atto di insopportabile arroganza, che tende a ridurlo a qualcosa meno di un ufficio burocratico di terza categoria.

Mi chiedo, e invito tutti i presenti a fare altrettanto, quali di questi provvedimenti, i cui effetti il governo ci chiede di «sanare» – ecco un brutto termine che però rende davvero l'idea – mi chiedo, colleghi, quali di questi decreti abbiano veramente prodotto effetti e quanti, viceversa, non siano in tutto o in parte rimasti sulla carta: di tutto ciò il provvedimento nulla ci dice, pretendendo da noi una sorta di inammissibile atto di fede.

Ma non basta: il governo, nello stilare l'elenco dei decreti da «sanare», prima afferma che parte di essi viene lasciata decadere, mentre altri restano in vigore, ma poi si dimentica di indicare quali siano i provvedimenti del primo gruppo e quali quelli del secondo.

È evidente che questo disegno di legge con la Costituzione repubblicana ha poco o nulla a che vedere: la Costituzione prevede, infatti, all'ultimo comma dell'articolo 77, che le Camere possano «regolare con legge i rapporti giuridici sorti sulla base dei decreti non convertiti», ciò che, evidentemente, è cosa del tutto diversa dal mettere un timbro e dire «chi ha avuto ha avuto e chi ha dato ha dato».

È cosa diversa e inaccettabile, per noi di Forza Italia, del Polo delle libertà e, voglio sperare, per tutta l'assemblea.

Regolare i rapporti giuridici sorti significa invece, a nostro modo di vedere, esaminare innanzi tutto ciò che è veramente accaduto sulla base delle norme ora non più in vigore e valutare poi, caso per caso, decreto per decreto, quali rapporti, quali atti e quali provvedimenti meritino di essere fatti salvi per non causare un disordine insopportabile nei rapporti sociali, economici e commerciali.

Ecco, signor presidente, ho detto prima che questo disegno di legge mi ha colpito e offeso non solamente come parlamentare ma anche come cittadino.

Come possiamo, mi chiedo, e ancora una volta vi chiedo, onorevoli colleghi, come possiamo pensare di far diventare legge un testo in cui a una scarna formula giuridica si accompagna un elenco di oltre settanta decreti legge di cui il governo, verrebbe da dire per vergogna, non ha indicato neanche i titoli per esteso?

È questo il miglioramento della qualità della legge a cui tutti miriamo, per favorirne la conoscenza e l'applicazione da parte dei cittadini e delle imprese?

Noi ci rifiutiamo di crederlo e, convinti come siamo di dover mantenere nei fatti l'impegno di vigilanza e di controllo sull'operato dell'esecutivo che ci spetta come opposizione e che ci siamo esplicitamente assunti all'inizio di questa legislatura, dichiariamo qui la nostra ferma opposizione a questa grave iniziativa del governo Prodi e invitiamo il governo a ritirare questo disegno di legge.

I nostri gruppi parlamentari, se ciò non avverrà, se il disegno di legge non verrà ritirato, adotteranno tutte le iniziative che il regolamento della Camera consente, sia per impedire l'approvazione di questo disegno di legge sia per sottoporre a un'azione di verifica e di controllo ancora più serrata e incisiva la decretazione d'urgenza attualmente all'esame della Camera.

Vi ringrazio.

Se la Commissione Bicamerale non produrrà proposte di innovazione all'altezza dei problemi, si dovrà ricorrere a un'Assemblea Costituente

17 luglio 1996

Tra gli eventi politici più importanti (importanti nelle intenzioni, non nei risultati), accaduti durante il governo Prodi, vi è l'istituzione della Commissione Bicamerale per le riforme. La necessità di sostanziali modifiche della seconda parte della Costituzione, quella riguardante l'ordinamento della Repubblica, era avvertita sia dalla maggioranza che dall'opposizione. Ma, mentre il Polo aveva espresso la sua preferenza per l'elezione di un'Assemblea Costituente, la maggioranza aveva invece mostrato il suo favore verso la Commissione. Dopo un confronto serrato tra le due alternative, il Polo comunque decide di accettare la Bicamerale per continuare il processo di modernizzazione dello Stato, iniziato al termine della precedente legislatura con il tentativo di Maccanico.

Signor presidente, Signori deputati, Signori rappresentanti del governo,

è trascorso quasi un anno da quando, a nome di Forza Italia e di tutto il Polo, ebbi l'onore di illustrare il nostro punto di vista sul tema delle riforme istituzionali.

Molte delle cose che dissi e che allora suscitarono critiche ironiche e anche pesanti sembrano diventate oggi patrimonio comune. Ho ascoltato con la massima attenzione l'intervento dell'onorevole D'Alema, molto diverso da quello che egli fece – a commento del mio – un anno fa invitandoci tutti ad andare in vacanza anziché discutere di riforme istituzionali. Sul tema delle autonomie regionali e comunali – che molti, forse nell'intento di raddolcire le velleitarie minacce di secessione, si sono risolti a definire federalismo – dissi allora che era indifferibile una riforma dell'organizzazione dello Stato basata sul principio di sussidiarietà.

Vedo adesso che su questo principio – che non ho certo inventato io, ma che ho sempre richiamato sulle riforme costituzionali – la sussidiarietà è di casa anche a sinistra.

Dubito, però, che stiamo parlando della stessa cosa. Per noi, che ci riferiamo alla tradizione liberale e al cattolicesimo liberale di don Sturzo e che usiamo questo termine nel suo significato più autentico, il principio di sussidiarietà costituisce il fondamento di una grande riforma dello Stato.

Sussidiarietà vuol dire infatti, per noi, in primo luogo, libertà e, al tempo stesso, responsabilità dell'individuo.

Tutto ciò che i cittadini possono fare da soli senza il sostegno dello Stato non deve interessare l'azione pubblica, se non quando è necessario l'intervento dello Stato per ampliare gli spazi di libertà individuale e collettiva, per vigilare su di essi e per garantirne il mantenimento.

È questo il fondamento liberale del principio di sussidiarietà che noi invochiamo.

I pubblici poteri sono sussidiari: intervengono solo quando i cittadini non possono, da soli, aspirare a quei beni e a quei servizi che la società moderna impone siano goduti da tutti.

Il principio di sussidiarietà vale anche all'interno dei poteri pubblici e in questa forma è stato evocato dal Trattato di Maastricht.

La Regione non faccia quel che può fare il Comune o la Provincia. Lo Stato non faccia quel che può fare la Regione.

Più l'autorità che decide è prossima al cittadino, meglio è.

Noi vogliamo che venga ridotto lo spazio pervasivo dello Stato burocratico-amministrativo, che subordina all'autorizzazione dell'ente pubblico ciò che può essere fatto dal privato o dall'ente locale più vicino al cittadino. Spesso le riforme di decentramento hanno ristretto la libertà del cittadino e le Regioni hanno ridotto la libertà dei Comuni, invece di ampliarla. La libertà del cittadino è il nostro criterio di riforma dell'ordinamento amministrativo dello Stato.

Dubito assai che sussidiarietà sia, per tutte le forze della maggioranza, solidarietà e, prima ancora, libertà e responsabilità dei singoli individui. Ma lo vedremo alla prova dei fatti. Dubito anche che tutte le forze della maggioranza, quando all'unisono proclamano, come noi del Polo proclamiamo, l'intangibilità dei principi fondamentali della prima parte della Costituzione la leggano come noi la leggiamo.

Penso che sarebbe conforme ai tempi premettere alla nostra Costituzione la Dichiarazione europea dei diritti dell'uomo e del cittadino con atto di formale ricezione di essa: magari con la procedura dell'articolo 138.

I nostri costituenti non ritennero di darci un documento analogo a quello della Rivoluzione americana e a quello della Rivoluzione francese: li giudicarono troppo liberali.

Il nostro testo parla di concessioni e di atti della Repubblica, non dei diritti dell'uomo e del cittadino.

Sono certo che, se avessimo avuto una vera dichiarazione liberale dei diritti dell'uomo e del cittadino, i rapporti tra diritti del cittadino e magistratura inquirente sarebbero assai diversi e non correremmo il rischio del giustizialismo o di quello che il presidente americano Wilson chiamò «il governo dei giudici».

Quando, da parte nostra, si pone la questione delle garanzie individuali e delle regole dello Stato di diritto, non sono certo di incontrare il consenso di tutte quante le forze di questa maggioranza.

Quando poniamo, come grande tema costituzionale, la questione del rapporto tra politica e magistratura, veniamo considerati con sufficienza, come se si trattasse di argomenti che riguardano solo qualcuno di noi.

Ma di questo mi sono ripromesso di non parlare oggi. Tuttavia, sono convinto che vi accorgerete dell'incombente drammaticità di questo tema e spero, per il bene di tutti, che ciò non debba accadere troppo tardi.

Le nostre idee sulle riforme le conoscete già.

Un governo trasparente e politicamente responsabile di fronte agli elettori, forte di un'investitura diretta da parte dei cittadini, è la sola via per rimuovere le attuali condizioni di inefficienza dello Stato e degli apparati pubblici.

È necessario che i governi del futuro abbiano la forza di emanciparsi dalle mutevoli intese delle alleanze politiche che danno vita alle maggioranze parlamentari, una forza che solo l'elezione diretta può conferire.

Solo in questo modo, con un governo stabile e responsabile di fronte agli elettori, sarà possibile porre un freno a pretese di assistenza indiscriminata che non hanno più alcuna possibilità di essere soddisfatte a causa delle condizioni di dissesto della finanza pubblica.

Solo un governo responsabile di fronte agli elettori potrà impostare una sana politica di risanamento finanziario e di sviluppo del mercato, che è l'unica strada per risolvere il dramma della disoccupazione.

La gran parte dei cittadini avverte che quello dell'occupazione è il primo dei problemi del Paese.

Dobbiamo far capire loro che una riforma che realizzi il principio della responsabilità diretta dei governi di fronte agli elettori è un mezzo e non un fine: ed è l'unico mezzo che ci rimane perché un governo possa affrontare il problema dell'occupazione e inquadrarlo nell'ottica di un'economia di mercato, nella quale il lavoro deve essere sempre produttivo, altrimenti non è lavoro ma un modo radicalmente errato di intendere l'assistenza sociale.

Nel Polo, come dovrebbero ormai sapere la maggioranza dell'Ulivo e dei suoi alleati, non manca una visione compiuta e organica dell'insieme dei problemi istituzionali: a partire dalla riforma della legge elettorale (necessaria per assecondare il processo bipolare che si è venuto delineando, a mio giudizio, irreversibilmente, dopo il referendum del 1993) per giungere a una nuova impostazione dei rapporti tra Parlamento, governo e presidente della Repubblica.

Con l'elezione diretta dell'esecutivo, al presidente della

Repubblica devono essere assegnati compiti di governo e di guida dell'indirizzo politico-governativo, secondo un dosaggio che può essere discusso ma che non potrebbe mai fare dell'esecutivo un ostaggio delle maggioranze parlamentari.

Siamo anche consapevoli della necessità che la democrazia maggioritaria non disconosca il ruolo delle opposizioni e garantisca, anzi, a esse un vero e proprio statuto.

Ma nel momento stesso in cui ribadiamo la nostra visione e dichiariamo la nostra volontà di farcene portatori nelle diverse e oggi incerte sedi in cui verrà affrontato nuovamente il tema delle riforme, dichiariamo anche – e non da adesso che siamo all'opposizione – che nessun disegno riformatore può aspirare al successo se la riforma è il parto di una maggioranza prevaricatrice.

Come opposizione, intorno alla quale si è raccolto il consenso di milioni di elettori – nessuno di noi deve dimenticare che nel calcolo proporzionale i consensi del Polo superano quelli dell'Ulivo e dei suoi alleati –, come opposizione consapevole della sua forza, dicevo, dichiariamo in quest'aula la nostra leale volontà di cooperare con ogni serio tentativo di edificare una casa davvero comune.

Il nostro timore – non ce lo nascondiamo – è che la Commissione speciale o la Commissione Bicamerale che l'Ulivo si appresta a proporre difficilmente riusciranno ad adempiere all'arduo compito che a essa si vuole affidare e che è quello di interpretare l'ansia di rinnovamento del Paese verso la totalità delle istituzioni.

Eppure, se vi saranno tempi e procedure certe, faremo la nostra parte. Chiederemo che i criteri di composizione rispecchino i reali rapporti di forza nel Paese e che tali rapporti non vengano assunti in maniera distorta a causa del sistema elettorale maggioritario, che va bene per assicurare stabilità di governo, ma che non può andar bene se si vuole garantire democraticità a grandi e profonde riforme costituzionali.

Quel che non si può chiedere all'opposizione è che, per propiziare uno spirito di intesa, rinunci al suo ruolo e consenta al governo di convertire, senza un serio confronto parlamentare, l'enorme mole di decreti legge che si sono accumulati negli ultimi tempi.

Vorrei ricordare al presidente del Consiglio che i decreti ascrivibili al mio governo sono soltanto sette, perché non si possono certo imputare a mia iniziativa quelli che ho dovuto reiterare.

Ma questo il presidente Prodi lo sa. Credo che ieri lo abbia tradito la scelta della polemica a freddo, la ricerca di uno scontro muro contro muro che servirebbe soltanto a far perdere tempo al Parlamento e al Paese, bruciando per di più le residue possibilità di dialogo tra maggioranza e opposizione.

Anche noi vogliamo lo smaltimento dei decreti.

Ma nessuna conversione automatica, nessuna sanatoria globale o alla cieca.

Tutto deve essere esaminato in maniera appropriata dal Parlamento secondo le regole oggi vigenti. Regole che, ce lo auguriamo, nessuno vorrà sovvertire con atti così gravi che ci autorizzerebbero ad assumere quei comportamenti di legittima resistenza che i cultori del parlamentarismo, presenti in gran numero nei banchi della maggioranza, conoscono molto bene. Voglio aggiungere che noi non ci faremo intimidire da nessun «avvertimento», da nessuna minaccia comunque e in qualunque sede profferita, da nessun provvedimento del governo contro di me e contro ciò che ho costruito, anche nell'interesse del Paese, come viene riconosciuto proprio in questi giorni dai più importanti investitori internazionali.

Dunque, noi faremo la nostra parte. E ciò, nonostante le riserve che nutriamo sulla legittimazione delle istituende commissioni. Queste saranno infatti formate, nella loro maggioranza, da forze che si sono presentate davanti agli elettori unite dal solo intento di superarci ma divise fra loro, guarda caso, sulla grande questione delle riforme.

Parteciperemo però ai lavori senza riserve mentali. Con la speranza che l'Ulivo e i suoi alleati si faranno portatori di una proposta all'altezza dei problemi e che la risultante delle loro divergenze non sia l'immobilismo e l'ennesima manifestazione di impotenza del Parlamento.

Sentiamo, però, di avere il diritto – quale forte opposizione in Parlamento e nel Paese – di chiedere alla maggioranza una garanzia, un impegno di fronte a tutti.

Se la Commissione Bicamerale o speciale, quale che sarà la sua denominazione, non produrrà, nonostante il nostro impegno, proposte di innovazione costituzionale all'altezza dei problemi, ci si dovrà risolvere a votare una legge con la procedura dell'articolo 138 della Costituzione per eleggere, con criterio proporzionale, un'apposita assemblea per le riforme.

Gli eletti di quell'assemblea non potrebbero mancare l'obiettivo. Di un solo compito sarebbero infatti investiti: dare al Paese una nuova organizzazione dello Stato e una nuova forma di governo affinché l'Italia possa finalmente abbandonare l'umiliante posizione di coda tra le liberaldemocrazie occidentali.

Signor presidente, Signori deputati,
la nostra volontà di rinnovamento delle istituzioni è così solida da farci ignorare anche gli atteggiamenti provocatori. Il presidente del Consiglio non cerchi nell'opposizione le responsabilità delle sue difficoltà. Rifletta invece con attenzione e senso politico sulle conclusioni amare, che vengono tratte ormai dai più autorevoli osservatori della politica italiana: il male oscuro di questo governo non è nell'opposizione, bensì nello sdoppiamento tra il premier e il leader politico dell'Ulivo; e soprattutto nel ruolo di Rifondazione comunista che ha drasticamente spostato a sinistra l'asse del governo e ha profondamente modificato il patto dell'Ulivo con gli elettori. Questi, e non altri, sono i dati politici che mettono in fibrillazione la maggioranza e influenzano i mercati finanziari.

Noi continueremo, dunque, a fare fino in fondo il nostro mestiere e il nostro dovere democratico. Le polemiche strumentali sono solo segni di debolezza, oppure rispondono a logiche tattiche interne al governo.

Ma il Paese è maturo e consapevole.

È perciò con il Paese, e con quella parte di Parlamento che è profondamente preoccupata per la grave e complessa crisi istituzionale, che noi apriamo un dialogo chiaro, leale, concreto.

Al Paese e al Parlamento noi rinnoviamo quindi la nostra proposta di riforma delle istituzioni basata sulla centralità del cittadino, dei suoi diritti, dei suoi valori di persona; basata sul federalismo solidaristico e sul semipresidenzialismo, sul monocameralismo e sul Senato delle regioni e delle autonomie locali, sul principio di sussidiarietà, sul rafforzamento del sistema bipolare; per una politica economica che si colleghi ai processi di globalizzazione e alle intese di Maastricht; per il riordino della giustizia amministrativa e della giustizia penale, alla luce dei valori del garantismo.

Nessuno si illuda di portare avanti il risanamento economico e il rilancio dello sviluppo senza ridisegnare le istituzioni. Nessuno si illuda di poter rispettare gli obiettivi di Maastricht senza riformare profondamente lo Stato. Nessuno si illuda di modernizzare il Paese senza riscrivere un nuovo patto istituzionale e sociale. Ormai tutti i nodi si sono aggrovigliati e la riforma dello Stato è la condizione imprescindibile.

Certo la maggioranza, sotto il peso delle sue contraddizioni e al di là delle sincere intenzioni del suo leader, potrebbe anche decidere di frenare le riforme, di fare accademia, di guadagnare tempo. Ma allora al governo toccherebbe in sorte una vita grama, limitata al piccolo cabotaggio e alla navigazione a vista, un inesorabile sfarinamento.

Le riforme istituzionali sono un passaggio obbligato e i tempi per realizzarle sono ormai ristretti e improrogabili.

Vi ringrazio.

Per riformare la Costituzione occorre prima porre termine a un uso arbitrario del potere

16 ottobre 1996

Venerdì 11 ottobre, Silvio Berlusconi annuncia in una conferenza stampa che nel suo studio di via del Plebiscito, a Roma, sede del comitato di presidenza di Forza Italia, nonché luogo di riunione tra le forze del Polo, è stata ritrovata una microspia, nascosta nel radiatore posto dietro la sua scrivania. L'articolo 68 della Costituzione vieta che un rappresentante del Parlamento possa essere sottoposto a intercettazioni di qualunque natura a meno che la Camera a cui egli appartiene non ne abbia dato l'autorizzazione. Ma nessuna richiesta in tal senso era arrivata alla Giunta per le autorizzazioni a procedere. La denuncia del leader dell'opposizione offre anche lo spunto per riproporre al Parlamento l'urgenza di una riforma giudiziaria e istituzionale.

Signor presidente, Signori deputati,
ringrazio il presidente dell'assemblea per la tempestiva convocazione della Camera.

Ringrazio il ministro dell'Interno per le sue dichiarazioni, delle quali prendiamo atto.

Il ritrovamento di una microspia nell'ufficio di presidenza di Forza Italia è infatti, come hanno unanimemente affermato i leader della nostra democrazia, un segnale di grave allarme per la salute dei diritti costituzionali: i diritti del cittadino, le prerogative del potere legislativo che ogni deputato rappresenta, i diritti dell'opposizione.

È del tutto ovvio che la violazione della riservatezza attraverso sistemi spionistici inquina la politica, intorbida la vita istituzionale e attenta al sistema delle libertà civili su cui si fonda il patto che è alle origini della Repubblica.

Per questa ragione, non avevo dubbi sul fatto che si sarebbe arrivati in fretta a un chiarimento parlamentare, ma è sulla natura di questo chiarimento che intendo fare alcune riflessioni.

A noi tocca oggi discutere del significato politico di quanto è accaduto. Spetterà agli organi inquirenti cercare la verità giudiziaria. Spetta al governo, che ha l'alta direzione e il coordinamento dei servizi di sicurezza, prendere le iniziative amministrative e politiche utili alla bonifica delle comunicazioni nella capitale della Repubblica, nelle sedi dei movimenti politici, negli uffici dei rappresentanti del popolo. E sta al Parlamento decidere sull'opportunità di intervenire direttamente, con gli strumenti più autorevoli e agili che si possano individuare, a tutela delle sue prerogative violate.

Ma alla base di tutto dovrebbe porsi una severa, autentica e non faziosa considerazione dello stato effettivo in cui versano oggi, qui, nel nostro Paese, il sistema di amministrazione della giustizia e i diritti civili.

Il fatto davvero grave, onorevoli colleghi, non è il ritrovamento della microspia; grave è che un'attività spionistica ai danni del leader dell'opposizione, da chiunque sia stata ordita, rientri perfettamente nel panorama non limpido della vita nazionale.

Mai, in nessun periodo della storia repubblicana, sono gravate sulla libera attività politica tante ombre, e tanto minacciose.

Mai era accaduto prima che un presidente del Consiglio in carica fosse raggiunto attraverso la prima pagina di un quotidiano dalla notizia di un avviso di garanzia.

Mai era accaduto prima che l'ordine giudiziario chiamato a vigilare sul rispetto delle leggi, si trasformasse in un potere con licenza di intervento nei processi di formazione e approvazione delle leggi.

Mai erano rimaste sospese nell'aria tante allusioni riguardanti politici di primo piano, ministri in carica e altri esponenti dell'establishment.

Le intercettazioni telefoniche e ambientali sono diventate il romanzo nero di una cattiva giustizia che divora, a puntate, la credibilità e il prestigio della politica e delle sue istituzioni. Il professor Giovanni Conso ha detto di recente cose assai ragionevoli, nel suo stile pacato ed equilibrato, a proposito degli evidenti eccessi giustizialisti nell'uso di tecniche di indagine che rischiano di distruggere la certezza del diritto.

Nessuno di noi, onorevoli colleghi, ha diritto di ritenersi intoccabile. Nessuno è al di sopra della legge. Ma *tutti* abbiamo il diritto di rivendicare che l'opera meritoria della magistratura e delle forze di polizia giudiziaria si svolga nella più assoluta osservanza delle leggi, si svolga entro i limiti della più rigorosa legalità.

Noi siamo oggi arrivati al punto che le stesse aule parlamentari possono diventare il ricettacolo per le attività spionistiche di agenti provocatori, in un circuito malsano e vizioso in cui alle normali procedure di accertamento della verità giudiziaria si sostituiscono la delazione, la provocazione, lo spionaggio.

Il ritorno alla legalità nelle indagini e il pieno rispetto dei diritti civili sono la condizione decisiva perché in questo Paese venga ripristinata la sovranità delle regole.

Abbiamo bisogno di istituzioni imparziali; abbiamo un disperato bisogno di giudici terzi, un disperato bisogno di giudici autonomi e indipendenti sia dal potere politico sia dall'influenza della pubblica accusa, giudici che restituiscano alla collettività il senso di una giustizia uguale per tutti, scevra da ogni condizionamento ideologico. Nella giustizia malata e spesso strabica di questo Paese, invece, siamo arrivati fino alle intercettazioni virtuali. Se infatti si arriva al punto di falsificare un testo di accusa, com'è avvenuto di recente, affermando che si tratta di un'intercettazione ambientale, quando invece è soltanto il resoconto sommario di un origliamento da bar, i limiti del decoro sono ampiamente oltrepassati.

Non si può arrestare la gente, quali che siano le risultanze successive dell'inchiesta, sulla base di un copione teatrale scritto da un brigadiere di polizia e spacciato per una registrazione su nastro. È così che si crea il clima propizio per una generale attività di spionaggio che alla fine non risparmia nessuno.

Il Consiglio superiore della magistratura non ha ritenuto urgente la discussione di questo caso. Forse è urgente una riforma del CSM. Una riforma della sua composizione e del suo funzionamento, per togliere a quest'organo il sospetto della politicizzazione e della strumentalizzazione.

Dobbiamo manifestare apertamente, onorevoli colleghi, contro ogni intimidazione, il nostro sgomento per la battaglia in corso tra un pool della magistratura requirente e corpi dello Stato che svolgono delicatissimi compiti anche di polizia giudiziaria. Dobbiamo condannare severamente le tendenze al protagonismo politico dei magistrati, le dichiarazioni di guerra che avviliscono la funzione propria degli altri organi costituzionali, la funzione autonoma della politica. Un magistrato ha sempre il dovere di esprimere anche la sua legittima protesta, anche le sue legittime rimostranze, *solo* nelle forme previste dalla legge e in maniera tale da non offuscare l'immagine di un potere imparziale al servizio di tutti.

Il Parlamento e il governo non possono stare a guardare. Non è sopportabile da una sana democrazia che perfino altissimi magistrati come il dottor Pierluigi Vigna, procuratore capo di Firenze, si sentano obbligati a parlare di una sorta di giustizia a orologeria e di siluri lanciati contro le loro carriere.

Vorrei dire qui che le prerogative che la Costituzione assegna al ministro di Grazia e Giustizia non sono altro che il richiamo al dovere di iniziativa quando si tratti di correggere gravi storture. Un richiamo scritto nella legge fondamentale dello Stato. E mi domando, con tutto il rispetto dovuto alla persona e alla funzione, se non sia giunto anche per il ministro Flick il momento di fare finalmente, e fino in fondo, il proprio dovere.

Tuttavia è ormai chiarissimo, signori deputati, che il ritorno alla legalità, insieme al recupero di un clima di fiducia e di chiarezza politica, implica la riscrittura di quel sistema di regole che è definito nella nostra Costituzione. Senza un grande disegno riformatore, capace di gettare le fondamenta di uno Stato rinnovato, sarà molto difficile chiudere il brutto capitolo della guerra di tutti contro tutti. E a questo compito occorre che la grande maggioranza del Parlamento metta mano, anche con uno strappo alle vecchie abitudini e rinunciando alla tutela gelosa di interessi parziali.

L'elezione di un'Assemblea Costituente o di un'Assemblea di revisione costituzionale sarebbe il segno tangibile di una grande svolta nello spirito pubblico e alla fine le nuove forme di governo e di Stato nascerebbero già forti di una legittimazione popolare.

Ma il tentativo individuato fin qui, con la prima votazione di una Commissione Bicamerale per le riforme, non deve comunque essere abbandonato.

Non c'è più molto tempo a disposizione per restituire alla buona politica, dopo anni di supplenza della magistratura e di cattiva politica, il diritto di offrire al Paese un orizzonte di sicurezza e di stabilità.

Noi continueremo a svolgere con fermezza il nostro ruolo di oppositori di questo governo e di questa maggioranza. Continuiamo a credere che sia un drammatico errore la pioggia di tasse e balzelli fatta gravare sul Paese dalla legge finanziaria; pensiamo, a ragion veduta, che in Europa, come diceva un tempo il presidente del Consiglio, dovrebbe entrare un Paese vivo, non un Paese morto; un Paese in cui la fiducia nello sviluppo sia tale da generare investimenti, voglia di intraprendere, gusto dell'innovazione.

È ormai indilazionabile una riforma dello Stato sociale e dei flussi colossali di spesa pubblica improduttiva, nel segno dell'efficienza e della solidarietà. Per queste ragioni non faremo sconti al governo e manterremo fermo, di fronte alla determinante influenza politica di Rifondazione comunista sulla maggioranza, il nostro punto di vista liberale, ancorato a un'idea di società aperta che contrasta fortemente con la deriva assistenzialista e demagogica espressa da questa Finanziaria.

Ma questa opposizione alle politiche economiche del governo, in difesa della grande classe media che ha fatto e fa la fortuna di questo Paese e la cui prosperità è garanzia di poter sostenere anche le parti deboli della società, può e deve andare di pari passo con uno sforzo comune, con una larga maggioranza per le riforme istituzionali.

Se le nostre proposte per il federalismo e per il presidenzialismo troveranno nella Commissione Bicamerale la stessa accoglienza che hanno nel Paese, noi faremo fino in fondo la nostra parte.

Ma nessuna Bicamerale avrebbe senso se non venisse garantito un processo penale liberale tale da togliere il Paese a un regime di arbitrio legalizzato in cui tutto è rimesso alla discrezione di funzionari non eletti, senza più alcuna garanzia dell'indagato, senza alcuna delimitazione dei mezzi, purché utile al fine.

Per riformare la Costituzione occorre prima porre termine a una legalità illegittima, che copre un uso arbitrario del potere.

Nessun democratico ha interesse a lasciar degenerare le cose.

Nessuno ha interesse a premiare i gruppi deviati o i poteri deviati che contribuiscono come possono, magari piazzando microspie, al degrado del clima politico, della nostra vita civile, della nostra democrazia, della nostra libertà.

Vi ringrazio.

Il principio della delega rappresenta
per il Parlamento una vera e propria
abdicazione ai suoi doveri verso gli elettori
e una negazione della sua ragione di esistenza

11 novembre 1996

Il governo Prodi, che aveva chiesto e ottenuto dal Parlamento un'ampia delega legislativa in materia fiscale, presenta, il 27 settembre 1996, una Finanziaria che prevede una manovra di oltre 62 mila miliardi. Tra le tasse incluse nella manovra anche quella per l'Europa, cioè per far rientrare l'Italia nei parametri di Maastricht. La protesta del Polo, che giudica la manovra economica dell'esecutivo troppo dura e, al tempo stesso, sterile, si esprime in tutta la sua forza il 9 novembre, con una manifestazione indetta a Roma, a cui partecipano oltre un milione di persone. Alla protesta di piazza fa eco, due giorni dopo, quella del leader di Forza Italia in Parlamento che preannuncia l'abbandono dell'aula da parte di tutti i parlamentari del Polo, a eccezione dei relatori, dei capigruppo e degli esperti economici.

Signor presidente,
sta per iniziare la discussione sulle deleghe richieste dal governo per la riforma fiscale. Non si tratta solo – e sarebbe cosa di per sé assai rilevante – di decisioni che incidono profondamente sulla capacità delle nostre imprese di reggere la concorrenza internazionale e sui livelli di vita delle nostre famiglie; si tratta al tempo stesso di una fondamentale questione di libertà.
I primi Parlamenti sono sorti proprio per negare il diritto agli esecutivi di entrare nelle case dei cittadini e prelevare i

frutti della loro industria e del loro lavoro senza il loro consenso. I primi sistemi rappresentativi sono stati escogitati proprio per creare la possibilità di accertare questo consenso.

La materia fiscale è materia di libertà, e il governo vuole regolarla attraverso un sistema di deleghe vastissimo e assolutamente generico. Il governo non ci vuole dire chi paga, quanto paga e qual è la progressione dell'imposta. Non vuole dirlo a noi dell'opposizione, ma non vuole dirlo nemmeno ai colleghi della maggioranza: non vuole dirlo al Parlamento. Perché il governo si rifiuta di fornire informazioni elementari come quelle che noi chiediamo? Forse non sa quello che vuole, forse ha paura che, dicendo quello che vuole fare, anche i settori della maggioranza gli rifiuteranno il loro sostegno.

Nel corso della trattativa che si è svolta nella giornata di ieri noi abbiamo chiesto più volte al governo di ritirare le deleghe per riscriverle in una forma costituzionalmente corretta. La Costituzione della Repubblica italiana, all'articolo 76, recita testualmente: «L'esercizio della funzione legislativa non può essere delegato al governo se non con determinazione di principi e criteri direttivi e soltanto per tempo limitato e per oggetti definiti».

In questo caso, ci si chiede una delega senza principi e criteri direttivi, che rappresenta per il Parlamento una vera e propria abdicazione ai suoi doveri verso gli elettori e una negazione della sua ragione di esistere. Il governo è certo disponibile alla trattativa, è disponibile a spostare le deleghe da una parte o da un'altra per aprire un elegante dibattito in aula o in Commissione sui massimi principi della scienza delle finanze. È disponibile a tutto tranne che a fare ciò cui costituzionalmente è tenuto: dire quali sono i principi e i criteri direttivi – come recita la Costituzione – sui quali chiede la delega; dire cioè chi paga, quanto paga e come paga.

Noi sappiamo che la materia fiscale è complessa e richiede l'esercizio della delega per regolare le sue infinite complicazioni. Altri governi hanno chiesto la delega, ma correttamente hanno stabilito e fatto approvare dal Parlamento i principi generali della riforma. Questo governo rifiuta di farlo. Il ministro Visco aveva a suo tempo assicurato che questi contenuti sarebbero stati precisati e comunicati alla pubblica opinione poche ore dopo l'annuncio dei provvedimenti stessi. Sono passate sei settimane e ancora non se ne sa nulla.

Non posso tacere in questa sede che la preoccupazione davanti al comportamento del governo in materia fiscale si aggiunge ad altre preoccupazioni di carattere più generale. Preoccupazioni sull'occupazione sistematica del potere da parte della coalizione dell'Ulivo. Una volta vigeva il sistema della lottizzazione, per cui i posti di responsabilità venivano attribuiti ai rappresentanti ufficiosi delle diverse forze politiche in modo più o meno corrispondente alla loro rilevanza parlamentare. Contro quel sistema abbiamo combattuto per affermare, invece, criteri di responsabilità, di merito, di professionalità e di efficienza. E credo che, nell'esercizio della nostra azione di governo, ci siamo strettamente attenuti a questi criteri.

Chi mai ci avrebbe detto allora che saremmo arrivati a rimpiangere la lottizzazione? Adesso la maggioranza nomina dappertutto suoi uomini di fiducia, soprattutto in quegli organi che avrebbero il dovere di controllare il governo e di impedirne possibili abusi di potere.

Ci preoccupa la politicizzazione crescente del Consiglio superiore della magistratura, sottolineata dalla nomina come vicepresidente di un eminente studioso che si è fortemente caratterizzato con la sua militanza politica. Ci preoccupa il modo unilaterale in cui si è proceduto alla nomina alla Corte costituzionale, presidio supremo della libertà dei cittadini. Ci preoccupa il fatto che una volta, quando un ministro veniva indagato, andava a casa; adesso, quando le indagini prendono una direzione che non piace al governo o a qualche procura, va a casa l'investigatore.

Noi abbiamo offerto al governo la massima disponibilità per soluzioni che consentissero al Parlamento di esercitare la sua funzione senza danneggiare il percorso della legge finanziaria.

Abbiamo offerto al governo di scindere le deleghe che hanno effetti immediati di bilancio da quelle che ristrutturano il sistema impositivo. Invano. Il governo tutela con il massimo rigore il suo segreto.

Signor presidente, onorevoli colleghi, noi attendiamo ancora che qualcuno ci spieghi su che cosa dovremmo votare, su che cosa dovremmo decidere nelle prossime votazioni. Decidere sul nulla è far finta di decidere, far finta di esercitare, da parte della maggioranza o dell'opposizione, il proprio ruolo di parlamentari.

Riteniamo che questa Finanziaria sia rovinosa per l'economia italiana e per le famiglie italiane; crediamo che la procedura scelta per la sua approvazione sia un'offesa non solo alla Costituzione ma ai principi primi che regolano il funzionamento di qualunque assemblea parlamentare. Crediamo di non poter dare nessun avallo alla prevaricazione del governo sul Parlamento che si compie oggi in quest'aula. Essendo messi nell'impossibilità di esercitare il nostro diritto-dovere di controllo dell'azione del governo, noi non parteciperemo alla votazione di questa Finanziaria, lasceremo in aula un presidio composto dai capigruppo, dai relatori e da altri esperti, per rispetto verso codesta assemblea e anche per non dare illusioni, a chi lo desidera, di potersi liberare durevolmente della nostra fastidiosa presenza. Spiegheremo al Paese le nostre ragioni.

Qualcuno ha detto che il successo della grande manifestazione di sabato scorso ci ha dato alla testa. Si tranquillizzino quelli che la pensano così: il contatto con il popolo, con la gente, a noi non fa venire i fumi al cervello ma ci rischiara le idee. La verità è un'altra: a qualcuno ha dato alla testa e sta dando alla testa il potere.

Vi ringrazio.

Il Novecento si chiude con una domanda di democrazia diretta, di un vincolo immediato tra il popolo e il governo

22 gennaio 1997

Il 22 gennaio del 1997 la Camera approva definitivamente la legge che dà il via libera alla Commissione Bicamerale per la riforma della seconda parte della Costituzione. La Commissione è composta da settanta membri, metà deputati e metà senatori. Il 5 febbraio verrà eletto presidente Massimo D'Alema, con cinquantadue voti a favore (Ulivo, Forza Italia, CCD e CDU) e l'astensione di Alleanza nazionale, mentre i parlamentari della Lega si rifiutano inizialmente di partecipare ai lavori della Bicamerale.

Signor presidente, colleghi deputati,
il Polo delle libertà è l'espressione italiana di quel grande movimento per la libertà che è iniziato con la caduta del muro di Berlino.

Un movimento che in Italia ha messo in crisi tutti i partiti storici, obbligandoli a cambiamenti radicali o addirittura cancellandoli.

Dopo decenni in cui la politica italiana sembrava, come diceva uno dei suoi esponenti, l'eterno ritorno dell'identico, siamo entrati in una fase in cui è difficile riconoscere la verità del rinnovamento voluto dal popolo.

È necessario creare le basi di un consenso nazionale che garantisca la legittimità delle istituzioni, dando al principio di libertà un carattere universale. Per questo, sin dall'inizio del mio impegno politico, ho creduto che la legittimazione della politica richieda una revisione dei principi, della cultura e dell'impianto del nostro sistema costituzionale. Per indicare la novità che volevamo esprimere, abbiamo identificato nella riscrittura integrale della Costituzione la risposta adeguata alla vastità del mutamento avvenuto nella storia europea e italiana.

È sul centrodestra che si è verificato il più radicale mutamento politico. Forza Italia non esisteva, è nata dopo l'anno del cambiamento, il 1989, mentre la Lega era ancora ai primi passi; la fine dell'unità dei cattolici e la legittimazione democratica della destra hanno determinato un nuovo orizzonte che finalmente ha reso possibile anche da noi il bipolarismo.

Anche a sinistra è avvenuto un mutamento. Dalla storia del PCI sono nati due diversi partiti, con diversa cultura e prospettiva. Anche in una parte della sinistra è sorta la volontà di rispondere alla domanda dell'elettore di scegliere il governo e non di delegarne la decisione ai partiti.

È per questo che ora esiste nel Parlamento una maggioranza vasta per le riforme che, diversamente dalle legislature precedenti, nasce quando un evento politico si è compiuto e il bipolarismo, che pure fatica a compiersi pienamente, è un processo ormai irreversibile. L'impegno del Polo delle libertà è per la realizzazione della ragione per cui il popolo ha voluto il bipolarismo: la scelta del governo da parte degli elettori.

Il nostro favore per il presidenzialismo non nasce dal disconoscimento delle istituzioni rappresentative, ma dalla convinzione che il Novecento si chiude con una domanda di democrazia diretta, di un vincolo immediato tra il popolo e il governo.

Il Parlamento controlla con la legislazione i governi che il popolo ha eletto: questo è il punto di equilibrio tra istituzioni rappresentative e democrazia diretta che si afferma alla fine del secolo più denso di storia umana. Ed è per questo che i referendum hanno una parte crescente sia nella democrazia americana che nella nostra.

Noi vogliamo che il popolo diriga lo Stato, non che lo Stato diriga il popolo. Vogliamo che l'anima popolare pervada le istituzioni e consumi tutti i fantasmi del passato. Siamo dinanzi a un cambio di civiltà, in cui la vita dei singoli, la vita dei popoli, la vita del mondo, saranno sempre più intrecciate, in cui la libertà di creare, di costruire, sarà il vanto degli ordinamenti politici che la riconoscono.

La globalizzazione, la mondializzazione in cui ci addentriamo sempre di più, in un futuro che viene dal futuro, chiede che gli uomini imparino non a subire ma a dirigere la Storia. È quello che il presidente Clinton ha chiesto alla democrazia americana e che può essere chiesto alla democrazia italiana.

Vogliamo che un principio antico della società occidentale, un principio della cristianità, quello di sussidiarietà, sia la forma vivente del nuovo ordinamento dell'Italia. Ciò significa che lo Stato non può compiere gli interventi che sono nella disponibilità delle comunità locali.

La prima dimensione della cittadinanza si esercita nel territorio in cui si vive. La nuova dimensione internazionale rimette in onore le radici delle persone nella comunità alla quale appartengono. Questo è il nostro concetto di federalismo.

Quando pensiamo a poteri ravvicinati al popolo, li vediamo non come vincoli ulteriori, com'è accaduto e potrebbe ancora accadere, ma come applicazione di un principio di libertà, in cui le leggi esistono per ampliare la libertà della persona, non per restringerla. E ogni potere deve avere e deve conoscere il suo limite: anche quello dei giudici. «Il governo dei giudici», come lo chiamò Wilson, non è la democrazia.

Una Costituzione deve garantire i diritti di libertà innanzi a tutti i poteri, anche a quello giudiziario. Soprattutto perché esso è un potere morale che deve mantenere intatta l'imparzialità anche nell'immagine e soffre tanto dell'eccesso di onore quanto del disprezzo. Non è questa la realtà che viviamo. Agli eccessi dei partiti hanno risposto gli eccessi dei giudici. Per questo crediamo che la nuova Costituzione debba affrontare anche questa riforma.

Le riforme sono l'obiettivo con cui il Polo ha accettato di partecipare a una strada, quella della Commissione Bicamerale, che è l'unica scelta offertaci dalla maggioranza.

Ogni Costituzione è sempre il contemperamento di diverse esigenze, ma vi è un punto di qualità che distingue una nuova realtà dalla mera ripetizione della precedente. Noi ci impegniamo nella realizzazione di un sistema di democrazia compiuta, di federalismo reale, di legittimità della giustizia, non cerchiamo un compromesso storico in edizione rinnovata.

Iniziamo con i partiti del centrosinistra un cammino sapendo già delle differenze che ci separano. E se queste differenze ci impediranno di proseguire l'opera che cominciamo, ne prenderemo atto.

Abbiamo un legame profondo con la gente che rappresentiamo: non faremmo nulla che essi non vorrebbero che facessimo. Cioè che togliessimo senso alla Seconda Repubblica che la novità costituzionale vuole esprimere.

Vi ringrazio.

L'umana commozione per la tragedia del canale d'Otranto

2 aprile 1997

Nei primi mesi del 1997 l'Albania vive momenti drammatici. Il falli-
mento di diverse società finanziarie del Paese, in cui molti cittadini ave-
vano investito i propri risparmi, provoca lo scoppio di una vera e propria
guerra civile. Dai primi giorni di marzo, decine d'imbarcazioni, cariche
di albanesi in fuga, prendono d'assalto le coste pugliesi (alla fine del me-
se ne saranno sbarcati circa undicimila). La necessità di un intervento
militare nel Paese balcanico provoca una grave frattura nella maggio-
ranza: Verdi e Rifondazione, infatti, si dichiarano contrari. E alcuni
giorni dopo, il 28 marzo, una corvetta italiana, la Sibilla, *facente parte*
della flotta adibita al blocco navale, deciso dal ministro della Difesa An-
dreatta, entra in collisione con una imbarcazione carica di profughi, pro-
vocando ottantanove vittime. Mentre i rappresentanti del governo sono
in vacanza per Pasqua e Beniamino Andreatta visita una mostra d'arte,
Silvio Berlusconi è l'unico leader che si reca a Otranto per portare la pro-
pria solidarietà ai profughi. La tragedia dà il senso dell'urgenza di un in-
tervento militare.

Signor presidente, Signor presidente del Consiglio, Onorevoli colleghi,
la tragedia del naufragio e della morte dei fuggiaschi albanesi nel mare Adriatico ha portato lutto e dolore nella
già sofferente Albania e ha gettato nell'inquietudine gli
italiani. Il Paese è preoccupato e incredulo. Si guardano le
immagini dei mezzi della nostra Marina militare, un'arma

di grande tradizione, di riconosciuta professionalità e senso del dovere, e non si riesce a capire per quale ragione e per la responsabilità di chi quelle corvette, che tutelano la pace e la sicurezza alle nostre frontiere, siano oggi associate a una strage di profughi in acque internazionali.

All'umana commozione per la sorte di decine di donne e bambini inghiottiti dal mare si aggiunge un diffuso senso di incredulità: com'è stato possibile, si domanda l'opinione pubblica, un esito tanto infausto di una decisione del governo come quella di pattugliare il canale d'Otranto?

Che cosa non ha funzionato nell'espletamento di una missione militare che certo non prevedeva atteggiamenti ostili e d'aggressione da parte nostra?

Era stata messa ragionevolmente nel conto la possibilità tecnica di un incidente di quella portata, provocato dall'imperizia o da gesti avventurosi di chi fa commercio della disperazione altrui?

Credo che il Parlamento debba dare una prova alta di responsabilità e di senso dello Stato, e che spetti a esso, anche attraverso un'eventuale Commissione di inchiesta, dare risposta agli interrogativi che scuotono la pubblica opinione. Ci sono interrogativi, signor presidente del Consiglio, a cui non possono dare risposta né Commissioni amministrative, né improbabili Commissioni miste con l'Albania né la stessa Magistratura, ma soltanto il Parlamento. Oltre alla dovuta e concreta solidarietà ai superstiti, la massima trasparenza è l'unico gesto credibile di riparazione, e l'unica via politica per cercare di aiutare i nostri ragazzi che, nei prossimi giorni, dovranno affrontare i rischi di una missione umanitaria e di sicurezza nell'ambito di decisioni concertate in sede europea. I molti amici dell'Italia che vivono nella tormentata Albania devono sapere, nel momento in cui sbarcano lì i nostri effettivi, che questo è un Paese serio, capace di guardare a viso aperto alle proprie responsabilità in ogni circostanza, e determinato ad assumersi sempre il carico della verità.

Non è ragionevole, signor presidente del Consiglio, che i nostri soldati si impegnino in territorio albanese avendo alle spalle un ministro della Difesa assenteista e irritabile e soprattutto una maggioranza drammaticamente divisa su un tema così delicato, in un Parlamento che per lunga tradizione ha considerato l'unità in politica estera questione vitale per ogni maggioranza e per ogni opposizione.

Occorre dunque che il Parlamento svolga il suo ruolo e ristabilisca le proporzioni di quanto è accaduto nel canale d'Otranto. Questo sarebbe un modo intelligente, saggio e prudente di affrontare i rischi del futuro cominciando con il capire la lezione del presente. Sarebbe un modo per rasserenare gli animi, mostrare il volto vero dell'Italia a un popolo amico che ha bisogno di soccorso, di ordine e di sicurezza. Mi auguro sinceramente che la maggioranza voglia impegnarsi in quest'atto di serietà dopo che il governo ha dato troppe dimostrazioni di incertezza, di timor panico e di lentezza di riflessi di fronte a circostanze così gravi e a un allarme tanto diffuso nell'intero Paese.

L'opposizione, sottoposta a un fuoco di fila di accuse pretestuose, che dimostrano solo la cattiva coscienza di alcuni incapaci e la gestione sfilacciata dell'emergenza politica insorta nell'Adriatico, questa opposizione è pronta come sempre a fare la sua parte a tutela degli interessi comuni della nazione. Ma non si può chiedere a noi, che esprimiamo in Parlamento una funzione di controllo garantita dalla Costituzione, di chiudere gli occhi e passare oltre, dopo quello che è accaduto nella sera di venerdì scorso al largo delle nostre acque territoriali.

Signor presidente del Consiglio, Onorevoli colleghi,
si sono via via moltiplicate le emergenze politiche e civili in quest'anno che ormai ci separa dalle elezioni del 21 aprile. Noi ci rendiamo conto che il governo è chiamato a fronteggiare difficoltà gravi nel tentativo di guidare questo Paese, la sua economia e le sue istituzioni, verso un risanamento compatibile con le alleanze europee dell'Italia

e il grande progetto di unificazione della moneta. Noi abbiamo scelto una linea di serio contrasto e di aperto conflitto ogniqualvolta abbiamo visto intaccare le guarentigie dell'opposizione, e dunque i diritti del Parlamento, ma non abbiamo esitato un momento, perché veniamo da un'antica prassi liberale, ad assumerci le nostre responsabilità nella gestione di politiche comuni in tutti i campi in cui questo sia necessario, dalle riforme istituzionali alla drammatica emergenza dei conti dello Stato. Il governo ha avuto e ha la fortuna di avere un'opposizione che non compie manovre sotterranee per organizzare ribaltoni, ma parla apertamente al Paese e alle forze politiche un unico linguaggio di verità e di fiducia nel futuro, oltre che di denuncia delle cose che non vanno. Ma dopo la fortuna, come insegna il meglio del pensiero politico di ogni tempo, occorre che il Principe mostri «la virtù», senza la quale nessuna fortuna è tale da garantire successo nella conduzione dello Stato: e noi attendiamo ancora, signor presidente del Consiglio, che il suo governo si decida a varare, anche con il nostro contributo, le misure di risanamento strutturale della finanza pubblica che tutti chiedono all'Italia e che il Paese deve a se stesso, ai suoi giovani in cerca di lavoro, ai pensionati di oggi e di domani, alle sue imprese grandi e piccole scosse dalla stretta fiscale di questi mesi e alla sua economia depressa dalla più pervicace e inquietante restaurazione statalista e dirigista che si potesse immaginare.

L'emergenza Albania è una tra le grandi emergenze che dobbiamo affrontare. Noi auspichiamo che anche in questo campo così delicato per l'immagine internazionale dell'Italia questa maggioranza, spesso tenuta insieme dall'avversione contro il presunto nemico più che dalla comunanza di un progetto, trovi almeno il coraggio, nelle sue forze più responsabili, di portare alle Camere le decisioni più urgenti e indispensabili e di condividere con l'opposizione le informazioni e le valutazioni necessarie a prendere decisioni obbligate.

È il momento di grandi e severe responsabilità. Una immigrazione clandestina incontrollata non è negli interessi di nessuno, nemmeno del popolo albanese, ed è preclusa dagli accordi di Schengen.

Tanti cittadini onesti, frastornati da campagne assillanti e talvolta di chiaro sfondo allarmistico, desiderano che chi li governa sappia impedire, con una lungimiranza che purtroppo è finora mancata, l'importazione del caos e dell'insicurezza sociale. Ma non conosco compatrioti, degni di questo nome, che predichino il rinnegamento del principio sacro del soccorso a chi ha bisogno, nel momento del bisogno. Aggredire le cause del caos albanese, cercando di ristabilire in quel Paese le condizioni minime di pace civile occorrenti a un sano e ordinato sviluppo: per questo scopo avremmo dovuto fare meglio e di più nel recente passato, e comunque dovremo dare tutti ora un forte e convinto sostegno agli italiani in divisa che affronteranno la linea del rischio.

Il nostro augurio è che il metodo del dialogo, delle decisioni comuni che scaturiscono dall'incontro tra la funzione di governo che spetta alla maggioranza e quella di controllo che spetta all'opposizione, possa ridare al Paese quell'immagine, quell'energia, quella credibilità di cui esso ha grande bisogno.

Vi ringrazio.

L'Italia ha a disposizione un'opposizione responsabile in grado di guidare la politica nazionale

9 aprile 1997

Il 29 marzo, l'ONU vota una risoluzione a favore dell'intervento militare in Albania. Il comando della missione viene affidato all'Italia. Ma, nel nostro Paese, due partiti della maggioranza, Rifondazione comunista e Verdi, si dichiarano contrari all'iniziativa. L'appello, lanciato dal presidente del Consiglio Prodi a tutte le forze parlamentari viene raccolto dal Polo delle libertà. È il segno evidente del senso di responsabilità dell'opposizione e dei contrasti profondi tra le diverse componenti dell'alleanza di centrosinistra che emergono ogni volta che sono in gioco grandi questioni di politica internazionale.

Signor presidente, Signor presidente del Consiglio, Signori deputati,
questa Camera ha dunque trovato un modo «dignitoso» per garantire al Paese di non perdere la faccia sulla scena del mondo e per consentire ai nostri effettivi di svolgere, a partire dalla prossima settimana, un ruolo di pacificazione e di assistenza umanitaria in Albania. Sarebbe stato irresponsabile sottrarsi a questo dovere, comunque la si pensi e da qualunque angolo visuale si giudichi la situazione. Noi abbiamo fatto la nostra parte di opposizione «responsabile», rispettando il confine che deve sempre separare il genuino conflitto dalla rissa faziosa, la battaglia di idee

dalla strumentalizzazione politica incurante degli interessi nazionali.

Da oggi, se posso dir così, l'Italia sa ancora più chiaramente di ieri che ha sempre a disposizione, nei momenti cruciali, un'opposizione che funziona come un governo ed è in grado, di fronte alle difficoltà, di guidare la politica nazionale.

Per la prima volta infatti, su invito delle Nazioni Unite, il nostro Paese assume la guida e il coordinamento tecnico di una forza multinazionale che ha di fronte a sé compiti assai rischiosi. E per la prima volta nella storia della Repubblica, su una decisione di tanto momento, che dà forma alla nostra politica estera e investe la questione decisiva della sicurezza, il governo si è visto mancare la maggioranza sotto i piedi. Un autorevole commentatore straniero, Frederick Bonnart, sull'«International Herald Tribune», nel metterci in guardia da ogni forma di sottovalutazione delle incognite e dei pericoli della missione albanese, ha scritto oggi, da Bruxelles, che quest'impresa «mette alla prova non solo la reputazione dell'Italia ma anche la visione occidentale di un'Europa democratica». Se l'opposizione dei moderati si fosse comportata oggi, con il governo dell'Ulivo, come si comportò ieri con il governo Berlusconi l'opposizione di sinistra, diciamocelo in tutta sincerità, onorevoli colleghi: il Paese sarebbe già sprofondato in una crisi internazionale di proporzioni inaudite, saremmo, da stasera, lo zimbello dell'Europa e del mondo. Invece un atto di responsabilità al quale ha contribuito anche il riconoscimento tardivo delle sue difficoltà politiche da parte del presidente del Consiglio, consente al Paese di mantenere quel che ha promesso a se stesso e agli altri con la copertura di un'ampia maggioranza parlamentare.

Oso sperare che in futuro, al posto di certi atteggiamenti vanamente superbi in cui si sono distinti alcuni esponenti dell'ex maggioranza, assisteremo a qualche prova in più di umiltà e di intelligenza politica da parte loro. Quell'opposizione, che un infelice e arrogante commento giornalistico aveva definito «impresentabile», ha evitato per intanto che l'Italia fosse indicata a dito, nella comunità internazionale, come la patria della confusione, del caos e della paralisi politica.

Questa però è solo la prima parte della storia. La seconda parte comincia da domattina, subito dopo l'espressione di questo voto. Il capo del governo ha riconosciuto il venir meno della sua maggioranza, prendendo atto del significato politico del voto di Rifondazione comunista.

Ora bisognerà che si traggano le conseguenze di questo riconoscimento. Confidiamo nel capo dello Stato e nel suo ruolo. Ma confidiamo anche nel senso di responsabilità politica e istituzionale dei principali esponenti della ex maggioranza, dal leader del PDS a quello dei popolari, dal ministro degli Esteri al titolare dell'Interno, dal ministro del Tesoro fino allo stesso presidente del Consiglio.

Non è pensabile, per nessuna ragione, che un Paese come l'Italia guidi una missione militare multinazionale di quell'importanza avendo alle spalle un esecutivo rappezzato alla meglio, con un rinvio alle Camere deciso in tutta fretta, al di fuori di una larga e impegnativa consultazione, e un voto di fiducia fondato sull'ipocrisia e sulla mera ansia di sopravvivenza. Gli italiani si fanno oggi una domanda semplice, dopo che la crisi della maggioranza nata il 21 aprile ha causato questo terremoto parlamentare: chi sta alle spalle dei soldati che portano aiuto umanitario e pace in Albania? La missione è guidata e protetta da un governo convinto delle sue ragioni e forte della sua maggioranza o da un governicchio che tira a campare?

Noi ci siamo permessi fino a ora alcuni lussi che l'opinione pubblica europea giudica già eccessivi: un governo che si imbarca in una avventura di queste dimensioni senza sapere neppure se dispone di una maggioranza che assume impegni e dà assicurazioni in tutti i consessi internazionali, senza sapere neppure se e come potrà onorarli; un titolare della Difesa che non legge o non sa leggere i rapporti dei suoi Servizi (e su questo chiediamo che si faccia luce al più presto); un ministro dell'Ambiente che sfila a Brindisi per protesta contro le navi che il suo governo manda in Albania. E taccio, per carità di patria, su tante altre vicende che certo non ci fanno onore. Vorremmo che lo spettacolo si fermasse qui e non proseguisse oltre, anche perché gli atti successivi coinvolgono il destino collettivo e personale di duemilacinquecento soldati italiani e di altrettanti ragazzi di sette nazioni che hanno fiducia nell'ONU e nell'Italia.

Rifletta dunque bene, onorevole Prodi. Il nostro voto, «determinante», è offerto affinché l'Italia faccia la parte che ha deciso di fare e che *deve* fare, sulla scena adriatica. Ma è anche un incoraggiamento a lei e ai suoi partner nella coalizione dell'Ulivo affinché vi decidiate a tirare le conclusioni dalla constatazione che non avete più una maggioranza credibile e autosufficiente per guidare questo Paese. Tanto meno nella gestione di un'impegnativa impresa militare all'estero.

Che cosa pensate di fare? Ci regalerete altri mesi di agonia politica, con il contorno di estenuanti negoziati condotti sotto la sferza di Rifondazione comunista? Continuerete a coltivare i sogni dell'Ulivo, mentre fioccano le nomine compiacenti e lottizzate nei posti di comando dell'economia e delle istituzioni, per poi accorgervi che non avete maggioranza nemmeno sull'economia, sui conti pubblici, sulla riforma dello Stato assistenziale, su tutte le grandi questioni che preludono alla nostra partecipazione all'Europa monetaria? Io non voglio credere che questi scenari grotteschi possano essere anche solo immaginati dalle tante personalità responsabili che abitano, ormai un po' spaesate, nell'ex maggioranza dell'Ulivo.

La verità è che ci vuole, onorevole D'Alema, uno scatto di coraggio e di fantasia. Il più autorevole giornale tedesco scrive oggi che al presidente Prodi farebbe bene cambiare la sua maggioranza e provvedere a metterne insieme una nuova, visto che quella vecchia non funziona. Sono soluzioni di buonsenso, ma non è detto che siano soluzioni politiche compatibili con la cultura prevalente nell'ex maggioranza di governo. Sta di fatto che tocca *a voi* l'onere di una proposta affinché questo Paese sia governato in modo decente da un esecutivo dotato dell'autorevolezza e del consenso necessari. L'opposizione democratica dei moderati non ha alcuna fretta né alcuna ansia ministeriale. Si può dare un contributo al governo del Paese anche da questi banchi, come stiamo ampiamente dimostrando. Si possono bloccare le improvvisazioni di un esecutivo fragile, nell'interesse esclusivo del Paese, anche quando non se ne faccia parte. Il problema non è nostro, ma vostro. *Voi* avete il dovere di avanzare una proposta persuasiva, con i tempi, le formule e gli uomini che deciderete. In mancanza di questa, ovviamente, non resterebbe che il ritorno alle urne.

Una sola cosa non è accettabile, e spero davvero che non sia quella che *già* vi siete determinati a fare: fingere che sia stato tutto un malinteso, ricominciare a fare del piccolo cabotaggio politico mentre il Paese è in alto mare, e per certi aspetti alla deriva, in conseguenza della crisi della vostra ex maggioranza. Prendete dunque una decisione, pensando anche all'alta responsabilità che incombe su un governo che invia truppe all'estero, e noi saremo disponibili a discuterla. Ma se, in modo inaccettabilmente ipocrita o farisaico, tenterete di nascondervi dietro formule vecchie, logorate e che credevamo proprie di una stagione ormai conclusa, noi non ci staremo e denunceremo al Paese la vostra pericolosa inconcludenza.

Grazie.

Il senso di responsabilità dell'opposizione ha reso possibile la missione di pace in Albania

11 aprile 1997

La crisi della maggioranza di governo, determinata dalla drammatica situazione albanese e dall'intervento militare guidato dall'Italia, porta alla necessità, se non delle dimissioni dell'esecutivo, certo di un'attenta riflessione da parte del presidente del Consiglio Prodi. Ma l'appello di Berlusconi, che pure aveva fatto notare la profonda differenza fra l'opposizione sterile dei progressisti e dei popolari nel 1994, e l'opposizione costruttiva del Polo, rimane inascoltato e conduce il centrodestra a sfiduciare il governo dell'ex presidente dell'IRI.

Signor presidente, Signor presidente del Consiglio, Signori deputati,
abbiamo assistito in questi due giorni, e lo dico senza alcun compiacimento, a uno spettacolo desolante. Il governo ha perduto la sua maggioranza sulla scelta più importante che abbia compiuto, quella di mandare i nostri ragazzi in Albania con una difficile missione di sicurezza e di pace. Soltanto la responsabilità dell'opposizione ha evitato al Paese di sprofondare nel ridicolo di fronte al mondo, con una crisi parlamentare che avrebbe determinato l'annullamento della missione a poche ore dalla partenza delle prime navi. Per tutta risposta, però, invece di tornare alle Camere per analizzare in umiltà le cause di questa sua piccola, personale Caporetto, il presidente del Consiglio ha scelto di arringare con toni inutilmente superbi una maggioranza che non c'è più e, con l'occasione, di insolentire quell'oppo-

sizione che ha cercato di dare una mano al Paese nel momento in cui il governo lo aveva messo in difficoltà.

Può capitare a tutti, onorevole Prodi, di tenere un discorso politicamente fiacco, ma questa volta le reazioni di smarrimento della sua stessa ex maggioranza le avranno fatto capire senz'ombra di dubbio quanto poco accorte siano state le sue parole. Un uomo di Stato non dovrebbe mai dimenticare che la dignità e la moralità della politica, come la lealtà verso il Paese che ci guarda e verso gli stessi avversari, impongano talvolta, su un piano più alto ancora della politica – quello civile e umano –, la rinuncia agli egoismi di parte e alle piccole vanità personali. Come molti milioni di italiani, sono davvero dispiaciuto, e direi addolorato, onorevole presidente, per questa brutta pagina che purtroppo rimarrà nella storia parlamentare del nostro Paese e che, per carità di Patria, non conviene a nessuno prolungare ulteriormente.

Tralascio perciò di commentare il suo discorso che, come hanno dovuto riconoscere autorevoli leader dell'Ulivo, è «incommentabile» perché privo di proposte nuove e concrete e lontano da quella seria verifica che tutti avevamo ritenuto indispensabile e che perciò tutti, a cominciare dai suoi alleati, avevamo invocato.

Un anno fa, colleghi deputati, si presentò in quest'aula per la fiducia un governo che voleva «far sognare» gli italiani.

Invece di amministrare la cosa pubblica con sapienza e modestia, invece di far bene le cose utili a un grande Paese, il centrosinistra rinnovò le vecchie e spropositate ambizioni ideologiche già naufragate sugli scogli della Storia in tanti Paesi europei.

Così abbiamo passato dodici mesi a discutere con i neocomunisti di Rifondazione, che fanno il loro mestiere di «genuini» guastatori dell'economia di mercato e di predicatori della pianificazione statalista.

I conti non tornano? Facciamo come dice l'onorevole Bertinotti, si è detto il capo del governo: tassiamo i cittadini oltre la misura dell'inverosimile, torchiamo le imprese.

La spesa è fuori controllo? Diamo retta a Rifondazione:

preleviamo risorse dall'economia reale, dalla produzione, dall'impresa.

Il mercato del lavoro è ingessato? Bene: introduciamo finte riforme liberali e intanto cancelliamo quel che è stato fatto per incentivare lo sviluppo del Paese.

Un anno dopo la promessa del «grande sogno», ecco i giorni del «piccolo incubo», i giorni in cui la politica seria entra in una fase, che purtroppo rischia di essere lunga, di dolorosa sonnolenza e di sterile, preoccupante inconcludenza.

Ecco le proteste incrociate: quella dei sindacati che non vedono il lavoro promesso, quella della Confindustria che non ci sta a lasciare che il sistema produttivo venga progressivamente espropriato della sua libertà d'azione e dei suoi margini di competitività. Ecco, soprattutto, il diffondersi di un clima di sfiducia e di allarme. La gente non capisce come mai l'Italia debba restare, ultimo Paese d'Europa, alle prese con questo brontosauro della cultura di sinistra che è il «neocomunismo». La gente non capisce come possano sopportare questa situazione grottesca i Carlo Azeglio Ciampi, gli Antonio Maccanico, i Lamberto Dini, i popolari moderati e quell'area postcomunista che dice di essersi messa alla ricerca di un programma liberale e laico di ammodernamento della società italiana.

Malgrado un'opposizione responsabile e attenta a non confondere i suoi interessi particolari con l'interesse generale del Paese; malgrado il nostro sforzo di dare un orizzonte alla legislatura, di «accordarci» per cambiare la forma di governo e di Stato; malgrado la nostra disponibilità a un patto per l'Europa, a misure economiche, anche anticipate, che siano idonee a far muovere il Paese nella direzione giusta; malgrado tutto questo, il Paese resta ancorato all'abbraccio con la più vecchia e inservibile ideologia del mondo contemporaneo, quella di Rifondazione comunista, e il governo dell'Ulivo, per volontà di chi lo dirige, sceglie l'immobilismo e il tirare a campare.

Ancora una volta avete deciso, onorevole D'Alema, di

incerottare con un qualunque voto di fiducia un governo in cui nemmeno voi credete più.

Assisteremo a nuovi abbracci velati, di ipocrisia, a un rilancio poco sentito delle ragioni dell'ex maggioranza dell'Ulivo e, tra breve, a nuovi battibecchi, a nuovi rancori in una coalizione che non può più garantire la stabilità, la sicurezza, lo sviluppo e le riforme di cui ha bisogno questo Paese. Per contro, l'opposizione democratica di Forza Italia e del Polo resta ferma alla sua linea d'impegno, di denuncia, di responsabilità. Una linea che gli italiani capiscono perfettamente.

Noi aumenteremo l'impegno per ottenere le riforme istituzionali, per aiutare l'Italia a entrare in quell'Europa monetaria da cui dipende la nostra prosperità.

Noi continueremo a batterci per il rilancio delle nostre imprese, per un Paese più libero e più giusto, in cui nell'economia e nella vita civile si faccia indietro la tutela fallimentare dello Stato e si faccia avanti la responsabilità del cittadino.

Negheremo la fiducia a questo governo con la stessa orgogliosa ma serena sicurezza con cui abbiamo votato per la missione in Albania: ci guidavano e ci guidano il senso dello Stato e l'interesse del Paese.

Vi abbiamo sfidato appena due giorni fa ricordandovi che il problema non è nostro ma *vostro*. Siete voi che avete il dovere di *avanzare una proposta* affinché questo Paese sia governato, in modo decente, da un esecutivo dotato dell'autorevolezza e del consenso necessari.

Perché proprio di questo si tratta: l'Italia ha bisogno di un governo autorevole, serio, svincolato dal condizionamento di una rispettabile ma antidiluviana formazione neocomunista.

Più tarderete a capirlo, colleghi dell'ex maggioranza, più *danni* farete al Paese.

E gli italiani, che sono sì tolleranti e pazienti, ma hanno la memoria lunga, al momento opportuno non ve lo perdoneranno.

Vi ringrazio.

Ci opporremo a ogni soluzione contraria alla libertà di scelta delle famiglie, alla libertà di apprendimento, alla libertà di insegnamento, alla libertà della scuola

3 luglio 1997

Le proposte per una riforma scolastica presentate dal ministro della Pubblica Istruzione, Luigi Berlinguer, alle commissioni competenti del Parlamento non convincono l'opposizione. La via parlamentare era stata più volte aggirata attraverso provvedimenti amministrativi dello stesso ministro (circa ottocento, tra circolari e decreti ministeriali), soprattutto sulla riforma dei programmi. Inoltre, al di là del giudizio sui singoli interventi, appare evidente la volontà della sinistra di non procedere all'equiparazione tra scuola pubblica e scuola privata. Da qui la mozione, che ha come primo firmatario Silvio Berlusconi, in cui si auspica una riforma veramente liberale della scuola.

Signor presidente, Signor ministro,
la questione della scuola è oggi, più che mai, una questione nazionale, decisiva per le sorti del Paese e per la qualità della vita delle future generazioni.

Dalle scelte che si faranno per la scuola dipenderà in gran parte il destino di quella riforma liberale della società e delle istituzioni che noi tutti del Polo auspichiamo e che rappresenta la ragion d'essere del nostro modo di fare politica e concepire la democrazia.

Vorrei qui dire con forza a tutti, e in primo luogo al governo, che il Polo delle libertà pone la riforma della scuola tra i punti più alti del suo impegno politico e programmatico.

Da qui nasce la nostra mozione, la nostra richiesta di un serio dibattito.

È ormai tempo di aprire un confronto in Parlamento

sulle linee di riforma della scuola e capire le reali intenzioni del governo. È tempo che in questa materia si proceda finalmente con scelte chiare e non contraddittorie. Non ha senso, infatti, discutere un progetto di riordinamento dei cicli scolastici o addirittura voler riformare l'esame di maturità, senza risolvere prima il nodo della parità tra scuola pubblica e scuola privata.

Il tema della scuola libera è della più alta importanza. Ciò per molteplici ragioni.

Ragioni di principio che riguardano la libertà di educazione e il ruolo delle famiglie e che non possono non stare a cuore non solo ai cattolici ma a chiunque abbia una genuina concezione della libertà di iniziativa e ritenga, secondo il principio di sussidiarietà, che lo Stato non debba monopolizzare ma promuovere lo sviluppo dell'istruzione.

Ma anche ragioni di fatto: se non si interviene rapidamente, la scuola libera in Italia è destinata praticamente a scomparire, a causa di una politica che ne ha costantemente ignorato le più elementari esigenze. Ragioni di fatto che riguardano anche il sistema scolastico italiano nel suo complesso: soltanto una libera e sana competizione, nel quadro di un organico sistema pubblico dell'istruzione, garantito nei suoi parametri fondamentali dalla legge dello Stato, può consentire il miglioramento qualitativo del nostro sistema scolastico, con una sua maggiore agilità e aderenza all'evolversi delle esigenze e delle situazioni, senza – nel medio periodo – un aggravio del bilancio dello Stato.

Di fronte a questo obiettivo di superiore importanza per l'intero Paese, le forze del Polo si muoveranno secondo una logica non di parte, ma ispirata unicamente agli interessi del Paese, nella consapevolezza che soltanto da un ampio accordo può uscire, su un tema come questo, una soluzione durevole ed efficace.

Fu questa già la linea del mio governo che, con l'impegno dell'allora ministro D'Onofrio, perseguì con tenacia la ricerca di un ampio consenso per una legge sulla parità scolastica.

È la linea che seguiremo ora dai banchi dell'opposizione.

Ciò che chiediamo al governo è di presentare rapidamente una sua proposta, che contempli un'effettiva parità per la scuola non statale, impegnando questa scuola a garantire gli standard qualitativi dell'istruzione e dell'educazione, ma rispettando pienamente l'originalità e la libertà dei suoi progetti educativi.

Le vie concrete per il finanziamento della scuola non statale possono essere varie: le esamineremo con animo aperto, guardando appunto al concreto.

È indispensabile, comunque, che questi finanziamenti giungano al più presto e siano adeguati, perché, se vogliamo salvare la scuola libera in Italia, non abbiamo assolutamente più tempo da perdere.

Con altrettanta determinazione diciamo al governo che non tollereremo una riforma portata avanti di soppiatto, imposta a colpi di decreti e circolari e sottratta al confronto libero e aperto con il Parlamento.

Già con troppe contraddizioni e con troppe lacune sono state approvate le norme di delega sull'autonomia scolastica.

Le numerose deleghe in bianco, gli eccessivi elementi di conservazione, l'assenza di una vera autonomia finanziaria e territoriale hanno motivato il nostro voto contrario all'articolo 21 della legge 59.

Oggi, a distanza di pochi mesi, confermiamo le nostre riserve su quel provvedimento, di cui ancora ignoriamo i regolamenti attuativi che condizioneranno il destino della scuola italiana, la sua configurazione, la sostanza e la qualità della sua autonomia, il suo rapporto con l'amministrazione dello Stato.

Chiediamo al governo di presentare in tempi brevi i regolamenti e permettere così alle commissioni parlamentari di utilizzare l'intero periodo previsto dalla legge per esprimere il loro parere.

Anche il riordino dei cicli scolastici proposto dal governo suscita la nostra più ferma contrarietà.

Viene scardinato radicalmente l'impianto e l'architettura fondamentale della scuola italiana: si abolisce la scuola media, si stabilisce l'obbligo di frequentare la materna a cinque anni, si azzera e si ridefinisce la struttura delle superiori. E tutto questo contro i diritti delle famiglie.

Ma non basta: l'insieme delle «linee per uno statuto delle studentesse e degli studenti», dei «principi per le nuove norme per la disciplina» e del disegno di legge sugli organi di governo delle scuole finirà per minare l'intero edificio della scuola italiana e vanificare ogni altra possibile riforma.

È giusto garantire agli studenti il diritto all'apprendimento, alla tutela della riservatezza, al rispetto della loro personalità, alla trasparenza della valutazione e a far sentire la propria voce. Ma in questi testi c'è ben altro. Si dà agli studenti la facoltà di decidere anche su materie che solo i docenti possono valutare. È come se in campo medico si pensasse di tutelare i diritti dei pazienti, consentendo loro non di scegliere il medico ma di decidere la terapia.

Tutto questo porta a una limitazione pesante della libertà degli insegnanti, che anche per tali motivi si sentono sempre più umiliati e frustrati.

Non c'è dunque da meravigliarsi se un gran numero di loro ha chiesto di lasciare la scuola. Tutto ciò preannuncia un degrado tale da travolgere e rendere impossibile anche la migliore delle riforme.

Molta preoccupazione desta inoltre l'intenzione del governo di procedere a una generale revisione dei programmi, prima che siano chiari i termini della riforma. Questo non potrà avvenire senza l'apporto del Parlamento, senza una discussione aperta, libera e democratica.

Con questi intenti e nel rispetto degli ideali in cui crediamo, ci batteremo per le nostre proposte, contenute nella mozione che ho qui illustrato, anche per ribadire le giuste prerogative del Parlamento.

Da quest'aula, dall'aula del Parlamento, ci opporremo a ogni soluzione contraria alla libertà di scelta delle famiglie, alla libertà di apprendimento, alla libertà di insegnamento, alla libertà della scuola.

Vi ringrazio.

Quando una maggioranza va in crisi, in una vera democrazia si vota in breve tempo e si sceglie un nuovo governo

7 ottobre 1997

Il 26 settembre, il governo Prodi vara la legge finanziaria per il 1998. Ma la contrarietà espressa, pochi giorni più tardi, dal gruppo parlamentare di Rifondazione comunista, provoca la crisi di governo. Sembra essere l'epilogo del difficile rapporto tra l'Ulivo e il partito di Bertinotti, che già aveva mostrato i suoi primi contrasti al momento dell'invio dei militari italiani in Albania. Di fronte alla crisi in atto, Silvio Berlusconi propone all'ormai ex maggioranza di formarne una nuova, più solida e autorevole o, in caso contrario, di ritornare alle urne. Ma il 14 ottobre, il governo Prodi, che il 9 aveva presentato le dimissioni al capo dello Stato, riuscirà a strappare ai neocomunisti un nuovo accordo, con la promessa, tra l'altro, di presentare un disegno di legge sulle trentacinque ore.

Signor presidente, Signori deputati,
la crisi politica è virtualmente diventata crisi di governo nel momento in cui una componente della maggioranza, numericamente decisiva, ha annunciato il ritiro della sua fiducia all'esecutivo.

Crediamo quindi che il presidente del Consiglio debba prendere atto di questo dato di fatto, senza ulteriori ritardi e tergiversazioni.

D'altra parte, era politicamente prevedibile, e fu da noi previsto, che un governo solido, capace di serie ambizioni, non avrebbe potuto reggersi a lungo sulla fragile impalcatura di un patto di desistenza elettorale tra una sinistra che si dice «di governo» e un partito d'impronta, di cultura e di ispirazione neocomunista.

Sappiamo tutti che Rifondazione, sulla sinistra, e la Lega, sul versante del centrodestra, hanno, e probabilmente riuscirebbero a mantenere in futuro, un potere di interdizione o di veto che rende difficile, se non impossibile, governare il Paese nel segno della continuità, della coerenza di programma e della stabilità.

Sappiamo che questo potere di veto si appoggia su regole ereditate dalla vecchia Italia partitocratica, quelle regole che rendono imperfetto il nostro bipolarismo e affannoso il nostro passo verso la piena integrazione nell'Europa della moneta unica.

Sappiamo che c'è in giro una grande voglia di accordi sottobanco, di restaurazione della vecchia influenza ed egemonia delle oligarchie e degli apparati di partito, di quella che io chiamo la politica politicante.

Non è un caso se ebbe a fare tanto scandalo una mia dichiarazione in cui registravo quel che tutti vedono: la crisi del bipolarismo, il moltiplicarsi degli attacchi alla capacità di governare il sistema politico secondo la norma dell'alternanza: chi vince governa, chi perde controlla e prepara il governo di domani.

Vorrei fosse estremamente chiaro che noi non siamo disponibili ad alcun tipo di accordo sottobanco.

Non ci interessa mercanteggiare i nostri voti, che sono un mandato affidato a noi da milioni di elettori, per fare da stampella a un governo che ha perso la sua autonoma maggioranza.

Nel caso drammatico dell'Albania, quando erano in gioco l'onore militare e il prestigio internazionale dell'Italia, fummo costretti a conferire a questo governo una maggioranza che non aveva più, ma lo facemmo solo e soltanto in nome di un'emergenza nazionale nel campo delicatissimo della politica estera e della sicurezza.

Oggi è in discussione l'identità programmatica del governo, e qui pasticci non se ne fanno e non se ne possono fare.

È un momento in cui devono compiersi scelte chiare, di cui si è responsabili davanti alla nazione e all'Europa.

Quando una maggioranza va in crisi, di regola, in un Paese serio, si vota in breve tempo e si sceglie un nuovo governo.

Noi non abbiamo alcuna paura di questa prospettiva. Anzi, la riteniamo politicamente possibile, in piena coerenza con quanto affermavamo all'epoca del ribaltone.

Sarebbe bello se anche l'onorevole D'Alema potesse oggi rivendicare nuove elezioni in coerenza con le sue parole di ieri, ma così non è, perché delle virtù politiche la coerenza è tra le più difficili da praticare con serietà e con ostinazione.

Comunque, pronunciamenti chiari del capo dello Stato e ansie di numerose forze parlamentari fanno pensare che ancora una volta sarebbe ardua e tortuosa la strada che conduce dalla crisi politica alle urne. E non è affatto certo, anzi è forse certo il contrario, che il risultato di nuove elezioni sia la nascita di una maggioranza pienamente autosufficiente.

La nostra scelta è dunque chiara, e non da ora. Non amiamo le vie tortuose. Non ci piacciono gli inciuci. Non vogliamo pastrocchi. Se c'è da fare un tratto di strada insieme per realizzare determinati obiettivi utili al Paese, questo è un altro discorso.

L'Europa e le riforme costituzionali sono già da mesi, per il determinante contributo di un'opposizione come la nostra, seria e civile, elementi di un programma gestito in forma bilaterale da governo e opposizione.

Senza il nostro contributo, dalla missione in Albania alla responsabilità con cui abbiamo condotto la nostra opposizione parlamentare garantendo stabilità al Paese, l'Europa sarebbe un miraggio irraggiungibile. Senza il nostro lavoro e il nostro impegno, le riforme costituzionali già all'ordine del giorno delle Camere, non sarebbero mai state avviate.

Tuttavia non sta a noi indicare soluzioni *oggi*. Noi confermiamo apertamente – perché siamo gente seria e pratica e non vogliamo vedere l'Italia umiliata sulla scena e sul mercato europeo e mondiale – la nostra disponibilità a far muovere in avanti questo Paese, nonostante il fallimento della maggioranza dell'Ulivo, e a risparmiargli una nuova commedia di equivoci, inganni e trabocchetti come quella vissuta dopo la crisi del governo che ebbi l'onore di presiedere.

Se dall'interno dell'ex maggioranza si indicherà una formula nuova di governo e un nuovo esecutivo, che siano capaci di mettere a frutto, per un tempo determinato, le intese sulla riforma dello Stato sociale e della Costituzione, il nostro impegno non mancherà.

Onorevole D'Alema, si assuma le sue responsabilità di leader politico e di presidente della Bicamerale per le riforme: dopo aver chiesto e ottenuto la nostra collaborazione leale in tante occasioni, è venuto il momento di indicare «lealmente» una soluzione di governo nuova, che chiuda la stagione impossibile dell'Ulivo e apra una fase di transizione virtuosa all'Europa e a un nuovo sistema costituzionale.

Per fare questo – ecco il punto – o si vota e si trova una maggioranza autosufficiente (ipotesi allo stato difficile da prevedere) oppure bisogna varare una nuova maggioranza. Ma sta a voi tirare fuori il Paese dal guaio in cui la crisi di questa «maggioranza non maggioranza», della maggioranza del 21 aprile '96, lo ha cacciato. Se non ne avete una per governare, proponetene un'altra: ma alla luce del sole, in Parlamento, senza pastrocchi e trappole che il Paese non capirebbe.

Noi siamo disponibili a un dialogo impegnativo e limpido, non siamo disponibili a nient'altro.

Queste che vi ho esposto, signori deputati, non sono posizioni d'occasione.

Noi abbiamo considerato nei mesi scorsi come dissennata la scelta di perseguire il riequilibrio dei conti dello Stato con un incredibile aumento della pressione fiscale sulle attività produttive e sui redditi, piuttosto che con una incentivazione allo sviluppo e agli investimenti produttivi, accompagnata da misure di razionalizzazione della spesa pubblica e da norme capaci di rendere flessibile il mercato del lavoro. Ma abbiamo detto, e ripetiamo, che il riequilibrio dei conti è un obiettivo comune, e che l'ingresso dell'Italia in Europa, nel momento in cui partirà l'unificazione monetaria, è un risultato a cui l'opposizione punta non meno del governo. Diciamo queste cose da tempo e sempre alla luce del sole.

Io credo che un programma a «tempo determinato» per l'Europa possa e debba essere oggetto di negoziato, nel momento in cui venga meno la maggioranza e non risulti realistica la prospettiva elettorale.

Diciamo altresì, *da mesi*, che occorre mutare la forma di Stato in senso federalista, che occorre introdurre una nuova forma di governo e mettere mano alla legge elettorale, senza penalizzare la rappresentanza ma rendendo possibile un governo autorevole del Paese.

Diciamo, *da mesi*, che si deve ricostruire e riportare nel suo alveo naturale lo Stato di diritto, proteggendo l'indipendenza dei magistrati ma anche la terzietà e l'autorevolezza dei giudici.

Abbiamo votato insieme nella Bicamerale un programma di lavoro sul quale il Parlamento potrebbe utilmente impegnarsi da qui in avanti, mantenendo intanto ben salda la nostra rotta verso l'Europa. Ma sta a chi vinse le elezioni, sia pure in virtù di un meccanismo elettorale fragile come la desistenza con i neocomunisti, avanzare proposte serie per una nuova maggioranza. Oppure alzare le braccia in segno di resa e lasciare agli italiani di giudicare una stagione che nacque fra grandi proclami e si chiude tristemente ora nel segno dell'impotenza.

Grazie.

Scegliendo la riforma della Costituzione
abbiamo cercato di dare a tutti gli italiani
il sentimento di avere nelle istituzioni
la sicurezza della libertà

28 gennaio 1998

La Commissione Bicamerale, istituita il 22 gennaio del 1997, aveva chiuso i suoi lavori nel giugno di quello stesso anno, con la presentazione di un progetto di riforma della seconda parte della Costituzione. Il testo fa il suo ingresso alla Camera dei deputati il 28 gennaio. Si tratta di un progetto scarno, che ha evidentemente bisogno di un'attenta verifica e di una sostanziale revisione da parte delle Camere. Da qui l'ampio dibattito parlamentare su tutti i temi della riforma: dall'elezione del presidente della Repubblica alla legge elettorale, dalla costituzione di un'assemblea federale ai temi della giustizia.

Signor presidente, Onorevoli colleghi,
il 2 agosto del 1996 votammo alla Camera la legge istitutiva della Bicamerale.

Era passato esattamente un anno da quando mi ero rivolto, a nome di tutto il Polo delle libertà, a quest'assemblea per spiegare e sostenere le ragioni, e l'urgenza, di una profonda riforma della seconda parte del nostro ordinamento costituzionale.

Si dava così inizio a un cammino difficile, che non era la via maestra della Costituente da noi auspicata.

Si trattava di un cammino diverso, accidentato e faticoso, tentato altre volte senza esito: quello di una Commissione Bicamerale per le riforme costituzionali.

Con senso di responsabilità e di realismo, ritenemmo di doverci impegnare: dall'opposizione non potevamo certo imporre l'Assemblea Costituente se non puntando su una crisi politico-costituzionale che avrebbe esposto il Paese a gravi rischi.

La posta in gioco era alta, poiché si trattava, e ancora si tratta, di ricostruire un tessuto politico e costituzionale lacerato dalle contraddizioni esistenti tra istituzioni indubbiamente datate e una società civile sempre più complessa, aperta e dinamica.

Il crollo della Prima Repubblica aveva creato disorientamento, vuoti di potere, ambiguità costituzionali e politiche. Esso era avvenuto mediante la distruzione dei partiti di tradizione democratica e occidentale da parte di alcune Procure che hanno però risparmiato il PDS e la sinistra democristiana. Questo squilibrio rende molti di noi dubbiosi sulla qualità democratica dell'attuale condizione del Paese. Noi non ci chiamiamo certo fuori da un processo costituente che abbiamo per primi determinato, ma non possiamo non preoccuparci di quanti temono che esso finisca per legittimare quella realtà illiberale che sta pericolosamente emergendo sotto i nostri occhi.

Era necessario quindi un nuovo patto per la ricostruzione, come quello che permise la nascita della Repubblica dopo le devastazioni della dittatura e della guerra; un patto fondato sul comune obiettivo di modernizzare il Paese e metterlo al passo con l'Europa.

Su quell'obiettivo potevano, e possono ancora convergere, le energie e le tradizioni del centrodestra, in nome dei valori del liberalismo e del mercato, e quelle del centrosinistra in nome di quei valori della socialdemocrazia europea che tanti, nel PDS, dichiarano di voler fare propri.

Fu questa, lo ripeto, una scommessa fondata sul nostro senso di responsabilità verso il Paese.

Scegliendo la riforma della Costituzione abbiamo cercato di aprire una via per dare a tutti gli italiani il sentimento di avere nelle loro istituzioni la sicurezza della libertà.

Noi, tutti noi di Forza Italia abbiamo lavorato per il successo della Bicamerale, spesso non compresi dai nostri stessi elettori. E tuttavia non siamo riusciti a rafforzare la tutela costituzionale delle libertà del cittadino nella vita quotidiana, nell'attività d'impresa e di lavoro. Non siamo riusciti a far fare un passo indietro allo Stato. Anzi, mentre operavamo per una riforma liberale, nella realtà lo Stato faceva passi avanti, imponendo nuovi vincoli e aumentando la pressione fiscale.

Decidemmo di puntare sui propositi di rinnovamento del PDS, sulla dichiarata intenzione del suo gruppo dirigente di allinearsi alle socialdemocrazie europee. Per questo contribuimmo anche all'elezione dell'onorevole D'Alema alla presidenza della Bicamerale.

Al congresso del suo partito, nel febbraio del '97, l'onorevole D'Alema ebbe un atteggiamento aperto sul welfare e sulla riforma, per la quale annunciò di rifiutare maggioranze precostituite, auspicando anzi il superamento delle logiche di parte: era l'interesse generale del Paese che doveva prevalere.

Ma l'andamento dei lavori della Commissione non è stato, purtroppo, all'altezza delle nostre aspettative.

Spesso, troppo spesso, il gruppo dirigente del PDS ci ha dato l'impressione di mettere al primo posto gli interessi di una sinistra che, invece di portarsi al livello delle grandi socialdemocrazie europee, cerca, in tutti i modi, di conservare e compiacere il proprio elettorato, ricalcandone passivamente gli umori e le oscillazioni.

Solo qualche mese fa la lotta di potere all'interno della maggioranza ci ha portato addirittura a una crisi politica che poteva determinare le elezioni anticipate, con la fine certa delle riforme e il mancato ingresso nella moneta unica europea.

In quell'occasione il destino delle riforme non fu certo la principale preoccupazione del PDS.

Tra alti e bassi, dunque, tra spinte ideali e veti incrociati, il lavoro della Commissione Bicamerale è giunto al termine.

Sul risultato di questo lavoro, oggi, la nostra valutazione può solo essere critica: attenta cioè ai lati positivi e negativi, a ciò che va eliminato perché residuo del passato e a ciò che, invece, va sviluppato e rafforzato guardando al futuro.

L'elezione diretta del capo dello Stato rappresenta sicuramente una conquista e, più di ogni altra riforma, dà il segno del cambiamento.

Ma la nuova fisionomia costituzionale del presidente della Repubblica appare ancora incerta. Non è chiaro quali siano i suoi poteri, i suoi limiti e le sue funzioni. Sicché potremmo avere una figura costituzionale legittimata da milioni di voti, e dunque con un grande peso politico, ma povera di poteri reali. Un presidente eletto dal popolo deve essere responsabile dell'indirizzo politico del governo e deve disporre degli strumenti per attuarlo: se non si scioglie questo nodo, che decide degli equilibri politico-istituzionali, non sarà possibile concludere positivamente il processo di riforma.

Notevoli ambiguità permangono anche su altri aspetti.

Il modo di fare le leggi, per esempio, non aderisce certamente ai criteri di chiarezza ed efficienza richiesti dalla nostra società. E non è stata disegnata un'Assemblea federale che serva da raccordo con le autonomie locali.

Venendo alla legge elettorale, la Bicamerale ha prodotto solo un documento d'indirizzo, ma anche in esso è contenuto un rischio: che gli elettori votino prima per un presidente della Repubblica e poi per un presidente del Consiglio. Resterebbe così irrisolto il primo problema per cui abbiamo fatto le riforme: quello di stabilire chi è il responsabile della politica di governo.

Quanto alla giustizia, si tratta sicuramente di un progetto innovativo: giudice terzo, equilibrio tra accusa e difesa, centralità dei diritti dei cittadini. Ma la separazione delle carriere tra pubblico ministero e giudice – presupposto perché vi sia una giustizia veramente equa ed efficiente – sembra ancora di là da venire. Questa distinzione esiste in tutte le democrazie occidentali che pure hanno a cuore, almeno quanto noi, l'autonomia e l'indipendenza dei giudici. E, pertanto, essa non può e non deve essere intesa come una soluzione «contraria» alla magistratura.

Chiediamo l'equidistanza tra giudice e pubblico ministero. Se essi hanno la stessa carriera, la stessa associazione, lo stesso elettorato attivo e passivo nell'organo di autogoverno, lo stesso ufficio e si scambiano le funzioni ogni volta che lo desiderano, non vi è più parità tra le parti. In queste condizioni il pubblico ministero è più vicino al giudice di quanto lo sia il difensore. Perciò, lo ribadiamo, non c'è equidistanza e non c'è parità. Senza parità le garanzie dei cittadini si affievoliscono o decadono. Ecco perché la separazione delle carriere è per noi un punto fondamentale.

Ma è sul federalismo che appare più forte la distanza tra le esigenze del Paese e il testo della riforma della Bicamerale.

Certo, rispetto al passato, si sono fatti passi in avanti.

Le regioni avranno qualche autonomia legislativa e gli enti locali autonomia finanziaria, tributaria e organizzativa in materie che interessano direttamente la vita del cittadino. Ma tale autonomia, in base alla proposta della Bicamerale, può essere sospesa dallo Stato centrale in qualsiasi momento.

Possiamo definire tutto questo «federalismo»?

E, ancora, non è stato compiutamente definito il principio di sussidiarietà, quello per cui la mano pubblica non deve intervenire laddove il privato può fare da sé e a costi minori. Ovvero, per dirla con la migliore tradizione social-democratica europea: «il mercato ovunque possibile, l'intervento pubblico solo quando necessario».

Se è vero che nel progetto si riconosce il ruolo dei privati, è anche vero che si tratta solo di un benevolo riconoscimento dall'alto dello Stato centrale, con l'intento, neppure tanto velato, di mantenere sotto controllo l'iniziativa privata.

Francamente, non possiamo pensare di entrare e restare in Europa senza la piena accettazione delle regole di mercato.

I nodi da sciogliere, come si vede, non sono pochi.

Noi, questi nodi, li vogliamo sciogliere perché non accettiamo l'idea di una riforma dimezzata, perché vogliamo fortemente una riforma che aiuti il nostro Paese a diventare più moderno, più giusto e più libero.

Ma, colleghi della sinistra, sia chiaro un punto: noi di Forza Italia non abbiamo bisogno di legittimarci mediante la riforma della Costituzione. Noi siamo nati legittimi, abbiamo reso possibile il cambiamento e lo stesso bipolarismo. Forza Italia è la novità politica e istituzionale del nostro Paese. Ma è la realtà in cui viviamo che impedisce al nostro popolo di riconoscersi senza riserve in questa proposta di riforma.

La preoccupazione degli italiani più che da quello che la Bicamerale ha scritto o non scritto, nasce dalla realtà in cui essi vivono. Molti si interrogano se questa realtà non evolva verso il monopolio politico del PDS. E temono che la riforma rischi di diventare la legittimazione di un sistema politico-istituzionale che i cittadini non accettano e non possono accettare. Non è il testo della Bicamerale che fa il problema, ma l'attuale, concreta realtà delle cose.

Noi, lo ribadisco, vogliamo la riforma della Costituzione, ma solo se verranno superati i limiti del testo nella formulazione attuale, che non corrisponde alla vocazione di libertà del nostro movimento.

Perché siamo fedeli alla riforma ma, soprattutto, alla libertà.

Vi ringrazio.

Vogliamo delle riforme di cui essere orgogliosi e non delle riforme di cui doverci scusare con gli italiani

27 maggio 1998

Il lungo dibattito parlamentare sulla modifica della seconda parte della Costituzione registra una tendenza conservatrice da parte della maggioranza nei confronti della bozza di programma approvata nel giugno del 1997 dalla Commissione Bicamerale. Su molti temi, e in particolare su quello della sussidiarietà, nel dibattito in aula la sinistra fa marcia indietro. Stesso discorso per la questione, fondamentale, concernente le prerogative del capo dello Stato. Il testo approvato fino a quel momento delinea una figura contraddittoria: un presidente eletto dal popolo, ma dotato di poteri estremamente limitati.

Signor presidente, Signori deputati,
siamo arrivati a uno dei nodi centrali del processo riformatore: la definizione dei poteri del presidente eletto direttamente dal popolo e, in particolare, del potere di scioglimento delle Camere. Ma è anche arrivato il momento di fare un bilancio complessivo delle riforme.

Quando, nell'agosto del '95, parlai per primo in aula della necessità di una riforma della Costituzione, lo feci a nome di tutto il Polo delle libertà, perché noi tutti ritenevamo che quel terreno fosse il più adatto per consolidare le condizioni del bipolarismo: si trattava di delineare un quadro comune e condiviso entro cui collocare le proprie differenze politiche e programmatiche. Pensavamo, peraltro, che sia la riforma costituzionale sia l'ingresso nell'Unione monetaria europea fossero obiettivi comuni, da perseguire unitariamente, pur nella chiarezza e nella distinzione delle rispettive posizioni.

Così non è stato. La maggioranza ha preferito tutelare innanzitutto le sue ragioni e la linea *bipartisan* è rimasta soltanto nelle dichiarazioni formali.

In generale è prevalso il tentativo di condurre il processo riformatore con una mera tecnica di conciliazione delle posizioni contrapposte, salvando sempre e comunque quelle della maggioranza ed eludendo sistematicamente i rischi di una mediazione alta e nobile più consona allo spirito costituente che ci animava.

Anche il calendario dei lavori d'aula è stato piegato a questa logica: frammentario e inconcludente nella prima fase, serrato e a tempi indebitamente contingentati nella seconda.

Ma su questo aspetto torneremo espressamente in altra occasione.

Era convincimento comune, avallato dallo stesso presidente D'Alema, che il testo uscito dalla Commissione Bicamerale, mai votato nella sua interezza, non fosse un testo sacro e immodificabile ma solo una bozza, un punto minimo d'intesa, sul quale l'aula avrebbe dovuto lavorare intensamente per migliorarlo.

Per parte nostra, fin dal primo momento, abbiamo indicato e, successivamente, più volte ribadito con assoluta coerenza i punti sui quali erano necessari e indispensabili significativi passi avanti.

Constatiamo oggi, con rammarico, che, praticamente, nessuno dei nostri suggerimenti è stato accolto.

In particolare, nutriamo fortissimi dubbi sulla soluzione che si sta delineando per la forma di governo.

In questi giorni, sono stato bruscamente invitato a esprimere, una buona volta per tutte, la posizione di Forza Italia sul presidenzialismo e sui poteri del presidente.

Ritengo, per la verità, di averlo fatto in maniera inequivocabile, in mille e una occasione, nelle sedi più disparate, ma anche e soprattutto in quest'aula.

E non abbiamo mai cambiato opinione. Abbiamo invece trovato conferme anche molto autorevoli alle nostre preoccupazioni.

Ci sembra senza senso la figura del presidente della Repubblica che emerge dal testo sinora approvato. Un presidente eletto, sì, dal popolo, ma dotato in realtà di poteri limitati, deboli e incerti, non proporzionati alla fonte della sua legittimazione.

Che senso ha scomodare il popolo sovrano per eleggere un siffatto presidente? E chi risolverà gli eventuali, inevitabili conflitti con il presidente del Consiglio designato dal popolo? Sono i temi sollevati dal presidente del Senato, quando ha parlato dei pericoli di un «presidenzialismo bicefalo».

Non è stata per noi una sorpresa, né una scoperta tardiva dovuta al grido d'allarme del presidente Mancino o ai tanti richiami di studiosi e costituzionalisti che quel grido hanno accompagnato e seguito.

Lo vedemmo subito quel pericolo e non mancammo di denunciarlo proprio in quest'aula nel momento stesso in cui vi faceva ingresso la bozza della Bicamerale. Era il 28 gennaio di quest'anno. Il resoconto stenografico sta lì a documentare quella denuncia, a ricordare anche agli immemori la nostra posizione e a testimoniare la nostra coerenza. Perdonatemi la citazione, ma è necessaria per dimostrare a tutti che non abbiamo cambiato idea, come qualcuno insinua. Al contrario, rimaniamo fermi sulla nostra posizione di sempre che è dettata dalla responsabilità e che non è viziata da una visione miope e strumentale delle contingenze della politica, come purtroppo capita ad altri, e tanto meno influenzata dai risultati delle ultime elezioni amministrative.

«L'elezione diretta del capo dello Stato» dissi testualmente quel giorno «rappresenta sicuramente una conquista e, più di ogni altra riforma, dà il segno del cambiamento. Ma la nuova fisionomia costituzionale del presidente della Repubblica appare ancora incerta. Non è chiaro quali siano i suoi poteri, i suoi limiti e le sue funzioni. Sicché potremmo avere una figura costituzionale legittimata da milioni di voti, e dunque con un grande peso politico, ma povera di poteri reali. Un presidente eletto dal popolo» aggiunsi «deve essere responsabile dell'indirizzo politico del governo e deve disporre degli strumenti per attuarlo: se non si scioglie questo nodo, che decide degli equilibri politico-istituzionali, non sarà possibile concludere positivamente il processo di riforma.» Questo dissi quel giorno e questo ho sempre ripetuto.

Perché meravigliarsi, oggi, della nostra posizione, se nulla è stato fatto per sciogliere quel nodo? Perché meravigliarsi, dopo che la maggioranza ha preferito «blindare» quel testo, che già allora considerammo improponibile, mortificando così lo spirito costituente e riducendolo a una finta battaglia sugli emendamenti?

Chi oggi ci accusa di irresponsabilità o di incoerenza dovrebbe riflettere sulla propria sordità e sull'ostinata chiusura alle nostre proposte. Forse un po' di autocritica non guasterebbe.

Ma anche su altre due questioni decisive sono emerse finora soluzioni dimezzate o quanto meno elusive.

Ci riferiamo al federalismo, che rischia di rimanere depotenziato dall'assenza di un'avanzata proposta sulla ripartizione delle entrate fiscali.

E ci riferiamo anche alla giustizia, dove abbiamo constatato un'assoluta sordità e un muro di dinieghi all'ampliamento dei diritti fondamentali di garanzia del cittadino. Si tratta di questioni di principio come la separazione delle carriere e la terzietà effettiva del giudice che, mentre hanno antica cittadinanza in Europa, qui rischiano di retrocedere anche rispetto alla Costituzione vigente.

Noi vogliamo concludere questo processo riformatore, anche perché non dimentichiamo che fummo proprio noi ad avviarlo. Ma non vogliamo concluderlo con un esito paradossale e in un certo senso beffardo.

Non vogliamo trovarci di fronte a pseudoriforme che peggiorino l'esistente e producano un assetto istituzionale incoerente e pericoloso.

Non vogliamo bloccare il cammino delle riforme istituzionali: vogliamo, se è ancora possibile, portarlo a buon fine. Vogliamo però delle riforme vere, capaci di cambiare il nostro assetto costituzionale per ammodernarlo. Vogliamo delle riforme di cui essere orgogliosi e non delle riforme di cui doverci scusare con gli italiani. Non delle «mezze riforme», fatte solo al fine di dire che, in fondo, qualcosa abbiamo fatto, indipendentemente dal merito di ciò che ci si chiede di votare.

Ma non possiamo vederci considerati, a un tempo, parte contraente necessaria per la riforma, in quanto forza centrale del sistema politico italiano, ed essere poi costretti a una battaglia contro i mulini a vento, votando noi, da soli, inutilmente i nostri emendamenti.

Dobbiamo constatare che complicati giochi tattici e di potere stanno riducendo la grande riforma istituzionale a una occasione di ordinaria contesa politica e le fanno perdere quel fine alto, nobile e generale che invece dovrebbe avere.

In una situazione di questo tipo, abbiamo deciso di bloccare la deriva verso le sabbie mobili di un compromesso di basso livello, che rinuncia a quel disegno organico e unitario, forte di una propria coerenza interna indispensabile per una riforma costituzionale, e che si affida invece a una composizione improvvisata e occasionale di norme e di istituti che, oltretutto, fanno paventare per il futuro il rischio di una pericolosa conflittualità istituzionale.

Per arrestare questo degrado, che è funzionale soltanto agli interessi di chi vuole attraversare la fase costituente senza correre rischi nella gestione del potere che ha occupato, ribadiamo ancora una volta i punti chiari, netti e irrinunciabili che potrebbero rappresentare – almeno ce lo auguriamo – una sintesi accettabile delle differenze non strumentali emerse nel dibattito parlamentare.

Ricordiamoli, quei punti:

1) un federalismo politico autentico, accompagnato da un avanzato federalismo fiscale che consenta una corretta attribuzione delle risorse;

2) una forte affermazione della libertà d'iniziativa in campo economico e sociale, sostenuta da un'effettiva limitazione del potere dello Stato e delle istituzioni pubbliche, mediante la rigorosa applicazione del principio di sussidiarietà. Vale la pena ricordare a questo proposito l'emendamento dell'onorevole Guarino del Partito popolare bocciato però dalla sua stessa maggioranza;

3) un sistema di garanzie dei diritti di tutti i cittadini, in linea con l'Europa, attraverso la trasposizione nella nostra Costituzione dei principi contenuti nelle Convenzioni di Strasburgo, con le modalità di funzionamento degli organi giudiziari coerenti con quelle degli altri Paesi europei. Siamo infatti convinti che l'integrazione economica e politica non potrà avere successo in assenza di una convergenza anche fra gli ordinamenti giuridici;

4) il presidenzialismo. Su questo punto fondamentale, che è il cuore della riforma, noi teniamo ferma la posizione che ho prima illustrato e che è la nostra posizione di sempre.

Se, come sembra, la forza delle decisioni già prese ci costringesse a votare questo presidenzialismo inconsistente, contraddittorio e pericoloso, noi non esiteremmo a dire «no».

Un no decisivo che coinvolgerebbe, anche per la valenza delle altre osservazioni, l'intero progetto di riforma che è sotto i nostri occhi.

Noi non sappiamo se allo stato attuale delle cose ci sia ancora in Parlamento una larga, coerente maggioranza riformatrice e, nel caso ci fosse, se essa sia in grado di porre rimedio ai gravi errori finora compiuti.

Nonostante tutto, noi ce lo auguriamo.

Ci auguriamo che tutti i gruppi, quelli di maggioranza come quelli di opposizione, sappiano e vogliano riflettere.

Vi ringrazio.

Un governo che finga di governare al solo fine di durare è la cosa peggiore che possa capitare a un Paese

7 ottobre 1998

La Finanziaria, presentata il 25 settembre dal governo Prodi, provoca l'opposizione sia del Polo che di Rifondazione comunista. Di fronte all'ennesima divisione tra Ulivo e Bertinotti, il centrodestra insorge, chiedendo elezioni anticipate. Ma, ai primi d'ottobre, due eventi fanno sperare a Prodi di aver ancora una maggioranza parlamentare. Da una parte, si crea una scissione all'interno dei neocomunisti: Armando Cossutta, presidente di Rifondazione, dichiara il proprio sostegno al governo (l'11 ottobre, al cinema Metropolitan di Roma, nascerà il Partito dei comunisti italiani). Il secondo evento è la promessa, fatta da Francesco Cossiga, di dare i voti dell'UDR a favore della Finanziaria. Ma, a dispetto delle apparenze, il 9 ottobre, l'esecutivo Prodi cadrà alla Camera dei deputati per un solo voto. Sarà il via libera per un nuovo governo, guidato da Massimo D'Alema, il primo nella storia d'Italia a essere presieduto da un esponente che proviene dalle file del PCI.

Signor presidente, Signori deputati, Signor presidente del Consiglio,
quando l'Ulivo vinse le elezioni nel '96, il Polo delle libertà sostenne che il bipolarismo era stato raggirato. Dicemmo allora che la maggioranza uscita dalle elezioni non era una maggioranza di governo: la desistenza era già in se stessa la negazione di una politica comune; a ben guardare nascondeva un imbroglio.
Essa indicava già non solo l'inconciliabilità del program-

ma dell'Ulivo con quello di Rifondazione comunista ma anche una differenza politica a sinistra tra il PDS e Rifondazione stessa. E siccome le differenze nei partiti della sinistra sono sempre «di principio», riguardano, cioè, la visione della società, era evidente che queste differenze ideologiche sarebbero apparse ben presto alla luce del sole.

Dicemmo allora, e ripetiamo oggi, che il popolo che votò la maggioranza dell'aprile '96 fu ingannato: credette di votare un governo, votò invece una mistificazione che nascondeva la storia litigiosa della sinistra italiana.

La verità che allora avevamo proclamato a gran voce venne ignorata, negata, censurata: la sola verità che aveva diritto di esistere e che veniva diffusa dagli uffici di propaganda dell'Ulivo era che il Polo aveva perso. Oggi è chiaro a tutti che noi avevamo vinto nel Paese e che se avevamo perso sul piano della rappresentanza parlamentare era solo perché le carte della sinistra erano truccate.

Nello scenario di incertezza che domina quest'aula, e che da quest'aula si trasmette al Paese, una cosa sola è certa: la crisi politica irreversibile della sua maggioranza, signor presidente, e dunque del suo governo.

L'Ulivo è in crisi: il formidabile governo dell'Ulivo che, secondo la sua stessa elegante definizione, doveva far vedere a tutti «i sorci verdi» chiude la saracinesca e dichiara il suo fallimento politico.

Il sogno della sinistra è svanito o, se volessimo adoperare il linguaggio caro alla sinistra, ha esaurito la sua «spinta propulsiva».

Lo sviluppo della procedura politico-parlamentare innescata dalla sua crisi è ancora misterioso ma ciò che è chiaro a tutti, specialmente a chi è fuori dal palazzo, è il collasso della formula con cui la sinistra ha preteso di avere «titolo» per governare il Paese: quella formula e quella coalizione sono appassite prima di conoscere una qualunque fioritura.

Ed è proprio nella confusione attuale che emerge la prova dell'equivoco iniziale, su cui è nato e si è basato il suo governo.

Lei, presidente Prodi, è stato, insieme, artefice e vittima del suo destino politico. Prima si è presentato al Paese garantendo testualmente: «Non accetterò mai di presiedere un governo condizionato dai voti del partito della Rifondazione comunista»; poi si è presentato in quest'aula, e da qui al Paese, con un governo che era invece strutturalmente condizionato proprio dai voti di Rifondazione comunista; e ora, alla fine, inevitabilmente, è la realtà ad avere il sopravvento sulla falsità.

Non abbiamo qui, in quest'aula, una maggioranza parlamentare che esprima un governo costituzionale, come dovrebbe essere in un circuito democratico legittimo.

Non abbiamo neppure, a circuito invertito, un governo che cerchi una maggioranza in Parlamento.

Abbiamo un governo disposto a durare senza una maggioranza.

Lei sta inaugurando, presidente Prodi, un singolare esperimento costituzionale: non quello di un governo a maggioranza parlamentare definita; piuttosto, quello di un governo a maggioranza eventuale o casuale. Un governo all'asta.

È questa la vostra riforma della Costituzione?

Questa crisi, che è tutta interna alla sinistra, sta trasformando il suo collasso in un costo a carico del sistema democratico e dunque del Paese.

Il suo governo ha già perso, e da tempo, o forse non ha mai neppure avuto una maggioranza in politica estera.

È possibile che una maggioranza di governo esista se è radicalmente, ideologicamente, divisa in politica estera?

Fuori dalla propaganda, può spiegare, a noi gente semplice, come fa ad avere prestigio all'estero un governo che non ha una maggioranza in politica estera?

E le conseguenze si vedono: è semplicemente indecente che l'Italia debba mendicare una citazione in inglese, in francese o in tedesco per diradare l'impressione che un Paese a guida debole venga scartato o messo in un angolo da un direttorio formato dai tre principali governi di sinistra del Continente.

Il suo governo vantava comunque, fino a qualche tempo fa, una residua maggioranza in altri campi della sua attività.

Ma è a tutti evidente il degrado progressivo della politica legislativa, dell'ordine pubblico, della giustizia, delle garanzie riconosciute all'opposizione.

E ora il suo governo è nuovamente in crisi sulla politica economica. Occasionalmente, sulla Finanziaria per il 1999.

Il suo governo, presidente Prodi, ha svuotato la ricchezza italiana più originale, il ceto medio, la piccola e media impresa. Ne hanno avuto beneficio i protetti del sindacato e della grande industria? Immediatamente sì, crediamo, ma non sul piano sociale reale. Si è creato ormai, come Mario Monti ha ben notato, un obiettivo conflitto generazionale. I padri vanno in pensione giovani, ma i figli non trovano lavoro. Se non nasce uno sciopero generazionale, è perché la condizione giovanile è drammatica: ne deriva una demotivazione generale che spinge i giovani a non lasciare la famiglia, a non crearne una nuova. È per questo che siamo ai vertici del deficit demografico mondiale: ma la rigidità sindacale e la pressione fiscale impediscono la nascita di nuove imprese. Che sarà di queste generazioni escluse dal lavoro?

Paradossalmente, per noi, la sua Finanziaria è insufficiente, per difetto.

È insufficiente non tanto e non solo per quello che c'è dentro, ma per quello che non c'è dentro.

Ci viene fatto notare che il saldo finanziario è relativamente piccolo, pari a «soli» 14.700 miliardi.

Ma il problema politico vero non è di «quanto» sia il saldo.

Il problema è «dove» si colloca questo saldo: si colloca al vertice di una montagna di spese pubbliche e di tasse. L'opposto dello spirito politico dell'Europa di Maastricht che, espresso dal parametro simbolo del «3 per cento», significa: meno Stato, più privato. L'Italia è in Europa, ma nella posizione opposta: con sempre più Stato, sempre meno privato.

Ed è questa la causa oggettiva della crescente debolezza della posizione relativa e competitiva dell'Italia nel teatro europeo.

Siamo infatti, in Europa, il Paese con il più basso tasso di sviluppo e quindi di speranza nella redistribuzione della ricchezza.

È proprio per questo che valutiamo negativamente la sua Finanziaria di manutenzione e sopravvivenza.

Da parti opposte, la sua Finanziaria per il 1999 è criticata per la stessa ragione: perché non è il principio di nessuna politica.

Per contro, il 1999 non è un anno qualsiasi.

È un anno che, sotto l'urto della crisi economica mondiale, impone scelte «politiche» di alto profilo.

Scelte che nell'interesse del Paese devono essere tempestive, efficaci e incisive.

C'è un altro punto politico essenziale che vorrei sottolineare: lei ha propagandato il suo esecutivo come un governo ispirato dal principio della solidarietà verso i bisognosi.

Mi consenta di dissentire e di smentirla.

Alla fine di quella sorta di giro dell'oca, fiscale e parafiscale, che il suo governo ha tracciato, non solo le famiglie del ceto medio e le aziende dei piccoli produttori (che tengono in piedi e fanno funzionare questo Paese, malgrado le spinte e gli sforzi contrari del suo governo), non solo tutti questi soggetti subiscono un eccesso di pressione e di oppressione fiscale, ma anche i bisognosi si trovano in condizioni addirittura peggiori.

È vero che la Finanziaria prevede di stanziare qualcosa per i pensionati poveri, per la prima casa, e altre piccole caritatevoli sovvenzioni.

Ma in realtà, si dà con una mano e si toglie con l'altra.

Qualcuno ha detto che più che una partita di giro è una partita di raggiro.

E infatti ci saranno: la tassa sui muri, via nuovo catasto. Saranno contenti i pensionati che hanno una casa! La tassa sul lavoro, via TFR; l'aumento della benzina; le addizionali regionale e comunale, già citate; una nuova «curva» IRPEF, caratterizzata da un casuale sadismo per molti malcapitati; e poi, oltre alle tasse, le cosiddette bollette, tutte in aumento!

Non è dunque questo governo che difende i più deboli. Sono i più deboli che devono difendersi da questo governo!

Avevate promesso un nuovo slancio e grandi occasioni per i giovani e per il Mezzogiorno e avete dato qualche meschina regalia, qualche mancia ininfluente in un Paese in cui cresce il numero delle famiglie povere e decresce tra gli imprenditori la voglia di investire e di rischiare.

Avevate promesso una rivoluzione liberale e avete realizzato il più formidabile e opprimente sistema di prelievo ai danni delle famiglie e delle piccole e medie imprese.

E che dire della vostra propaganda sull'inflazione al 2 per cento?

Il declino dei tassi di inflazione è un fenomeno generale e mondiale. L'inflazione è al 3,6 per cento in Brasile; all'1,1 per cento in Argentina.

È anche questo merito vostro, signori ministri?

Comunque, in Italia, l'inflazione vera non è al 2 per cento, ma molto superiore. C'è un test empirico che vi suggerisco di fare, per verificarlo: non limitatevi a far spedire le bollette delle utenze dalle società partecipate, dall'IRI, o dall'ENEL. Leggetele, queste bollette!

Un'ultima considerazione.

Contro la crisi politica che si sta manifestando in queste ore non bastano una maggioranza evanescente e un governo rimediato, un esecutivo indebolito con una risicata, confusa, trasformistica e litigiosa pseudomaggioranza, un governo che nascerebbe tutto fuori dalla società civile, nel sotterfugio e nello shopping parlamentare, sotto l'alto patrocinio di un nuovo micropartito comunista partorito da una scissione che ha tutto il sapore di una congiura di palazzo. Una congiura mal mascherata, diretta e governata da Palazzo Chigi per consentire al ministero di galleggiare come un sughero e di sopravvivere al fallimento del progetto politico originario.

La crisi economica mondiale che sta arrivando, e che il governo ha sottovalutato sperando di esorcizzarla assumendo a base del «documento di programmazione» le cifre fantastiche di un ottimismo surreale, questa crisi richiederà, nell'interesse del Paese, l'opposto del suo non governo, signor presidente, richiederà un governo. Non un esecutivo che finga di governare, al solo fine di rimanere in vita: è la cosa peggiore che possa capitare a un Paese.

Invece di rabberciare alla meglio lo strappo nella sua coalizione, invece di disporsi a un'umiliante navigazione di piccolo cabotaggio nelle mani degli scissionisti di Rifondazione e di qualche altro transfuga in pellegrinaggio nelle stanze del potere, lei potrebbe dimettersi e favorire così un chiarimento parlamentare vero o un chiarimento elettorale vero. Sarebbe una ventata di aria pulita, una verifica democratica da parte dei cittadini del bilancio di una stagione politica, che, prima si chiude, meglio è.

Per questo, signor presidente, noi le neghiamo sin d'ora la fiducia e la invitiamo a dimettersi.

Ormai in Italia disattendere il responso delle urne non è affatto l'eccezione, bensì la regola

23 ottobre 1998

Una settimana dopo la caduta del governo Prodi, il capo dello Stato, constatata l'impossibilità di un reincarico all'ex presidente dell'IRI, affida il mandato per formare un nuovo esecutivo a Massimo D'Alema, segretario del PDS, il quale aveva escluso poco prima di poter diventare presidente del Consiglio senza passare attraverso regolari elezioni. La scelta di Scalfaro vede il dissenso del Polo, che chiede elezioni anticipate. Ma, il 19, D'Alema, sciolta la riserva, comincia a elaborare la lista dei ministri, che verrà presentata al Quirinale due giorni più tardi. Il 22, il neopremier si presenta a Montecitorio, dopo una notte travagliata durante la quale egli è riuscito, seppur faticosamente, ad accontentare le diverse componenti della maggioranza, nominando ben cinquantasei sottosegretari. Il giorno dopo D'Alema ottiene la fiducia, grazie all'appoggio dell'UDR di Cossiga e dei neocomunisti di Cossutta. Infine, il 27, anche il Senato darà il via libera al governo D'Alema.

Signor presidente, Signori deputati,
Signor presidente del Consiglio,
lei ha scelto di parlare in quest'aula sia ieri che oggi all'insegna di una pacatezza di cui le do atto volentieri e che sarà anche mia. Ma la pacatezza non può nascondere la realtà e non mi potrà perciò impedire di dire alcune verità anche scomode.

Governo e opposizione non devono insegnarsi reciprocamente il mestiere, ma è utile che sul piano del metodo si trovi, anche nel più fiero e orgoglioso dei contrasti, un linguaggio capace di stabilire la comunicazione e il dialogo tra avversari leali.

Come ha ricordato poco fa Gianfranco Fini, il «Times» di Londra ha formulato, senza esitazione, un giudizio molto duro nonostante il fair play sia di casa sull'esito della crisi politica italiana: un governo che nasce non dal voto, ma dalla paura del voto, non ha legittimità democratica e può essere definito soltanto come «la solita truffa».

Lei, onorevole D'Alema, ha cercato invece di convincerci del fatto che questo governo nasce in condizioni di eccezionalità politica, quasi in stato di necessità, per evitare l'esercizio provvisorio di bilancio e nuove elezioni che, secondo lei, non risolverebbero niente. Per nascondere l'imbarazzo che lei stesso avverte, ha cercato rifugio in Europa dove – ha detto – «gli elettori hanno indicato nelle forze socialiste e laburiste della sinistra riformista il riferimento di una nuova stagione». E ha aggiunto, con malcelato orgoglio, che «tredici Paesi su quindici sono governati oggi in Europa da coalizioni o forze riformiste di centrosinistra».

Ha omesso però un piccolo particolare, anzi due. Il primo, che qui da noi in Italia non sono stati gli elettori a indicare e a legittimare questo governo. E l'altro, che l'Italia è l'unico Paese in Europa in cui al governo è arrivato un personaggio della tradizione comunista, anzi che ha fatto parte «dell'apparato» del Partito comunista. Non erano comunisti, non sono mai stati comunisti i laburisti di Blair, i socialisti di Jospin, o i socialdemocratici di Schröder, che sono stati anzi la bandiera dell'anticomunismo in Europa.

Che il capo del governo conosca e riconosca il limite invalicabile della sua creatura, il non essere cioè l'esecutivo quello scelto dagli elettori secondo lo spirito e la prassi del maggioritario, è un elemento positivo che l'opposizione saprà valutare con attenzione. Ma osservo, per chiarezza, che ormai il disattendere il responso delle urne non è affatto l'eccezione, in Italia, bensì la regola.

E ancora una volta, in questa occasione, il partito di maggioranza relativa e il suo capo, invece di cercare di entrare a Palazzo Chigi per la via maestra, hanno imboccato una scorciatoia che sa di furbesco e che non rassicura chi crede nella moralità e nella trasparenza della politica.

Lei ci ha detto, signor presidente, che questa maggioranza nasce da due «fratture», una nell'Ulivo e una nel Polo, e che con entrambe è doveroso misurarci anche perché esse rendono testimonianza della fragilità del nostro bipolarismo.

Certo, ma c'è frattura e frattura.

Una cosa è la frattura che si è determinata all'interno di Rifondazione, un partito autonomo che non aveva abbracciato il programma dell'Ulivo e che comunque rimane, nelle sue due componenti, saldamente ancorato a sinistra, altra cosa è il distacco di alcuni deputati e senatori che sul programma del Polo delle libertà avevano preso il loro impegno di fronte agli elettori e che con assoluta disinvoltura passano nello schieramento opposto per dar vita a un governo addirittura più a sinistra di quello precedente. Nessuno può negare che c'è una bella e determinante differenza.

Chiunque ha diritto alle sue opinioni e il Parlamento non si governa con il pallottoliere: ma l'etica più elementare, oltre che l'estetica, consigliano a chi intenda rinnegare il patto stretto con gli elettori di rimettere quel patto in discussione davanti agli stessi elettori. Le elezioni suppletive sono lì anche per questo.

Siamo naturalmente indignati per quello che è accaduto, e diamo voce in Parlamento e nel Paese alla vigorosa protesta di quella maggioranza di concittadini – e si tratta dell'80 per cento degli italiani – che detesta la doppia verità, il rovesciamento delle posizioni, il facile oblio degli impegni, le manovre di palazzo, il ritorno insomma della vecchia politica e dei suoi vecchi metodi.

Una vera democrazia liberale non è fatta solo di regole formali. Conosciamo l'accezione del termine, onorevole

D'Alema. Quel che tiene insieme una comunità è anche uno spirito, un gioco onesto e chiaro che sappiamo non esserci per la progressiva degenerazione di quel gracile bipolarismo cui demmo vita il 27 marzo del '94 quando, per la prima volta, l'esecutivo fu di fatto scelto dal corpo elettorale. Questa degenerazione ha le sue radici nel ribaltone del '94, cioè nel premio che fu concesso alla politica del voltafaccia e del rovesciamento del verdetto delle urne. Questo governo, purtroppo, è ancora un passo avanti in direzione dello sgretolamento di quel bipolarismo e di quella condizione di autorevolezza, di stabilità e di efficienza dei governi che è così difficile da realizzare.

Una politica forte, onorevoli colleghi, saprebbe assumere atteggiamenti aperti, non avrebbe ragione di temere il giudizio della gente, non dovrebbe ricorrere, un anno sì e un anno no, alla logica dei trabocchetti e degli agguati istituzionali.

Lei, signor presidente del Consiglio, ha citato le parole improntate al dialogo di un martire della democrazia italiana, quell'Aldo Moro che fu assassinato in un «carcere del popolo» da un'organizzazione di terroristi i cui volti spuntavano dall'album di famiglia del comunismo italiano, le Brigate rosse.

Mi permetta però di farle osservare, onorevole D'Alema, che il tentativo di rinverdire, vent'anni dopo, il clima del «compromesso storico» non depone a favore di quel programma di modernizzazione della vita italiana che, un po' frettolosamente, lei ci ha prospettato ieri nel suo discorso.

Questo governo ha il sapore, al contrario, di un «compromesso antistorico» tra vecchie cordate della vecchia politica italiana; e nasce con una gran voglia di durare, se si deve giudicare dalla folla di ministri e sottoministri che ci viene proposta e dalla mal dissimulata ressa per l'accaparramento dei posti alla quale abbiamo assistito.

Io non so, signor presidente, se, come sento dire, questo governo abbia il respiro strategico della «solidarietà nazionale» o addirittura costituisca il naturale compimento del disegno politico di Moro e Berlinguer.

Mi limito solo a osservare che i due maggiori partiti di quello sfortunato disegno, che avevano quasi la stessa forza elettorale, rappresentavano insieme il 73 per cento degli elettori italiani, mentre, con tutto il rispetto, i due maggiori partiti di questo governo, oltre all'enorme disparità di forze, non vanno nell'insieme al di là del 28 per cento dei voti.

Francamente credo che sarebbe un grave abbaglio e una inaccettabile forzatura attribuire a questa compagine il valore di una maggioranza politica di tipo austriaco; una maggioranza, cioè, nella quale socialisti e popolari praticamente si equivalgono, rappresentando insieme circa l'80 per cento degli elettori.

Sarebbe davvero un abbaglio, anzi un ingannevole miraggio politico attribuire ai cosiddetti moderati dell'Ulivo una rappresentanza e una voce che non hanno.

No, onorevole D'Alema, la stragrande maggioranza dei moderati italiani sta qui, tra i banchi dell'opposizione.

E chiunque, nella complessa realtà italiana, voglia fare i conti con la maggioranza moderata del Paese, deve fare i conti con noi.

Questa è la rappresentazione bipolare dell'Italia di oggi, questo è il bipolarismo *vero*, cioè quello fondato sul consenso degli elettori. Il resto è solo artificio o, peggio, mistificazione.

Immagino che molti di voi, cari colleghi della minoranza di governo, abbiano accolto con fastidio le parole di verità, anche spiacevoli, con cui meritava e merita di essere commentata la nascita obliqua di questa operazione politica che ha malamente messo insieme e incollato vecchi gladiatori e vecchie guardie rosse.

Comunque noi siamo un'opposizione costituzionale e istituzionale. Siamo qui proprio per vedere fino in fondo e valutare, senza alcun accordo sottobanco e senza alcuna indulgenza, quel che di bene, o di meno peggio, può uscire da una pessima combinazione politica come la vostra.

L'Italia è la retroguardia dell'Occidente in fatto di crescita economica e di capacità di creare lavoro, di attrarre investimenti e di stimolare l'intrapresa. È il Paese delle tasse e della burocrazia statalista, e lo è sempre di più dopo due anni e mezzo di cure sbagliate.

Ieri, come del resto oggi, abbiamo colto nelle parole del presidente del Consiglio qualche accento nuovo, ma nell'insieme è prevalso il senso della continuità: basti pensare all'insistenza sulla Finanziaria del passato governo e alla volontà di portare all'approvazione lo sciagurato provvedimento di legge sulle trentacinque ore.

Ma ieri lei, signor presidente, mi ha anche chiesto di riflettere sugli interessi generali del Paese, ricordando che non è mancata l'occasione di lavorare insieme per il bene della nostra democrazia. La ringrazio. Purtroppo, però, è proprio quell'esperienza che ci induce alla prudenza e forse anche alla diffidenza. E, proprio perché abbiamo a cuore gli interessi del Paese, riteniamo che le riforme siano necessarie, ma non possiamo ripetere gli errori del passato.

Allo stato attuale delle cose, la sola strada davvero percorribile è quella che indicammo sin dal primo momento: la strada maestra dell'Assemblea costituente. Per questo i parlamentari del Polo sono impegnati a sostenere con determinazione la proposta di legge che abbiamo già presentato in Parlamento.

Rimane però prioritario per noi il problema di una nuova legge elettorale che rafforzi la scelta del maggioritario, che riconduca al bipolarismo e lo consolidi, che ponga argine al trasformismo dilagante. Inutile nascondersdo, questo problema si pone come una sorta di pregiudiziale politica rispetto a qualsiasi ipotesi di riforma costituzionale. Se non lo risolve il Parlamento, si dovranno fare i conti con il referendum abrogativo della quota proporzionale.

Signor presidente, Onorevoli colleghi,
un Paese in cui la comunità si senta più sicura e protetta; in cui i giovani agiscano più liberi e più uguali nelle oppor-

tunità di studio, di formazione e di lavoro; un Paese capace di dare alle donne il posto che loro spetta nella gerarchia dei valori sociali e nell'amministrazione della cosa pubblica; un Paese in cui il sostegno alla famiglia e alla scuola realizzi non l'egemonia soffocante dello Stato centralista, ma l'aspirazione alla libertà di culto e di educazione; un Paese in cui poteri consistenti vengano riservati, in un quadro compiutamente federale, a chi governa localmente il territorio: è questo il Paese al quale aspiriamo, è questo il Paese nel quale crediamo.

Per questo ci siamo battuti e continueremo a batterci con le nostre idee e le nostre proposte anche in Parlamento. E qui vi sfideremo a dire di no quando si tratterà di decidere su questi orizzonti e questi valori.

Ma è qui che emergeranno tutte le contraddizioni della vostra coalizione eterogenea e innaturale.

È stato proprio lei, signor presidente, ad ammettere che dentro la maggioranza convivono due visioni diverse, e io direi opposte, del bipolarismo. Ha anche dichiarato la sua preferenza, contestando l'opinione di chi invece ritiene che la coalizione di centrosinistra contenga in sé entrambi i termini del bipolarismo, oggi alleati, domani competitivi e alternativi. Ma quando mai?

L'alternativa è una sola: è e si chiama Polo delle libertà. Noi siamo stati ieri, siamo oggi e saremo domani l'unica autentica alternativa alle sinistre, non solo a quelle di cultura marxista, ma anche a quelle di ispirazione cristiana.

Proprio per questo diciamo ai moderati che hanno reso possibile questa inedita maggioranza parlamentare che il centro che loro rincorrono *sta qui, tra noi*, tra i moderati del Polo. E se un giorno, capìto l'errore, vorranno liberarsi dall'abbraccio soffocante delle sinistre, ci troveranno ancora qui. E qui li aspettiamo aperti al dialogo e alla collaborazione.

Consapevoli di tutto ciò, noi procederemo sulla linea di una iniziativa parlamentare che vogliamo incalzante e limpida, il cui obiettivo sarà la crisi di questo governo gravato da un difetto di legittimità e la convocazione di nuove elezioni per ridare al Paese il diritto di scegliere chi deve governarlo.

Le elezioni europee sono alle porte, e lì si vedrà quanto filo ha da tessere una minoranza di fatto che «arbitrariamente» si considera invece maggioranza.

Fedeli alle regole della democrazia e stretti al nostro patto con il popolo che ci ha eletti, faremo sentire domani, nella grande manifestazione di Roma, la voce chiara e forte di tutti quegli italiani che dai giochi della politica politicante sono stati ancora una volta esclusi e beffati, ma che sono la maggioranza viva e vera di questo Paese, e che, con noi, dicono no al suo governo, onorevole D'Alema, a un governo che cadrà sotto il loro giudizio quando finalmente saranno chiamati alle urne per riconquistare, *col voto*, la loro sovranità.

Vi ringrazio.

Il governo della sinistra, per la quarta volta, è privo di maggioranza in politica estera ed è costretto a chiedere soccorso al senso di responsabilità dell'opposizione

26 marzo 1999

L'escalation della violenza serba contro il Kosovo, dopo il fallimento dei negoziati di Rambouillet e di Parigi, porta la NATO alla drammatica decisione dell'intervento militare. Il 24 marzo, alle 19.20, i missili Cruise dell'Alleanza atlantica cominciano a bombardare le città della Federazione iugoslava. L'azione militare provoca, in Italia, il dissenso dei comunisti al governo. Cossutta minaccia, in caso di partecipazione dei mezzi italiani all'azione militare della NATO, l'uscita dei suoi ministri dal governo. Il 26 marzo, una mozione della maggioranza, in cui si chiede la sospensione dei bombardamenti, pur ribadendo il sostegno all'Alleanza atlantica, passa alla Camera, sostenuta anche dai voti dei cossuttiani, che apprezzano la linea «morbida» e pacifista del documento.

Signor presidente, Onorevoli deputati,
colpisce, signor presidente del Consiglio, la differenza che si coglie subito, a prima vista, tra il suo discorso di poco fa e il documento conclusivo presentato dalla sua maggioranza.

Lei ha lealmente riconosciuto che l'intervento militare della NATO «si è reso necessario e inevitabile».

Di questo riconoscimento però non vi è traccia nel documento della sua maggioranza, dove neppure si fa cenno ai suoi interventi e alle sue argomentazioni.

Il documento, invece, impegna il governo soltanto «ad adoperarsi con gli alleati NATO per una iniziativa volta a riprendere subito i negoziati e a sospendere i bombardamenti». Ma è un'affermazione pleonastica, perché, come lei stesso ha riconosciuto, l'intervento militare è finalizzato esclusivamente a promuovere la ripresa del dialogo, ed è pertanto ovvio che al primo cenno di ripensamento da parte di Milošević l'azione militare cesserà immediatamente.

La verità, signor presidente, è che mentre il suo intervento mira a tranquillizzare gli alleati della NATO, il documento della maggioranza mira a tacitare l'onorevole Cossutta, i Verdi, la sinistra del suo stesso partito e gli altri inquieti pacifisti a senso unico del suo schieramento, con il rischio e, forse, con l'obiettivo di isolare l'Italia dai suoi alleati.

Il risultato complessivo è vistosamente contraddittorio: a tal punto che la parte più coerentemente atlantista della sua maggioranza si rifiuta di sottoscrivere il documento comune, marcando, di fatto, un clamoroso e insostenibile dissenso del suo ministro della Difesa.

Come si fa a trascurare o a sminuire il valore «dirompente» di questa contraddizione politica?

Questo dibattito ha fatto riemergere le profonde differenze che intercorrono fra visioni alternative di quella che dovrebbe essere la politica estera dell'Italia. Da un lato, la tesi di quanti ritengono che la fedeltà alle alleanze e la collocazione europea e atlantica del nostro Paese costituiscano condizione necessaria per la nostra sicurezza e per il contributo che possiamo dare alla pace; dall'altro lato, la posizione di quanti hanno sempre vissuto con ostilità la storica scelta atlantica e le alleanze dell'Italia.

Nessuno intende negare l'importanza di queste differenze. Tuttavia, è semplicistico e pericoloso basare la valutazione dell'iniziativa presente su quelle scelte di fondo. Intendo dire che anche chi è da sempre convinto della validità del nostro sistema di alleanze non può ignorare i rischi insiti in questa particolare operazione. Essere atlantisti non basta a fugare perplessità, preoccupazioni, angosce.

D'altro canto, gli avversari storici della NATO non accrescono la credibilità della loro posizione quando creano l'impressione che meglio sarebbe stato non fare nulla, assistere indifferenti alla sistematica e sanguinaria opera di pulizia etnica ai danni degli albanesi del Kosovo.

L'inazione, l'inerzia delle democrazie di fronte a crimini

contro l'umanità non è né politicamente né moralmente accettabile. È quindi non per pregiudiziale scelta di campo né, tanto meno, a cuor leggero che siamo convinti che l'iniziativa vada appoggiata. Siamo dolorosamente consapevoli dei rischi che essa comporta e non siamo affatto certi che produrrà inevitabilmente i risultati sperati. Ma non esiste scelta importante di politica estera che sia immune da rischi e che immancabilmente garantisca il successo.

Tuttavia, i rischi dell'azione non vanno valutati in assoluto, ma messi a confronto con quelli dell'inazione.

Dopo il fallimento degli accordi di Rambouillet e il massiccio impiego di truppe serbe in Kosovo, attendere una improbabile decisione del Consiglio di sicurezza delle Nazioni Unite o auspicare uno spontaneo ravvedimento del governo di Belgrado sarebbe equivalso a consentire la prosecuzione delle violenze ai danni della popolazione albanese del Kosovo. Anche in questo caso, peraltro moralmente inaccettabile, l'Italia sarebbe stata esposta a rischi gravi.

È vero che ci troviamo di fronte a una situazione assolutamente inedita e che forse sono state forzate alcune regole: la NATO, alleanza difensiva, ha assunto un ruolo attivo non previsto dal suo statuto; l'ONU ne risulta ridimensionata; l'Europa conferma ancora una volta l'inesistenza di una sua politica estera e di difesa. Ma questo non significa che, mentre violenze e massacri ai danni della popolazione civile vengono perpetrati a pochi chilometri dalle nostre coste – ancora oggi venti professori barbaramente assassinati dagli uomini di Milošević di fronte ai loro allievi –, ci si possa astenere dall'intervenire, in attesa che l'Europa si dia una credibile politica estera e di sicurezza comune, in attesa che il Consiglio di sicurezza dell'ONU riesca a sbloccare la paralisi decisionale determinata dall'uso del diritto di veto, o in attesa che la NATO venga ridisegnata per tenere conto delle nuove realtà.

Ho appena ricordato che le differenze nella concezione della politica estera dell'Italia hanno una lunga storia e sarebbe strano che non fossero riemerse in questo caso. Ma è ancor più strano e del tutto inaccettabile, che quelle visioni contrapposte della politica estera coesistano nella stessa maggioranza di governo.

Basta mettere a fronte il suo discorso, signor presidente, con la mozione della sua maggioranza: come possono convivere? A me davvero non sembra che persone con visioni così distanti e inconciliabili della politica estera possano stare insieme nella stessa maggioranza, nello stesso governo. Ma questo è problema che riguarda la loro coscienza, non la nostra.

La nostra coscienza ci impone di mettere il nostro Paese in condizione di rispettare gli obblighi liberamente assunti, di tener fede all'alleanza e di onorare i trattati sottoscritti. È il sostegno che ancora una volta siamo pronti a dare all'Italia nel pieno esercizio della nostra responsabilità e nella consapevolezza dei doveri che spettano anche all'opposizione quando sono in gioco gli impegni non del governo ma del Paese.

Ma di tutto questo non c'è traccia nella mozione di maggioranza. Ecco perché noi sentiamo il dovere di sostenere che non è ammissibile che l'Italia sia rappresentata da un governo privo di maggioranza in politica estera.

Questa è un'anomalia grave e inaccettabile: mai nella storia d'Italia, mai prima di questa legislatura era accaduto che, di fronte al ruolo e al prestigio della Nazione nel consesso internazionale, il governo fosse privo di maggioranza.

Dalla vittoria del «primo governo delle sinistre» questa sarebbe, se non vado errato, la quarta volta che l'esecutivo non è in grado di assumere decisioni fondamentali di politica estera ed è costretto a chiedere soccorso al senso di responsabilità dell'opposizione.

Sarebbe atto di elementare correttezza democratica se il governo, non ora in costanza di questa terribile situazione, ma una volta superata l'emergenza internazionale, riconoscendo di essere privo di una maggioranza su questioni vitali per il Paese, sapesse trarne le logiche conseguenze e rassegnasse le dimissioni.

In una democrazia, quando una maggioranza
non è più una vera maggioranza, è d'obbligo
restituire al titolare della sovranità, al popolo,
il diritto di decidere da chi vuole
essere governato

18 dicembre 1999

*Col congresso dei socialisti dello SDI, il 10 dicembre, si apre di fatto la
crisi del governo D'Alema. Il segretario del Partito socialista, Enrico
Boselli, esprime infatti i suoi dubbi sulla premiership dell'esecutivo e le
sue parole sono accolte anche da altri leader del centrosinistra. Il 15,
D'Alema annuncia di essere pronto a una verifica. Ma, mentre quasi
tutti i partiti di maggioranza sono favorevoli a un D'Alema bis, nel
Trifoglio, formazione politica che comprende i socialisti di Boselli, i cossighiani e i repubblicani di La Malfa, s'insiste sulla necessità delle dimissioni del premier. Il 17, poi, scoppia la cosiddetta guerra dei voti: vengono alla luce, infatti, casi di compravendita di voti, promesse di
poltrone e, addirittura, offerte di denaro per passare da un gruppo parlamentare a un altro e appoggiare il centrosinistra. Il giurì d'onore di
Montecitorio certifica che il deputato Luca Bagliani, un leghista passato
con l'UDEUR di Clemente Mastella, prometteva 200 milioni ai suoi colleghi in caso di appoggio alla maggioranza. Il giorno 18, D'Alema si presenta alle Camere per illustrare l'azione di rilancio della coalizione e, in
serata, andrà al Quirinale per rassegnare le dimissioni.*

Signor presidente, Signori deputati,
il presidente del Consiglio, consapevole delle difficoltà e
delle contraddizioni della propria coalizione non ha potuto
fare altro, nel delineare il quadro della situazione economica e sociale del Paese, che rifugiarsi nella chiave dell'ottimi-

smo di maniera fino al punto di descrivere un Paese che non c'è e di parlare a una maggioranza che non c'è.

Nella speranza forse di poter reincollare i cocci di quella maggioranza, ha citato cifre e fatti che, per la verità, non hanno nulla a che fare con l'azione di governo e ha omesso altri dati, come l'aumento del numero dei disoccupati, il crescente divario tra il Sud e il Nord, il dimezzamento degli investimenti esteri in Italia, e altri ancora che danno della situazione italiana un quadro di grande preoccupazione.

Ha anche premesso di voler «bandire» gli intrighi dalla vita politica nazionale. E noi vorremmo prenderlo in parola. Ma ci chiediamo: come farà a eliminare l'intrigo un esecutivo che, al posto del consenso elettorale, ha avuto per padrino di battesimo il trasformismo parlamentare?

Quando pretende di poter rilanciare una maggioranza che si è completamente sfarinata tra le sue mani, il presidente del Consiglio fa il passo, come si dice, più lungo della gamba.

Un uomo di Stato investito di poteri di governo dovrebbe porsi, quando è chiamato a rispondere dei suoi atti in una sede come il Parlamento, alcune domande semplici, che tutti i cittadini possano capire.

Ho la forza politica per guidare il governo del mio Paese?

Ho i numeri in Parlamento e le solidarietà profonde necessarie per tenere il timone e seguire una rotta sicura?

Mi sarà possibile tenere unita una vera maggioranza su un programma di riforme strutturali e di ammodernamento dello Stato?

Queste domande il presidente del Consiglio non se le è poste e non ce n'è traccia nel suo discorso al Parlamento, forse perché non è in grado di rivolgerle né a se stesso né ai suoi compagni di cordata.

E il motivo è chiarissimo: le risposte le conosce già e suonano invariabilmente come una severa bocciatura di questa maggioranza priva di progetto politico e di punti di riferimento, del tutto incapace di esprimere una vera guida del Paese. E per la verità una maggioranza di centrosinistra, coesa e ricca di iniziativa politica, non esiste più da un pezzo, se mai è davvero esistita.

Il presidente D'Alema si dovrebbe quindi accontentare di un surrogato: non potendo governare, dovrebbe rassegnarsi a tirare a campare, a sopravvivere a se stesso, alle sue ambizioni e ai suoi sogni.

Noi vi avevamo avvertito, colleghi dell'ex maggioranza. Quando vi eravate uniti a Rifondazione comunista e avevate perseguito l'obiettivo di portare l'Italia in Europa senza diminuire, per pura demagogia sociale, l'oppressione fiscale e burocratica e la rigidità nei rapporti di lavoro, vi avevamo detto: attenzione, porterete in Europa un Paese stremato dalle tasse, prostrato dalla mancanza di riforme, sfiduciato e non competitivo. E così è stato. Basta guardare al tasso di crescita dell'economia nazionale: gli irlandesi, i francesi, gli inglesi e gli spagnoli galoppano, l'Italia europea segna il passo, con buona pace del quadro idilliaco presentato oggi in quest'aula.

Quando avete affrontato la crisi dell'Ulivo mettendo insieme alla rinfusa deputati e senatori usciti dalle nostre file, eletti per farvi opposizione e controllarvi, vi avevamo altresì avvertito: queste avventure antidemocratiche finiscono male, nell'equivoco, nel torbido, nella delegittimazione delle stesse istituzioni democratiche.

Siamo così arrivati alla battaglia interna per la leadership della coalizione e del governo, alle contraddizioni giornaliere e vistose tra le componenti della maggioranza, alla logica velenosa del sospetto e della diffidenza reciproca calata nel bel mezzo dell'azione di governo.

Questo brutto clima politico è figlio della debolezza del centrosinistra, onorevole D'Alema, e della vostra indisponibilità a riconoscere i vostri limiti.

L'arroganza e l'intolleranza illiberale di certe misure da voi proposte, oltre che l'organica incapacità di sanare la piaga dell'uso politico della giustizia, derivano da questo spirito da fortezza assediata che ha afferrato la maggioranza e l'ha chiusa in se stessa, insieme con le speranze di crescita del Paese.

Vi abbiamo offerto un confronto serio sulle leggi, in Parlamento, e voi rispondete sequestrando nelle leggi delega i poteri dell'Assemblea e delle Commissioni.

Vi abbiamo suggerito, con numerosi emendamenti, correzioni serie e convincenti alla legge finanziaria e al bilancio dello Stato e voi rispondete respingendo tutte le nostre proposte, nessuna esclusa, con arroganti colpi di maggioranza.

Vi abbiamo ricordato come sia incompatibile con uno Stato di diritto varare leggi prive della caratteristica della generalità, leggi *erga omnes* e voi rispondete approvando norme penali e tributarie *ad personam*.

Vi abbiamo chiesto di rinunciare al proposito di imbavagliare l'opposizione con leggi illiberali e antistoriche e voi rispondete forzando i tempi della cosiddetta par condicio.

Vi abbiamo chiesto un atto di saggezza, per mettere in campo uno spirito di riconciliazione politica all'insegna della verità, e voi rispondete bocciando la Commissione d'inchiesta sul finanziamento occulto e illegale della politica e rifugiandovi nella debole alternativa di un comitato indefinito.

La verità è che voi vivete i vostri problemi interni e i vostri interessi di parte come se fossero i problemi e gli interessi del Paese: e questo dimostra il carattere di regime della vostra maggioranza, che abbiamo tante volte denunciato.

Con questi comportamenti avete ripetutamente violato il criterio di base della democrazia che è il rispetto dei diritti della minoranza, sino a quell'estrema minoranza rappresentata dal singolo individuo.

Si arriva a questi eccessi con una maggioranza rissosa, con partiti che, più che partiti, sono aggregati occasionali di persone, magari vogliose solo di ridimensionare e avvilire l'azione del presidente del Consiglio.

Se ci riflette bene, signor presidente, andare avanti così non è nemmeno nel suo interesse: gli italiani mostrano segni evidenti di stanchezza e di rigetto per una politica antidemocratica e illiberale, preoccupata soltanto dei giochi di potere, condizionata dai personalismi, del tutto estranea ai problemi veri del Paese.

Una democrazia deve sapersi tirare fuori in tempo dalla palude della cattiva politica.

Una vera democrazia deve poggiare l'azione di governo su un effettivo e certo consenso popolare: il ricambio è essenziale.

Dal momento che non siete in grado di dare vita a un nuovo governo dotato di una solida e coerente legittimazione elettorale, è vostro dovere prenderne atto e aiutare il Paese a ritrovare la via della democrazia e della stabilità istituzionale.

Altra via non c'è.

Quando una maggioranza non è più una vera maggioranza, è d'obbligo restituire al titolare della sovranità, al popolo, il diritto di decidere da chi vuole essere governato.

Vi ringrazio.

Fare del trasformismo un sistema supera il livello di guardia e di tollerabilità in una società democratica

23 dicembre 1999

Dopo la crisi di governo, il 21 dicembre, il presidente della Repubblica Carlo Azeglio Ciampi affida un reincarico a D'Alema, chiedendo tempi stretti per la chiusura della crisi. La mattina del giorno seguente, il premier sale al Colle per presentare la lista dei ministri. Nel pomeriggio, poi, il nuovo esecutivo si presenta al Senato per ottenere la fiducia che, a Palazzo Madama, è scontata. Ben più arduo ottenerla alla Camera, il 24, visto che a Montecitorio la maggioranza è più esigua. Qui, infatti, il governo otterrà soltanto 310 voti a favore (sei in meno per la maggioranza assoluta). Voti che, però, gli basteranno, poiché l'astensione dei deputati socialisti, cossighiani e repubblicani fedeli a La Malfa provocherà l'abbassamento della soglia minima per ottenere la fiducia. D'Alema, nel suo discorso programmatico, si impegna a lavorare per l'istituzione di una commissione di inchiesta sul finanziamento illecito ai partiti. Commissione che non è mai stata istituita.

Signor presidente, Signori deputati,
le dichiarazioni in aula del presidente del Consiglio non cambiano il nostro giudizio negativo su questo rimpasto natalizio offerto in dono agli italiani.

I cittadini sono sempre più infastiditi dal teatrino della politica e non hanno certo torto se guardiamo allo svolgimento tormentato e oscuro di questa crisi. Nessuno ancora ha capito perché si sia aperta e perché e come si sia potuta concludere in maniera così frenetica, con un'accelerazione che lei stesso, signor presidente, ha definito tumultuosa.

Le prove generali della commedia, in mezzo a risse e

personalismi che hanno avvelenato la vita della maggioranza e peggiorato lo stato della cosa pubblica, duravano purtroppo da mesi. Per mesi ci sono state imposte discussioni bizantine sulla leadership, sull'equilibrio tra partiti, correnti e sottocorrenti della coalizione. E tutto fa temere che questo tormentone non sia affatto finito.

Di qui alle elezioni regionali, di qui ai referendum, di qui alle elezioni politiche, il Paese deve purtroppo rassegnarsi a fare i conti con una maggioranza risicata, che esce dalla crisi indebolita non solo nei numeri, ma anche nella qualità, avendo perduto tre componenti politicamente significative, quelle che determinarono la nascita del primo governo a guida post-comunista.

Ci diceste allora, per giustificarla, che quell'operazione aveva un alto significato morale, civile e politico, un significato di portata storica.

Che ne è stato di quelle ragioni nel corso di questa crisi?

E che cosa vi ha ancora una volta uniti?

Soltanto il naturale collante del potere e la rigorosa spartizione di tutto ciò che è pubblico.

Non certo il programma: debole, anzi debolissimo nelle idee, negli slanci e nelle innovazioni che non siete neppure capaci di assorbire dai vostri colleghi socialisti al governo in Europa.

Gli italiani chiedono più libertà, ma è Tony Blair che la concede ai sudditi di Sua Maestà, completando il programma liberale della signora Thatcher.

Gli italiani vorrebbero uno Stato più efficiente nella gestione dei servizi, nella ristrutturazione dell'economia e nella riorganizzazione dell'amministrazione pubblica, ma è Lionel Jospin a realizzare tutto questo per i francesi.

Gli italiani vorrebbero una riforma dello Stato sociale e un forte ribasso dell'oppressione fiscale, ma è il Cancelliere Schröder a spingersi su questa strada in Germania: è di ieri l'annuncio di una riduzione delle imposte sulle imprese dal 40 al 25 per cento in tre anni.

I socialisti europei fanno anche grandi errori, intendia-
moci, e noi che siamo schierati con i popolari europei faremo di tutto per evitare che le conseguenze di questi errori
ricadano sui cittadini dei nostri Paesi.

Ma voi post-comunisti italiani, con i vostri alleati, cosa
avete fatto in questa crisi? Avete mai parlato di questi problemi? Vi siete limitati a una vorticosa girandola di poltrone, con un esercito di sottosegretari mai visto.

I governi democratici devono di regola fondarsi su almeno tre elementi di legittimazione: il voto degli elettori,
che li consacra; un programma di lunga lena, che li giusti-
fica agli occhi dei cittadini; una salda e solida maggioranza, che li fa funzionare.

Di tutto questo non c'è traccia nel governo che oggi
chiede la fiducia.

Ci era stato promesso un governo più forte e rinnovato,
ci viene offerto un governo a scartamento ridotto e ad ambizioni limitate, che per di più porta con sé le contraddizioni irrisolte che hanno innescato la crisi: e cioè il riequilibrio dei pesi all'interno della maggioranza e il problema
della leadership futura. Ma soprattutto questa crisi incom-
prensibile non ha sanato la ferita che si è aperta nel corpo
del Paese quando è stato tradito il mandato elettorale ed è
stato avvilito a baratto quel famoso «bipolarismo maturo»
che pure viene da tante parti evocato.

Un ribaltone, si fa per dire, passi. Ma fare del trasformismo, della transumanza parlamentare, un metodo, un sistema, perfino un mercimonio, supera il livello di guardia e di
tollerabilità di una società democratica. Il presidente Violante ha detto giustamente che la stabilità del quadro parlamentare uscito dal voto è garanzia di stabilità dei governi
ed è insieme il necessario complemento di una visione moralmente accettabile della politica. E appena ieri si è dichiarato pronto a promuovere regole che vietino la simonia nel
tempio parlamentare della democrazia repubblicana. E lei,
signor presidente del Consiglio, gli ha fatto eco.

Ma nello stesso tempo, con una logica che è pura ipocrisia, una maggioranza fondata ancora una volta sul voto di deputati eletti nelle file dell'opposizione chiede, senza pudore, la fiducia alle Camere.

È chiaro, signor presidente del Consiglio, che noi la fiducia non gliela diamo. Anzi, ci ripromettiamo di esercitare una radicale e sistematica azione di controllo e di contrasto sull'operato del governo. Lo faremo responsabilmente, come sempre abbiamo fatto, guardando innanzitutto all'interesse del Paese.

Noi non siamo interessati alla nascita di un governo debole, perché il Paese ha bisogno di esecutivi forti, di esecutivi autorevoli, di esecutivi capaci di prendere decisioni di fondo sul suo futuro e di realizzare decisive riforme di struttura.

Noi sappiamo che le tentazioni illiberali, le spinte verso il regime allignano più spesso nei ministeri deboli che in quelli sicuri di sé e forti di un vasto consenso nel Paese.

Ed è anche per questo, per la difesa di elementari diritti di libertà, dall'informazione alla giustizia, che ci batteremo con forza per costruire una credibile alternativa.

Noi siamo sicuri, con il sostegno di quella maggioranza di cittadini che oggi investe la sua fiducia sull'opposizione costituzionale, noi siamo sicuri di poter candidare alla guida del Paese la nuova classe dirigente di cui l'Italia ha bisogno.

In questa prospettiva, continueremo la nostra battaglia per le riforme, e nello stesso tempo, ribadiremo le nostre più profonde convinzioni anche per scongiurare la consacrazione di fatto del trasformismo e della transumanza parlamentare.

Signor presidente del Consiglio,
noi prendiamo atto che si è finalmente aperto uno spiraglio, almeno nelle sue parole, sul tema della verità e della giustizia. Un'opposizione sicura di sé può accettare senza timori che gli avversari raccolgano le sue sfide.

La sfida di una Commissione parlamentare d'inchiesta

sulla storia tormentata di questi anni l'abbiamo lanciata perché fosse raccolta, e vigileremo perché anche questa promessa non venga smentita, contraddetta e sacrificata sull'altare dell'unità della maggioranza.

Proprio per questo noi siamo convinti che la Commissione parlamentare d'inchiesta, ferme restando le prerogative previste dall'articolo 82 della Costituzione, debba trovare nella legge istitutiva l'indicazione rigorosa degli obiettivi e delle modalità d'azione.

Non vogliamo fare il processo ai processi, ma soltanto accertare la verità, tutta la verità sul finanziamento illecito della politica.

Su temi come la verità storica, come la memoria comune della Repubblica, sarà bene che tutti adottino comportamenti seri e rigorosi: la Storia e la memoria sono infatti la parte più alta e il contenuto più prezioso del patrimonio di una società democratica.

La vita pubblica ha le sue regole e anche i suoi compromessi. Ma in ogni momento devono restare fermi i principi, i comandamenti morali universalmente validi, quelli che regolano i rapporti tra individui nella dimensione privata: primo tra tutti, quello di non tradire la parola data, gli impegni assunti.

Che esempio si offre ai giovani quando un governo nasce grazie al tradimento di un patto fondamentale come quello tra eletto ed elettore?

Chiedi quel che desideri, fa' poi quel che ti pare, infischiatene di ogni vincolo, negozia tutto nell'ombra di un corridoio: questa è la lezione morale che tanti professionisti della virtù, tanti acrobati del moralismo, si apprestano a dare ai nostri giovani con il voto di fiducia a questo governo.

Quella fiducia che noi di Forza Italia e del Polo delle libertà gli neghiamo.

Quando si cominciano a violare i diritti dell'opposizione, passo dopo passo, si arriva a un regime

3 febbraio 2000

Il 28 agosto del 1999, il governo D'Alema-bis presenta un disegno di legge sulla cosiddetta par condicio, cioè – come recita il titolo della legge – sulla parità di accesso ai mezzi di informazione durante le campagne elettorali e referendarie. Un disegno di legge che, invece di permettere ai partiti di avere spazi televisivi in proporzione alla propria rappresentanza elettorale, come avviene in tutte le democrazie europee, prevede una parità di tempi a disposizione di tutte le forze politiche nell'uso dei media, comprese quelle che non sono presenti in Parlamento o che non si sono mai presentate alle elezioni. Varato al Senato il 21 ottobre, il disegno di legge passa alla Camera dove, dopo un lungo e acceso dibattito, sarà approvato il 22 febbraio 2000.

Signor presidente, Signori deputati,
sono stato tentato fino all'ultimo di rinunziare a prendere la parola. Mi sembrava, infatti, del tutto inutile, visto l'andamento del dibattito, aggiungere ulteriori argomentazioni alle tante altre svolte in quest'aula dai colleghi di Forza Italia e del Polo delle libertà; argomentazioni alle quali la maggioranza non ha mai voluto prestare attenzione, chiusa com'era e com'è nel suo pregiudizio politico e nella difesa faziosa dei suoi interessi di parte.

Se ho respinto questa tentazione, l'ho fatto solo per il rispetto che porto a quest'aula e per la fiducia incrollabile che, nonostante tutto, continuo a nutrire nel metodo della democrazia parlamentare.

Egualmente forte è la tentazione di rispondere alle tante provocazioni, sconfinate spesso nell'insulto e nell'offesa, di cui siamo stati bersaglio in questi giorni.

Ma non farò neppure questo. Non posso però fare a meno di ribadire che Forza Italia è e resta un partito moderato anche quando è costretto alla massima intransigenza per difendere non solo i suoi diritti, ma i diritti di libertà di tutti. La moderazione non può essere *mai* acquiescenza ai soprusi. Non può essere nemmeno acquiescenza alla menzogna, ancorché praticata con gli artifizi della retorica e le astuzie della politica.

In questa vicenda la maggioranza ha fatto uso spregiudicato degli uni e delle altre.

La verità è che la sinistra ha sentito il bisogno di questa legge solo dopo la sconfitta nelle elezioni europee, preoccupata che lo stesso risultato potesse ripetersi alle prossime consultazioni. Dopo il voto di giugno si è aperto così il festival delle menzogne.

Voi della sinistra avete ripetuto fino alla noia che la materia non era regolamentata, pur sapendo benissimo che questa regolamentazione esiste ed è parte integrante della legge elettorale vigente, che proprio voi avete proposto, proprio voi avete approvato nel '93, quando Forza Italia non era neppure nata.

Avete affermato che non avevate i soldi per pagare gli spot. Non è vero. Disponevate del finanziamento pubblico, ma avete preferito utilizzarlo in modo diverso: concentrando le vostre risorse sulla vecchia struttura di partito; funzionari, sezioni, sedi, giornali. Noi, invece, abbiamo scelto di usare questi finanziamenti per informare i cittadini del nostro programma.

Avete affermato che non potevate dare soldi al vostro nemico. È solo un pretesto: potevate benissimo acquisire spazi sulle altre emittenti televisive nazionali e locali, e anche sulla stessa Rai, alla quale invece avete preferito imporre il divieto della pubblicità per l'informazione politica. Sapevate benissimo di avere altri modi per utilizzare a vostro favore il servizio pubblico.

Avete continuato a mentire, dicendo che in nessun Paese europeo è consentito ai partiti di usare le televisioni per la comunicazione politica.

Ma la realtà europea è assai diversa da come voi l'avete descritta, non solo per il diritto d'accesso agli spazi gestiti dai partiti, ma anche per quanto riguarda la ripartizione dei tempi e degli spazi in proporzione alla rappresentanza elettorale.

Avete definito «antidemocratica» la mia proposta basata sulla ripartizione proporzionale dei tempi. Ma allora le chiedo, signor presidente, è antidemocratica la ripartizione dei tempi che lei fa in quest'aula in base alla consistenza dei gruppi? È antidemocratica la ripartizione del finanziamento pubblico in base alla forza dei gruppi parlamentari? E voi diessini, i soldi li avete presi in base ai vostri voti o in base a quelli del più piccolo dei vostri alleati?

Avete affermato che le regole del gioco democratico le avreste concordate con l'opposizione, così come avviene in ogni società libera, in ogni democrazia liberale. Al contrario oggi, sulla comunicazione politica, che è parte fondamentale di queste regole, procedete con un autentico colpo di mano.

Alla fine di un percorso parlamentare segnato da gravi irregolarità, il risultato è una legge incostituzionale, liberticida, antistorica, che imbavaglia l'opposizione e distorce così le scelte degli elettori.

Una legge incostituzionale e liberticida, perché vieta alle forze politiche l'uso del più moderno e diretto mezzo di informazione di massa, e lo fa proprio in campagna elettorale, quando il bisogno di comunicazione tra la politica e i cittadini è quanto mai indispensabile.

Una legge antistorica e distorsiva della volontà popolare, perché la libertà del dibattito è inseparabile dalla libertà di scegliere il mezzo migliore con cui comunicare il proprio pensiero.

Una legge che va nella direzione opposta rispetto alla costruzione di quel bipolarismo che, a parole, non vi stancate mai di invocare. La pretesa di mettere sullo stesso piano forze politiche di peso tanto diverso tra loro alimenta la tanto deprecata frammentazione e anzi favorisce la polverizzazione della rappresentanza popolare. Infatti questa legge apre gli schermi della tv a tutti i partiti nella stessa identica misura, che abbiano il 30 o lo 0,1 per cento dei voti.

Vi abbiamo proposto il criterio proporzionale europeo per garantire a tutti il giusto spazio secondo la volontà popolare; ma senza escludere nessuno perché, contrariamente a quel che avete cercato di far credere, una quota congrua era riservata alle nuove formazioni politiche. La verità è che avete concepito una legge fatta contro di noi e nell'interesse di quella dozzina di partiti e partitini che compongono la vostra coalizione.

Con questa legge voi volete soltanto consolidare il vostro strapotere comunicativo. Lo dimostrano i fatti. Nei sei mesi precedenti le elezioni europee, governo e maggioranza hanno avuto più di cinquemila minuti su tutte le reti televisive, contro i millecinquecento dell'opposizione. Un rapporto di tre e mezzo contro uno, che diventa di sette a uno se teniamo conto del numero dei telespettatori.

L'uso degli spot da parte nostra è servito semmai a riequilibrare, solo in parte, quell'inammissibile divario tra maggioranza e opposizione. Altro che «par condicio». La tv è diventata «bottino della maggioranza».

Ormai avete imboccato una strada pericolosa per la democrazia. Quando si cominciano a violare i diritti dell'opposizione, passo dopo passo, si arriva al regime. Su questa strada avete già camminato troppo. Basta pensare:
– alle leggi confezionate su misura per colpire l'avversario politico;
– all'abuso delle leggi delega, attraverso le quali avete sottratto al Parlamento il diritto di decidere su questioni essenziali come le tasse;
– all'aberrazione dell'uso politico della giustizia.

Avevate promesso di guidarci nella transizione verso una Repubblica più libera e moderna, ma con leggi come questa ci conducete a una deriva dirigista, autoritaria, illiberale.

Questa legge toglie ai cittadini un altro pezzo importante di libertà. Noi non la voteremo e continueremo a contrastarla con ogni possibile mezzo democratico.

La democrazia violata: Amato, l'ultima
maschera del balletto trasformista.
Ma non è lontano il giorno del ripristino
di una vera e piena democrazia

28 aprile 2000

*Il 16 aprile, gli italiani sono chiamati alle urne per il rinnovo di
quindici Consigli regionali: otto regioni vanno al centrodestra, sette al
centrosinistra. La maggioranza è totalmente esclusa dal Nord e perde
anche una regione significativa come il Lazio. Il Polo, di fronte al collasso del centrosinistra, chiede il ritorno alle urne. Massimo D'Alema,
consapevole dell'impossibilità di una sua permanenza a capo dell'esecutivo, decide di dimettersi. Il 20 aprile si aprono le consultazioni del
capo dello Stato. Il giorno dopo, la maggioranza fa a Ciampi il nome di
Giuliano Amato, già presidente socialista del Consiglio nel 1992, ripe-
scato da D'Alema come ministro tecnico delle Riforme prima e del Tesoro poi, ma non eletto in Parlamento. Amato ottiene l'incarico il 22 e
quattro giorni più tardi, dopo un difficilissimo confronto con i vari
partiti del centrosinistra, il nuovo governo giura davanti al presidente
della Repubblica. Quindi, il 29, al termine di un acceso dibattito parlamentare, Amato otterrà la fiducia alla Camera, con 319 voti a favore.
Per la terza volta di seguito, dopo i due governi D'Alema, al nuovo
esecutivo saranno indispensabili i voti degli eletti con il centrodestra
che hanno tradito il mandato degli elettori.*

Signor presidente, Signori deputati,
   condivido naturalmente anch'io le osservazioni e gli argomenti svolti da Gianfranco Fini e dagli altri leader dei
movimenti che stanno con Forza Italia nella Casa delle libertà. Ritorno anch'io doverosamente e puntigliosamente

sui fatti per motivare il nostro convinto no a questo governo: i fatti sono, in genere, più convincenti delle opinioni, soprattutto quando sono chiari e univoci.

Nel 1996 il cosiddetto centrosinistra ebbe meno voti del Polo e più seggi. La maggioranza di seggi derivò da un accordo di desistenza con Rifondazione comunista, un accordo che la coalizione dell'Ulivo, allora guidata da Romano Prodi, aveva negato e rinnegato durante tutta la campagna elettorale, fino a promettere solennemente in tv che mai e poi mai avrebbe governato con Rifondazione.

Dopo due anni e poco più, quella maggioranza parlamentare, che era minoranza nel Paese, andò in frantumi.

E questo è il primo fatto: l'implosione dell'Ulivo e la sua frammentazione in partiti e partitini. L'Ulivo era un cartello elettorale che si rivelò ben presto quello che dicevamo noi dell'opposizione: una finzione scenica, una quinta di teatro – o meglio, di teatrino – dietro la quale agiva da protagonista occulto, come suggeritore e burattinaio, il partito ex, post e neo comunista con il suo leader, l'onorevole Massimo D'Alema.

Già allora, per il rispetto che la politica deve agli italiani, si sarebbe dovuto tornare dagli elettori e domandare loro, finita una maggioranza di facciata, da quale vera maggioranza volevano essere governati.

Invece si arrivò al più mediocre dei compromessi e al più insopportabile degli inganni.

L'onorevole Prodi che era il presidente designato dagli elettori si ritirò in corrucciato disordine e si mise in aspettativa europea. Al suo posto arrivò, dimenticandosi di chiedere agli elettori quell'autorizzazione che, fino a un minuto prima, diceva di ritenere «doverosa», il vero capo della finzione scenica di centrosinistra, il leader degli ex comunisti.

E questo è il secondo fatto: crollò la maggioranza aritmetica del '96 e con una manovra di palazzo fu sostituito il presidente del Consiglio che l'Ulivo aveva proposto e che gli elettori avevano votato.

Il terzo fatto è quello più grave: per evitare le libere elezioni, che vi fanno paura – signori dell'ex maggioranza – e che non sono precisamente il nutrimento e il metodo della vostra tradizione politica, avete fatto letteralmente carte false. Puntando sull'ambizione di potere e sulla voglia di poltrone di alcuni deputati eletti nelle file del Polo delle libertà con il mandato espresso di contrastarvi, vi siete costruiti una maggioranza parlamentare «abusiva» che non soltanto differiva dal voto popolare del '96, ma che lo contraddiceva beffardamente. Nacque così quel governo che gli storici, quando finalmente si scriveranno manuali di storia *veri* per le nostre scuole, chiameranno, con buona pace del presidente D'Alema, il governo del trasformismo. Anche se oggi, nel silenzio ingeneroso della sua maggioranza, tardivamente interrotto solo due ore fa, piace a me rendere a lei, presidente D'Alema, l'onore delle armi.

Il quarto e ultimo fatto è sotto gli occhi di tutti: nel breve tempo racchiuso tra due primavere, dalle elezioni europee del '99 a quelle regionali del 2000, il trasformismo politico e la logica dell'inganno sono stati valutati, giudicati e severamente condannati dalla grande maggioranza dei cittadini.

Su quest'ultimo fatto la Camera si pronuncerà tra poco: il ricorso a una persona certamente stimabile, e stimata, per guidare un governo che merita e gode già della più severa disistima da parte degli italiani. Il professor Giuliano Amato usato come ultima maschera del ballo trasformista di una sinistra ormai senz'anima e senza identità.

Un governo che nasce male, malamente rabberciato per conseguire il più scadente degli obiettivi politici: mantenere il potere, guadagnare tempo, mettere alcuni partiti al riparo dal giudizio degli elettori, giocare in modo falloso, stringersi in un inglorioso catenaccio nella speranza di un contropiede che non arriverà mai.

Perché, cari signori della sinistra, se contate su una pur debole ripresa economica per rifarvi una faccia, avete sbagliato i vostri calcoli. Quel poco di ripresa destinata a prodursi nei prossimi mesi, è il frutto dell'ondata innovativa della nuova economia capitalistica e della mobilitazione professionale e imprenditoriale del meglio di questo Paese, dai lavoratori alle piccole e medie imprese. Quel tanto di competitività che ci siamo guadagnato in Europa e nel mondo, ce lo siamo guadagnato nonostante il governo e non grazie al governo, nonostante il vostro aberrante regime fiscale e burocratico e non grazie a esso.

Le cose buone che vi attribuite non sono opera vostra, ma farina del sacco della globalizzazione e dell'Europa. Il resto – gli errori da matita blu e i vincoli sindacali e corporativi che impediscono il decollo del Paese – quella, sì, che è farina del vostro sacco.

Quando il professor Amato fu candidato al Tesoro, dopo l'elezione del suo predecessore al Quirinale, fummo tra i primi a spingere per quella soluzione e a rallegrarcene.

Ora invece, professor Amato, lei deve sapere che, a prescindere dal giudizio sulle sue qualità personali, siamo convinti che lei stia compiendo un clamoroso errore, prestandosi a un'ennesima manovra politica, condotta alle spalle degli elettori e contraria ai più elementari principi della democrazia.

Nessuno, neppure lei, può salvare quel centrosinistra che gli elettori hanno già irrimediabilmente condannato.

Lei, che ha scorrazzato nottetempo nei conti correnti dei cittadini, imponendo loro la più incredibile e la più impopolare delle tasse dietro lo scudo dell'emergenza e della difesa della lira, si acconcia oggi a fare il ragioniere, il curatore fallimentare di una maggioranza morente. Speravamo in un suo gesto di coraggio e di limpidezza istituzionale, ma abbiamo atteso invano un segnale di saggezza nell'interesse del Paese.

Peccato. Peccato. Peccato.

Lo ripeto tre volte, nella certezza che a questo governo, se nascerà, faremo un'opposizione inflessibile, un'opposizione intransigente anche se, come sempre, attenta al bene dell'Italia.

Come opposizione che rappresenta la maggioranza dei cittadini, abbiamo di fronte una strada in discesa e un'esaltante «battaglia civile» per il ripristino di una piena e vera democrazia.

Contro il rischio di regime ci siamo battuti a mani nude, e, come avete visto, abbiamo saputo e sappiamo convincere la gente – che è adulta e non sprovveduta come voi pensate – anche senza bisogno di spot. Continueremo a batterci perché non prevalga una mentalità illiberale, come quella che ha condotto l'ex maggioranza di governo a questo triste tramonto.

Gli italiani ci hanno già dato una chiara investitura per il governo del Paese.

Non è lontano il giorno in cui i cittadini, con il loro voto, si riprenderanno quel potere di decidere che a loro appartiene e che voi – signori del palazzo – per troppi anni avete sequestrato.

Vi ringrazio.

Le regole fondamentali
della democrazia

28 novembre 2000

Il 28 novembre del 2000 Giuliano Amato, nell'aula di Montecitorio, fa un appello a tutte le parti politiche affinché gli concedano un unanime mandato per partecipare alla Conferenza europea, prevista a Nizza tra il 7 e il 9 dicembre. Le questioni in campo sono di fondamentale importanza: dalla «Carta dei diritti», primo passo per una vera Costituzione europea, all'allargamento della Comunità; dal passaggio, negli organismi decisionali, al voto di maggioranza ai problemi legati alla debolezza dell'euro. Silvio Berlusconi e tutte le forze del Polo delle libertà accettano l'invito del presidente del Consiglio (all'interno del Parlamento, solo Rifondazione comunista si dichiara contraria). Ma il leader di Forza Italia, nel dibattito che segue all'appello di Amato, esprime anche la necessità di unire a questa comunità d'intenti anche la volontà di moderare i toni di uno scontro politico che, trasformatosi ormai in campagna elettorale, rischia di degenerare.

Signor presidente, Signor presidente del Consiglio, Signori deputati,

i gruppi dell'opposizione democratica, e parlo io, con una voce sola, a nome di tutti coloro che fanno parte della Casa delle libertà, danno il loro appoggio politico ai negoziatori italiani che parteciperanno al vertice di Nizza, e dunque a lei, signor presidente e al suo governo. Questo sostegno si esprime in un voto parlamentare e in un chiaro mandato. Non è la prima volta che si realizza un'intesa ampia su cruciali questioni di politica estera, ammesso che possa ancora considerarsi «politica estera» la costruzione di istituzioni europee integrate, come ricorda oggi l'amico e primo ministro spagnolo José Maria Aznar. Senza la partecipazione attiva e consapevole dell'opposizione parlamentare, nemmeno una delle grandi e drammatiche scelte, che hanno preservato e consolidato il ruolo dell'Italia in questi anni, sarebbe stata possibile.

Per quanto ci riguarda, signor presidente, noi sappiamo di agire in funzione di un interesse comune che supera le dispute partigiane e speriamo sinceramente che questo atto di responsabilità collettiva metta fine alla più irresponsabile delle tentazioni, quella di trascinare il Paese in una «guerra elettorale totale», una strategia che non ha niente a che vedere con le regole, scritte e non scritte, di un sano e vivace conflitto politico. Non si tratta soltanto, signor presidente del Consiglio, di entrare in una quaresima anticipata e metter fine al «carnevale delle parole»: questo sarebbe un compito facile, che sbrigheremmo in fretta.

Si tratta, invece, di mutare per intero una mentalità illiberale e una prassi faziosa, quella mentalità e quella prassi che trasformano l'avversario istituzionale in un nemico giurato da debellare e da annientare costi quel che costi!

Si tratta di una rivoluzione intellettuale e morale nel segno della civiltà e della libertà. Perché, in una democrazia liberale europea, di tutto si può dubitare e su tutto si può dar battaglia, tranne che su un principio cardinale: il diritto del governo a governare, secondo le regole, e il diritto dell'opposizione a diventare governo, secondo la legge aurea della sovranità popolare che decide. Alimentare in Italia e in Europa, in qualsiasi forma, una campagna di discredito e di delegittimazione dell'opposizione, che è cosa diversa dalla più dura delle critiche e dal più colorito degli attacchi all'avversario, vuol dire offendere l'intelligenza degli italiani e tentare di sequestrare per i propri interessi di parte il più delicato ed essenziale «meccanismo» di una democrazia moderna: l'alternanza di forze diverse alla guida dello Stato.

Perché abbia un senso dirsi e sentirsi integralmente europei, in un Paese firmatario dei patti di Roma e pioniere dell'unità europea, occorre dimostrare «nei fatti» che è serenamente possibile, anche da noi, far funzionare il sistema inceppato dell'alternanza politica: va bandito dal discorso e dalla pratica politica qualunque atteggiamento o comportamento che neghi agli italiani quella possibilità di cambiare pacificamente governo che hanno gli spagnoli, i francesi, gli inglesi, i tedeschi e le altre grandi nazioni d'Europa. Opporsi nei fatti alle tattiche della «guerra totale» non è dunque una questione di galateo, bensì un problema fondamentale di mentalità e di cultura politica. Tutti – e sottolineo tutti, a partire da chi vi parla in questo momento –, tutti dobbiamo fare uno sforzo serio per tirare fuori la vicenda politica dall'avvilente spettacolo di partigianerie e interdizioni che sembrano prevalere sempre più nel teatrino delle polemiche elettorali.

Signor presidente del Consiglio, il suo e nostro compito a Nizza non sarà affatto facile, lo sappiamo. La presidenza francese dell'Unione ha messo in moto – e non poteva essere altrimenti – energie e ambizioni forti. L'attivismo illuminato e fattivo di Jacques Chirac, come ha riconosciuto il presidente della Commissione esecutiva Romano Prodi, ha contribuito a metterci di fronte a scelte decisive per il nostro futuro. E quanto più le questioni sono delicate, tanto più occorre usare con sapienza, nei negoziati finali, sia la resistenza a difesa delle proprie certezze sia l'arte del compromesso utile nel rispetto delle certezze altrui. Proprio come lei, signor presidente, ha chiesto, questa mattina in quest'aula.

L'Italia può oggi svolgere un ruolo di spinta e insieme di equilibrio nel concerto delle nazioni europee. È vero, non abbiamo «santuari da difendere», né «ortodossie paralizzanti» quando si parla di cooperazioni rafforzate, di riduzione dell'area dell'unanimismo obbligato nelle decisioni, di ristrutturazione della Commissione di Bruxelles

254 Discorsi per la democrazia

in vista dell'allargamento dell'Unione, di riponderazione eventuale dei voti di ciascun Paese.

Il nostro metro di misura, accanto alla tutela intelligente e flessibile dei fondamentali interessi nazionali, è il progresso dell'integrazione tra nazioni e insieme il consolidamento di un modo di essere efficace dell'Unione. Questo punto di vista, sereno ed equilibrato, è la tradizionale ricchezza dell'europeismo italiano, che non è, e che non è stato mai gravato da isterismi nazionalistici, da tentazioni isolazioniste, da spinte egemoniche.

Tuttavia, signor presidente del Consiglio, nel contribuire con il nostro voto al pieno mandato parlamentare da lei richiesto, noi la esortiamo a tenere ben presenti sul suo tavolo di rappresentante del Paese e di negoziatore europeo due questioni importanti: la questione dell'indispensabile sostegno popolare alle grandi scelte che orientano l'Europa, e quella del legame tra il progredire dell'integrazione e l'ampliarsi degli spazi di libertà e di creatività dei cittadini nell'iniziativa economica, sociale, culturale, politica.

Noi siamo europeisti da sempre, ma non siamo eurobigotti. Nei nostri «cromosomi», per esprimermi con la crudezza di linguaggio usata da un alto esponente della maggioranza, c'è l'europeismo vero, quello di Alcide De Gasperi, di Konrad Adenauer e di Robert Schuman, non quello dei convertiti dell'ultima ora! Noi non abbiamo bisogno di dimostrare niente, né di far dimenticare decenni di milizia antieuropeista. Non siamo stati noi a votare contro il sistema monetario europeo, non siamo stati noi a scendere in piazza contro l'installazione di quei missili che hanno difeso l'Europa e contribuito alla caduta del comunismo sovietico.

Noi crediamo in una crescita lineare, passo dopo passo, di uno spazio costituzionale europeo; e auspichiamo un confronto più approfondito intorno ai temi proposti di recente nella Carta dei diritti. Guardiamo con favore, in prospettiva, all'idea di una «Costituzione europea», come non si stanca di sollecitare il nostro presidente della Repubblica Carlo Azeglio Ciampi. Ma siamo anche certi, e lo hanno autorevolmente sostenuto il più prestigioso giornale liberale d'Europa e la Conferenza di Lovanio dei vescovi europei, che l'ultima parola sui diritti individuali non può appartenere ad alcuna burocrazia, per quanto stimabile e preparata. In fatto di libertà e diritti della persona, in fatto di cultura della famiglia e della vita, in fatto di libertà ed etica della ricerca scientifica, l'ultima parola deve sempre spettare al potere legittimante del popolo, e in questo caso ai popoli europei. Quella che noi vogliamo costruire non è l'Europa delle burocrazie, ma è l'Europa dei popoli e dei cittadini.

Quanto alla seconda questione, quella delle libertà di iniziativa economica e sociale, potrei limitarmi a citare le parole chiare dette, proprio oggi, dal presidente Aznar: «È necessario avanzare più rapidamente verso la società dell'informazione, sulla strada delle riforme strutturali dell'economia, del fisco, del mercato del lavoro e dei sistemi di protezione sociale», perché «è questo il modo migliore di far correre davvero l'Europa».

Un rapporto effettivo, stretto e persuasivo, tra Europa e opinione pubblica, tra istituzioni dell'Unione e società civile europea, non si può infatti stabilire solo nella dinamica istituzionale, nella nuda geometria degli statuti e delle carte. Per noi l'Europa è un insieme di contenuti programmatici; il nostro europeismo fa tutt'uno con la nostra idea di un'Italia governata nel segno della libertà d'iniziativa, della massima concorrenza, di una competitività che crea le risorse necessarie ad aiutare chi è rimasto indietro.

Una spinta e un impulso a consolidare il sistema dello Stato sociale, emancipandolo da servitù improprie e mettendolo al riparo da una tendenza alla crisi finanziaria in modi compatibili con uno sviluppo sostenuto, con una crescita meno avara di quella fin qui realizzata. L'Europa dovrebbe essere lo scudo al cui riparo crescono le sfide individuali e imprenditoriali all'innovazione, un luogo in cui il contribuente fiscale vede riconosciuti e protetti da ogni ingiusta vessazione i suoi diritti, nel momento stesso in cui assolve i suoi doveri.

È anche nel segno di queste idee, signor presidente del Consiglio, che le auguriamo un buon lavoro a Nizza e le garantiamo che non le mancherà, dall'interno della nostra visione «equilibrata e non partigiana» degli interessi del Paese, il controllo vigile e severo che gli eletti dell'opposizione sono tenuti a esercitare in rappresentanza dei loro elettori e per il buon funzionamento dell'intero sistema democratico.

Le forze della Casa delle libertà, signori deputati, pur nelle autonomie e nelle differenze che arricchiscono la nostra coalizione, si riconoscono tutte in questo orientamento di responsabilità nazionale. L'alleanza tra liberali, cattolici liberali, popolari europei, destra democratica e federalisti, chiede però che al suo spirito costruttivo corrisponda un elevamento di tono e di contenuti nella lotta politica, perché gli italiani possano meglio partecipare e contribuire tutti al progresso e alla crescita civile del Paese.

Affrontiamo dunque serenamente la battaglia per il consenso, sapendo che in democrazia non esistono primati irreversibili.

E ricordiamoci sempre che purtroppo esiste un rapporto tra violenza verbale e violenza politica, come dimostra l'ignobile aggressione subita ieri dal presidente della Regione Puglia, Raffaele Fitto, a cui va tutta la nostra solidarietà.

L'unica «guerra totale» ammessa in democrazia, a parte la guerriglia quotidiana contro gli agguati della stupidità, è la guerra per sradicare le povertà, per scongiurare le vessazioni dei diritti e per sventare gli attentati alle libertà civili.

Vi ringrazio.

Le grandi manifestazioni di piazza

Da qui parte una grande ondata di protesta democratica contro una sinistra antidemocratica che sta cercando di costruire un regime

Roma, piazza San Giovanni
9 novembre 1996

L'uso eccessivo della delega legislativa che espropria il Parlamento della possibilità di legiferare in materie delicatissime, come quella fiscale, e una manovra abnorme da più di 62 mila miliardi, fatta di nuove tasse (tra cui la famigerata «eurotassa») provocano l'indignazione del Polo che, contro l'operato del governo Prodi, promuove per il 9 novembre una grande manifestazione a Roma, in piazza San Giovanni, già tempio dei partiti di sinistra e dei sindacati. All'imponente raduno di protesta partecipano oltre un milione di cittadini.

Care amiche, cari amici, un saluto, un abbraccio forte e affettuoso a tutti. Grazie di essere qui, grazie di cuore di essere qui, grazie di essere qui così in tanti. Siamo una moltitudine, centinaia di migliaia. Siamo venuti a Roma da ogni parte d'Italia, per far sentire alta e forte la nostra voce, la nostra protesta, la nostra rabbia contro questo governo delle sinistre, che vuole riempirci tutti di tasse, che vuole occupare tutti i posti chiave del potere, che vuole rubarci il nostro presente, il nostro futuro, il futuro dei nostri figli, la nostra libertà.

Vi ringrazio, e lo faccio con commozione, a nome di tutto il Polo delle libertà; a nome di Forza Italia, a nome di

Alleanza nazionale, del CCD, del CDU, a nome di tutti i moderati d'Italia che, ricordiamocelo, sono la maggioranza degli italiani. Vi ringrazio per questa grande, straordinaria mobilitazione, che ha riempito della nostra esasperazione e della nostra indignazione le strade e le piazze di Roma. Vi ringrazio perché oggi, da qui, parte un grande movimento di opinione, una grande ondata di protesta contro il governo delle sinistre, questo governo di postcomunisti, di neocomunisti, di cattocomunisti, questo governo che rappresenta la minoranza del Paese ma che sta cercando di costruire un regime. Anche per questo siamo qui oggi per difendere la nostra libertà, per difenderci da un potere sempre più invadente e sempre più arrogante, da un fisco sempre più esoso, da una burocrazia sempre più soffocante, da una giustizia sempre più ingiusta.

La situazione creata dal governo Prodi è pericolosa e rischia di diventare drammatica. Questa Finanziaria è una Finanziaria distruttiva perché farà diminuire i consumi, farà calare la produzione, farà scendere i fatturati delle aziende, farà chiudere fabbriche, negozi e botteghe, farà perdere posti di lavoro.

Questa Finanziaria fa l'esatto contrario di quello che si dovrebbe fare per risanare il Paese, quello che da sempre sono stati e sono il nostro impegno e il nostro programma: 1) rilanciare l'economia, 2) creare nuovi posti di lavoro, 3) difendere gli stipendi di impiegati e operai, 4) tagliare la spesa pubblica, 5) ridurre le tasse e la pressione fiscale, 6) creare le condizioni per entrare in Europa e per rimanerci forti e competitivi.

Questi sono gli obiettivi di Forza Italia e del Polo. Queste sono le linee guida sulle quali abbiamo fondato la nostra azione di governo. Non dobbiamo mai dimenticare che noi, con la nostra Finanziaria, 1) non abbiamo introdotto nuove tasse, 2) non abbiamo aumentato le aliquote delle imposte esistenti, 3) non abbiamo toccato una sola lira dei salari, degli stipendi, delle pensioni, dei redditi di nessuno. Eppure siamo riusciti a conseguire dei risultati straordinari: 1) abbiamo fatto diminuire la pressione fiscale di due punti, 2) con una serie di incentivi agli investimenti abbiamo fatto nascere oltre 600.000 nuove imprese nel '94 e nel '95, 3) abbiamo fatto aumentare le entrate dello Stato per effetto dello sviluppo economico e non per effetto di nuove tasse.

Questa Finanziaria invece, la Finanziaria di Prodi, lo ripeto, fa l'esatto contrario di ciò che la drammatica situazione del Paese richiederebbe e contraddice tutte le promesse elettorali dell'Ulivo.

In campagna elettorale, Prodi ha predicato ai quattro venti che non avrebbe aumentato le tasse. Ha mentito sapendo di mentire. Le sue promesse di ieri sono le tasse di oggi e di domani. Perché non ha alcuna intenzione di tagliare le spese dello Stato, di eliminare gli sprechi, di abolire i privilegi, come invece stanno facendo gli altri Paesi d'Europa. Prodi ha giurato che non avrebbe toccato i bilanci e i risparmi delle famiglie. E ha mentito ancora. Perché ha tassato la prima casa, che è il bene fondamentale per tre famiglie italiane su quattro. Prodi ha promesso che non avrebbe mai sposato le tesi di Rifondazione né mai avrebbe stretto un'alleanza con Bertinotti. E invece ha mentito sapendo di mentire. Perché poi il partito della Rifondazione comunista a Palazzo Chigi è di casa e la fa da padrone. Prodi ha garantito che avrebbe rilanciato l'economia e lo sviluppo. E ancora una volta ha mentito. Perché sta uccidendo la voglia di investire, di rischiare, di lavorare dei nostri imprenditori, sta uccidendo la speranza dei nostri giovani, sta uccidendo la speranza di chi non ha lavoro.

In tutte le democrazie, un governo che non mantiene le promesse, un governo che non mantiene il patto di fiducia che lo lega agli elettori, viene mandato a casa. Questo governo deve andare a casa. Noi lo manderemo a casa.

A questo governo diciamo basta! Ai ministri incompetenti di questo governo diciamo basta! Agli estremisti di questa maggioranza diciamo basta! Avete abusato: 1) della nostra pazienza, 2) della nostra buonafede, 3) della nostra moderazione. Non ne possiamo più! Non ci stiamo più! Non lo sopportiamo più!

Non sopportiamo più nuove tasse, non sopportiamo più nuovi aumenti, non sopportiamo più che si concedano privilegi ai soliti raccomandati, non sopportiamo più che si regalino agli amici, e agli amici degli amici, le presidenze miliardarie, le consulenze inutili, le case gratuite: tutto a carico nostro, sempre a carico nostro. Non sopportiamo più che si occupino le istituzioni che sono di tutti e devono restare di tutti, al di sopra delle parti. Guardate cosa sta succedendo alla Corte costituzionale, al Consiglio superiore della magistratura, nei servizi segreti, alla Rai, negli enti pubblici, nei provveditorati agli studi, nei ministeri, nelle prefetture, nelle questure. Guardate cosa è successo a Salamone e al capo del GICO. Chi tocca i fili muore. Questa è una strada pericolosa che porta verso un vero e proprio regime. Non possiamo chiudere gli occhi; non dobbiamo chiudere gli occhi. Lo segnaliamo a tutti gli spiriti liberi del Paese.

E non sopportiamo nemmeno più il modo illiberale col quale troppo spesso, oggi, in Italia viene amministrata la giustizia. Sono troppi i diritti fondamentali dei cittadini che vengono violati, calpestati, conculcati. Troppo spesso, troppi magistrati ti intercettano, ti spiano, violano la tua intimità, usano la giustizia a fini politici, magari per eliminare coloro che considerano avversari, accusano i cittadini di reati che poi risultano inesistenti e li privano della libertà. Questo modo di fare giustizia è un male che dobbiamo denunciare, un male che dobbiamo combattere, un male che dobbiamo eliminare. La giustizia politica non è mai giustizia, anzi è il contrario della giustizia.

Per tutto questo, care amiche e cari amici, noi siamo qui oggi, siamo qui a chiedere, con fermezza e con determinazione, che il governo cambi questa Finanziaria, siamo qui a chiedere che il governo cancelli la tassa sull'Europa, che non ci porterà in Europa, siamo qui a chiedere che il governo rinunci alle deleghe in bianco in materia fiscale, perché non può sottrarre al Parlamento e all'opposizione il diritto di controllare una materia fondamentale come quella delle tasse: diciamo no alla dittatura fiscale. Per tutto questo siamo qui a chiedere che il governo tagli *finalmente* la spesa pubblica, tagli gli sperperi, tagli i privilegi; per tutto questo siamo qui a chiedere, preoccupati e indignati, che il governo e i partiti della maggioranza la smettano di occupare, in maniera scientifica e sistematica, le Istituzioni e lo Stato.

Questi sono i problemi che ci assillano, queste sono le emergenze che ci angosciano, queste sono le proteste e le richieste sacrosante che ci hanno fatto scendere in piazza, che ci hanno spinto a darci la mano, a stare insieme, a marciare insieme, a far sentire alta e forte la nostra voce.

Ora, alla fine di questa giornata memorabile, torniamo a casa, torniamo nei nostri paesi e nelle nostre città, *orgogliosi* per questa straordinaria manifestazione, per questa marcia che è anche una festa di libertà.

Torniamo a casa, nelle nostre città, nei nostri paesi per diffondere le nostre idee, per allargare la nostra protesta, per convincere chi è dubbioso e chi non sa. Tutti gli italiani, anche quelli che hanno votato Ulivo e cominciano a pentirsene, devono essere certi che ci batteremo fino in fondo per la libertà di tutti, per i diritti di tutti e di ognuno, per difendere la nostra democrazia.

Torniamo a casa, con la speranza, anzi con la certezza che questo regime non passerà, con la certezza che sapremo resistere a questo governo capace solo di inventare nuove tasse, di occupare il potere, di rovinare l'economia.

Torniamo a casa con la consapevolezza che nessun governo può governare contro di noi, contro l'Italia che lavora e che produce, l'Italia operosa, paziente, tollerante e responsabile che tuttavia, se provocata, se esasperata, potrebbe decidere di non starci più, potrebbe vedersi costretta a opporre a estremi mali adeguati rimedi.

Tutti insieme siamo una grande forza.

Tutti insieme siamo un grande esercito, un esercito di donne e uomini liberi, che vogliono restare liberi, che vogliono progredire nella libertà. Donne e uomini che si sono trovati insieme naturalmente, spontaneamente perché credono, perché crediamo negli stessi principi, negli stessi valori, nel rispetto per gli altri, nella tolleranza, nell'amore per la nostra famiglia, per il nostro lavoro, per il nostro Paese.

Tutti insieme combatteremo, con impegno, con entusiasmo, con passione, per la libertà, per la democrazia, per la giustizia, per il futuro nostro e dei nostri figli, per il bene dell'Italia e di tutti gli italiani.

Forza Italia, forza azzurri, forza Polo delle libertà. Viva l'Italia: forte, libera, indivisibile.

La nostra voglia di opporci a una coalizione
di potere che insidia sempre più il nostro
benessere, la nostra democrazia,
la nostra libertà

Milano, piazza Duomo - 3 maggio 1997

La Finanziaria varata dal governo Prodi per il 1997 era di 62 mila miliardi, contro i 30 mila prospettati dall'esecutivo pochi mesi prima. Alla fine del marzo 1997, il Consiglio dei ministri è costretto ad approvare una manovra economica per ridurre il deficit fino ai livelli previsti dal Trattato di Maastricht. Il pesante regime fiscale conduce alla protesta il Polo che indice una nuova manifestazione per il 3 maggio, a Milano, a cui partecipano oltre mezzo milione di persone. L'evento si inserisce nella campagna per l'elezione di Gabriele Albertini a sindaco di Milano, che avverrà otto giorni più tardi. Silvio Berlusconi partecipa come protagonista alla manifestazione, pur sapendo di doversi sottoporre il giorno successivo a un difficile intervento chirurgico.

Cari amici di Milano e di tutte le città d'Italia,
vi saluto, vi salutiamo con un forte abbraccio. Un abbraccio particolarissimo, ancora più forte a chi è venuto da lontano, a chi è venuto da molto lontano.

Ci vuole una forte passione, un convincimento forte, una forte volontà di resistere per venire in piazza in un giorno come questo, durante un lungo ponte di vacanza.

Siamo venuti a portare nelle strade e nelle piazze di Milano la nostra preoccupazione, la nostra indignazione, la nostra voglia di reagire, di resistere, di opporci a un governo, a una coalizione di potere che insidia sempre di più il nostro benessere, la nostra democrazia, la nostra libertà, il nostro futuro, il futuro dei nostri figli.

Siamo qui in questa piazza del Duomo dove è passata tanta storia, per denunciare, in modo alto e forte, a Milano, a tutta l'Italia, a tutta l'Europa che la sinistra che ha conquistato il potere nel nostro Paese e che detta l'azione del governo è una sinistra ancora impregnata di comunismo. Quello più tradizionale, quello che crede ancora nella possibilità di una sua rifondazione.

Siamo qui per denunciare che questa sinistra sta costruendo un regime soffocante e illiberale.

Siamo qui per denunciare che questa sinistra occupa tutto l'occupabile, nelle istituzioni, nei corpi dello Stato, nelle aziende pubbliche.

Siamo qui per denunciare che questa sinistra usa ancora cinicamente la giustizia non per fare giustizia ma per eliminare e contrastare gli avversari politici.

Siamo qui per denunciare che questa sinistra usa le tasse per colpire il ceto medio, per colpire l'Italia che lavora e che produce.

Siamo qui per denunciare che questa sinistra distrugge l'economia e mette a rischio le nostre imprese, i nostri posti di lavoro, il nostro benessere.

Questa è la sinistra italiana, questo è il potere rosso, questo è il governo dei comunisti, dei postcomunisti, dei clericocomunisti, il governo delle tasse e della disoccupazione.

Cominciamo dalle tasse.

In un sistema liberale non si pagano le tasse perché lo Stato esiste, ma perché lo Stato opera, fa qualcosa a favore dei cittadini.

Nel sistema liberale è così: lo Stato rende dei servizi ai cittadini, che lo finanziano come contropartita di ciò che lo Stato dà loro.

Nello Stato autoritario invece le tasse non si pagano in base ai benefici e ai servizi che i cittadini ricevono.

Nello Stato autoritario i cittadini devono pagare le tasse, per il solo fatto che lo Stato esiste. Le devono pagare e basta, anche quando ricevono niente o poco in contropartita.

Questo è il principio della servitù e della sudditanza fiscale.

Noi siamo qui per dire basta alla servitù fiscale, per dire basta alla sudditanza fiscale.

Noi le tasse le paghiamo, le abbiamo pagate e continuiamo a pagarle.

Se non fosse così, se non fosse vero che le tasse le paghiamo, non saremmo qui a protestare contro le tasse.

Chi evade non protesta contro le tasse, le evade e basta.

Se siamo qui, è perché siamo contribuenti onesti, cittadini leali. Leali, ma non sudditi, leali ma non schiavi.

Per questo noi chiediamo: quando verrà il momento in cui lo Stato smetterà di torchiare? Quando verrà il momento in cui lo Stato comincerà a risparmiare?

Il governo della sinistra aveva promesso che avrebbe semplificato il sistema fiscale.

Ha mentito ancora una volta.

La dichiarazione dei redditi, il modello 740 non è stato semplificato, ma solo scomposto e stampato in caratteri più piccoli. È solo così che è diventato di due facciate! Ci hanno preso in giro.

La famosa bolla di accompagnamento non è stata eliminata ma sostituita con il documento di trasporto che ha aggiunto la beffa a parità di esborso fiscale. Un'altra presa in giro.

Il governo delle sinistre ha varato centoventi provvedimenti fiscali in trecento giorni. Vuol dire una nuova legge fiscale pensata, annunciata, approvata ogni due giorni e mezzo.

Dal primo giorno in cui si è insediato, questo governo ha messo nuove tasse o inasprito quelle che già c'erano su tutto ciò che gli capitava sottomano.

Nuove tasse sui capitali che entrano in Italia portando ricchezza e occupazione.

Nuove tasse sui buoni pasto.

Nuove tasse sulle auto aziendali.

Nuove tasse sulla benzina.

Nuove tasse sulle sigarette.

Nuove tasse sugli alcolici.

Ha inventato una tassa per l'Europa e l'ha chiamata «eurotassa».

Ha bloccato i rimborsi IVA, costringendo gli imprenditori ad andare in banca a chiedere in prestito il denaro che serve per lavorare, costringendoli a diventare debitori verso la banca, mentre invece sono creditori verso lo Stato.

Ha messo le mani sulle vostre liquidazioni: una tassa che è incostituzionale, che non ci può essere perché ancora non c'è il reddito.

Ma non basta: il governo della sinistra sta per aumentare le aliquote dell'IVA. Lo fa dicendo che è l'Europa a chiederlo. E ancora una volta non è vero: l'Europa chiede l'allineamento delle aliquote IVA, è la sinistra che vuole aumentarle.

Ancora: sta per arrivare una nuova imposta che si chiamerà IRAP. Causerà un aggravio fiscale di cinque punti addizionali sul valore economico che le imprese aggiungono con il loro lavoro alla produzione.

Questo governo della sinistra, in definitiva, ha fatto l'opposto di ciò che aveva promesso e di ciò che ci chiede l'Europa: aveva promesso di tagliare la spesa pubblica e di mantenere invariata la pressione fiscale. Ha fatto esattamente l'opposto: la spesa pubblica per beni e servizi è rimasta invariata; la pressione fiscale è salita di due punti.

E l'aumento della pressione fiscale ha compresso lo sviluppo, ha compresso l'occupazione.

Ma non basta.

In obbedienza alla più tradizionale doppiezza comunista, gli uomini del governo hanno sfoggiato una eccezionale capacità di mentire.

Hanno detto che bastavano 30 mila miliardi per la Finanziaria dell'anno passato e invece ne hanno fatta una del doppio, di 60 mila miliardi.

Hanno detto che non c'era bisogno di una nuova manovra per il '97 e ne hanno fatta una di 18 mila miliardi.

Se dicono che per l'anno prossimo, per la prossima Finanziaria, bastano 20 mila miliardi, ma ieri hanno detto 32, vuole dire che arriveremo almeno a 40-50 mila.

Se dicono che un risparmio è «strutturale», potete essere sicuri che è un artificio, un trucco contabile.

Se dicono che non c'è più bisogno di manovre o stangate, attenti! Vuol dire che stanno già preparando una nuova manovra o una nuova stangata.

Sapete bene che tutto questo è esattamente il contrario di ciò che si dovrebbe fare, di ciò che noi avremmo fatto ora, se fossimo andati al governo, di ciò che abbiamo fatto al governo prima di essere ribaltati da un colpo di malagiustizia e di palazzo.

Noi vogliamo una grande riforma fiscale.

Vogliamo ridurre le aliquote sulle imprese e sulle persone fisiche a un massimo del 33 per cento.

Vogliamo che tutti i dipendenti, pubblici e privati, possano pagare in maniera autonoma le tasse, senza subire il prelievo nella busta paga.

Vogliamo detassare gli utili che le aziende reinvestono per creare nuovi posti di lavoro.

Vogliamo abolire quella tassa odiosa che è l'imposta di successione.

Vogliamo reintrodurre il sistema dell'accordo fiscale preventivo per le piccole e medie imprese.

Vogliamo passare dalle oltre cento tasse attuali a otto e non più di otto tasse principali.

Vogliamo arrivare a una sola tassa sulla casa, invece di quattordici, e a una sola tassa sull'auto, invece di sei.

Vogliamo arrivare a un giorno in cui si potrà finalmente dire: tutte le leggi fiscali vigenti sono abrogate e vengono sostituite da un solo codice, uno solo, fatto di norme chiare, semplici, comprensibili. Questo è il nostro programma, questo è ciò che si dovrebbe fare nell'interesse di tutti, questo è ciò che faremo quando torneremo al governo.

E veniamo al lavoro, al grave problema del lavoro che manca, al dramma della disoccupazione.

Nei primi tre mesi dell'anno la politica fiscale del governo ha causato la perdita di 40 mila posti di lavoro, saranno 200 mila entro la fine dell'anno.

Questo sarà il regalo di Natale della sinistra. Sarebbe questo lo Stato sociale che la sinistra vuole conservare?

Il dramma della disoccupazione non è il problema numero uno che uno Stato sociale degno di questo nome dovrebbe affrontare?

E chi può creare posti di lavoro se non i commercianti, gli artigiani, gli agricoltori, i lavoratori autonomi e le piccolissime, le piccole e le medie imprese, che il governo invece continua a penalizzare e a soffocare con sempre più tasse?

Queste imprese, grazie al governo delle sinistre si trovano oggi in una situazione drammatica.

Con le materie prime in aumento, i costi del lavoro in aumento, le tasse in aumento e, per contro, la domanda in calo, i consumi in calo, i prezzi in calo.

Una miscela esplosiva e devastante che provoca il calo dei posti di lavoro.

Anche per questo i giovani disoccupati devono ringraziare, sempre e soltanto, il governo delle sinistre.

La sinistra quindi deve capire che la disoccupazione: non si risolve con i decreti legge; non si risolve con i sussidi di Stato; non si risolve con le marche dei sindacati; non si risolve con i vertici e con nuove authority; non si risolve aumentando la spesa pubblica; non si risolve soprattutto aumentando le tasse a chi produce.

Il problema dell'occupazione si risolve soltanto con la nostra ricetta: si risolve liberando e sviluppando l'economia; si risolve detassando il lavoro, aumentandone la flessibilità e la mobilità; si risolve incentivando e sostenendo le piccolissime, le piccole e le medie imprese, le sole che possono creare davvero nuovi posti di lavoro.

Siamo qui, infine, per denunciare ancora una volta il disegno ormai palese di questa sinistra, di costruire un nuovo ordine sociale e politico, fondato sull'egemonia, sul dominio delle sinistre. È un disegno che fa parte della cultura, della tradizione, della sinistra, è il disegno di chi vuole rendere non reversibile quello stato di occupazione delle istituzioni e dei posti di potere che ormai è diventato una realtà. Questo disegno vuole portare la società, le imprese, i cittadini, a dipendere, giorno dopo giorno, sempre di più, da chi detiene il potere, dagli uomini che questo potere ha messo in tutti i posti delle istituzioni, della pubblica amministrazione, delle aziende pubbliche.

Vuol dire che se un cittadino vuole trovare un lavoro, se un agricoltore vuole avere un sussidio, se un artigiano vuole aprire un laboratorio, se un commerciante vuole aprire un negozio, se un imprenditore vuole avere una concessione, una licenza per un nuovo capannone, una fornitura da una società del Parastato, un prestito da una banca pubblica, se un cittadino vuole avere una sentenza giusta da un tribunale, deve allinearsi, deve essere in sintonia con il potere.

Vuol dire che tutti i cittadini devono astenersi dal manifestare posizioni opposte a chi detiene il potere, devono temere di dire ciò che pensano.

Vuol dire che la libertà diventa libertà condizionata, libertà minore, col cappello in mano, con la schiena curva, magari anche libertà in ginocchio.

Non sarà certo un regime da carri armati per le strade, con in giro camicie rosse o nere o verdi; è un regime mascherato, felpato, in guanti bianchi, che può offrire anche protezione e privilegi ma pretende subalternità e conformismo.

Non è questa l'Italia che noi vogliamo, per noi e per i nostri figli, non è questa l'Italia per cui siamo scesi in campo, non è questa l'Italia che abbiamo nella nostra mente e nel nostro cuore.

E allora qui, oggi, tutti insieme, da Milano, da questa piazza del Duomo carica di Storia, noi diciamo «no» a chi vuole realizzare questo progetto di regime.

Diciamo «no» a chi ci minaccia con nuove tasse, con nuovi contributi, con nuovi prelievi.

Diciamo «no» a chi vuole imporci sempre più vincoli, sempre più obblighi, più direttive, più limiti e più sanzioni.

Diciamo «no» a chi ci vuole trasformare in un popolo di delatori e di spie, nel popolo del 117, il popolo dell'invidia sociale e dell'odio di classe.

E diciamo ancora no a chi non si è accorto che il comunismo è morto in tutto il mondo e vuole rifondare in Italia quel regime che dovunque ha provocato miseria, terrore e morte.

Da Milano, da questa piazza del Duomo, tutti insieme diciamo «Venite con noi» agli amici che in buonafede hanno votato per la Lega ed esprimono le nostre stesse proteste e non vogliono certo consegnare le nostre città al potere rosso.

Diciamo «Venite con noi» agli amici che in buonafede hanno votato per Rinnovamento italiano e che, come noi, vogliono un'amministrazione trasparente, competente, efficiente per le nostre città.

Diciamo «Venite con noi» agli amici cattolici che in buonafede hanno votato per il Partito popolare e che vedono questo governo sempre più succube di Rifondazione comunista e sempre più ostile alle scuole cattoliche.

Da Milano, da questa piazza del Duomo, diciamo «sì» a tutti gli italiani che credono nella libertà, nella democrazia, nella giustizia giusta e uguale per tutti, nel rispetto per gli altri, nella tolleranza, nell'amore per la propria famiglia, per il proprio lavoro, per il proprio Paese.

Diciamo «sì» a tutti gli italiani che credono che i problemi si risolvono solo con lo sviluppo, con la crescita dell'economia e che solo attraverso questa via si può costruire un'Italia più moderna, più efficiente, più competitiva, più prospera.

Diciamo «sì» a tutti gli italiani di buona volontà che si uniranno a noi per convincere gli incerti, per diffondere i nostri programmi, per combattere, con il voto, l'occupazione rossa delle nostre città.

Questo è il nostro solenne impegno, l'impegno di un'opposizione forte e decisa in Parlamento, l'impegno di un lavoro serio e convinto nelle Regioni, nelle Province, nei Comuni, l'impegno di una presenza assidua nelle famiglie, negli uffici, nelle fabbriche, nelle associazioni, nella società, questo il nostro impegno dei prossimi giorni, delle prossime settimane, dei prossimi mesi, finché questo governo e questo regime non saranno finalmente sconfitti.

Da qui, da Milano, da ora deve partire la nostra marcia per la riconquista del Paese.

Tutti insieme combatteremo per le libertà, per la democrazia, per la giustizia, per il futuro nostro e dei nostri figli, per il bene dell'Italia e di tutti gli italiani.

Forza Italia, forza azzurri, forza Polo delle libertà.

Viva l'Italia!

Questo giorno sarà ricordato
come il giorno in cui le idee
di Forza Italia ricominciarono a vincere

Milano, piazza Duomo - 18 aprile 1998

Il 15 aprile 1998, si apre a Milano il primo Congresso nazionale di Forza Italia. In esso viene affermata una continuità ideale tra il movimento creato da Silvio Berlusconi e la coalizione dei partiti democratici guidata da De Gasperi, Saragat, Einaudi, Pacciardi e La Malfa che, esattamente mezzo secolo prima, il 18 aprile 1948, scelse la libertà, la democrazia, l'Occidente, sbaragliando il Fronte popolare di comunisti e socialisti. A conclusione del Congresso, durante una grande manifestazione a cui partecipano oltre trecentomila persone, il leader di Forza Italia ribadisce quell'eredità ideale che vuol essere stimolo concreto e programmatico.

Care amiche, cari amici, care azzurre, cari azzurri, vi saluto, vi ringrazio e vi abbraccio tutti.

Il mio grazie forte, affettuoso, per essere venuti così in tanti, in trecentomila, da tutte le regioni d'Italia, da tutte le città d'Italia, a portare qui, a questo corteo della libertà, a questa festa di libertà, la vostra speranza, la vostra fiducia, il vostro entusiasmo.

Siete venuti qui da ogni parte del Paese a rappresentare l'Italia che lavora, l'Italia che produce, l'Italia che risparmia ma anche a rappresentare l'Italia che non trova lavoro, che non trova giustizia, che non trova solidarietà, l'Italia dei senza lavoro, dei non assistiti, dei non garantiti.

Siete qui, siamo qui, tutti insieme, a confermare la nostra grande speranza, la nostra grande fiducia, la nostra grande missione, quella di trasformare profondamente il Paese, di rinnovarlo moralmente, di ammodernarlo, di avviarlo verso lo sviluppo, di renderlo più prospero e più giusto.

Siete qui, siamo qui, Forza Italia è qui, come baluardo insormontabile della democrazia e della libertà.

La prima cosa che ho da dirvi è che vi voglio bene, e vi voglio bene per una ragione assai semplice che abita nella mia mente ma anche nel mio cuore:

vi voglio bene perché siete quella parte d'Italia che non ha piegato e non piegherà mai la schiena di fronte all'arroganza del potere;

vi voglio bene perché nei vostri occhi brilla l'orgoglio di far parte di Forza Italia, di lavorare per Forza Italia, di sacrificarvi per Forza Italia, di credere in Forza Italia;

vi voglio bene perché nel vostro sguardo brilla la luce di un Paese serio, operoso, ricco di talento e di fiducia, che ha voglia di costruirsi con le sue mani un grande futuro;

vi voglio bene perché il materiale di cui siete fatti, voi che siete rimasti con me in questa lunga marcia dell'opposizione, è un impasto di compattezza, di duttilità e di irriducibilità: i maligni e i deboli di spirito dicono che siamo un popolo di «plastica», ma abbiamo dimostrato loro, senza più alcuna possibilità di equivoco, di essere gente fiera delle sue idee, sicura di sé, dura come il ferro!

La seconda cosa che ho da dirvi è che io e gli altri azzurri che sono qui con me possiamo aver commesso errori in passato e altri ne potremo commettere in futuro, ma c'è un errore che non commetteremo mai, noi che abbiamo guardato con disgusto al teatrino dei ribaltoni e dei trasformismi: noi non vi tradiremo mai, non tradiremo mai il vostro voto, il vostro mandato, la vostra passione e la grande spinta verso la pulizia e la moralità della buona politica che voi rappresentate.

La terza cosa che mi preme di dirvi è questa. Mentre ve-

nivo qui, in piazza Duomo, che oggi è una festa di simboli, un oceano di bandiere, una cassa armonica per il canto
appassionato e solenne di tanta gente onesta dopo tre
giorni di relazioni e interventi, discussioni e votazioni al
nostro Congresso, mi sono rivolto una domanda semplice:
che cosa vogliono adesso gli italiani liberi e forti che riem-
piono questa piazza, che cosa si aspettano da me, da noi,
da questo straordinario movimento politico chiamato Forza Italia, che loro hanno fatto grande e autorevole con la
forza del loro attaccamento e della loro passione?

E mi sono dato una risposta altrettanto semplice che ora
affido a questa piazza straripante di entusiasmo, che ha
bandito perfino la malinconia dal tramonto e che ha gli occhi del Paese puntati addosso:

noi vogliamo fermamente, senza tentennamenti e senza
dubbi, coltivare, far crescere, curare e veder fiorire il bene
più delicato e prezioso che ci hanno lasciato in eredità i
grandi italiani che il 18 aprile di cinquant'anni fa scelsero
l'Occidente e rifiutarono le lusinghe del comunismo totali-
tario.

Questo bene è tante cose insieme, è una fede, è una
mentalità, è un istinto, è una cultura, ma è alla fine una sola parola, una parola semplice, una parola alta e nobile,
una parola di tre sillabe, la parola regina del vocabolario
di Forza Italia: la parola «libertà».

Il primo Congresso nazionale di Forza Italia lo abbiamo
celebrato e lo concludiamo nel cuore di questa nostra Milano azzurra, accogliente e festante, di questa città indomita,
che è la locomotiva dell'Italia che lavora, che produce, che
sa essere insieme efficiente e solidale, che inventa nuove soluzioni per il proprio futuro in Europa e nel mondo.

Nel nostro Congresso abbiamo discusso di programmi
da confermare, da rinnovare e da rilanciare. Abbiamo discusso di idee e strategie per un'opposizione più forte ed
efficace, più incisiva e più combattiva.

I delegati da ogni parte d'Italia hanno espresso le ansie
e gli allarmi di un Paese che dubita, che riflette, che si in-

terroga sulla condizione effettiva del nostro sistema di libertà civili, di libertà economiche, di libertà della persona. Qui abbiamo ascoltato cento e cento denunce circostanziate, precise al millimetro, misurate ma ferme e, in qualche caso, cariche d'ansia. Nelle scuole, nei luoghi di lavoro, nelle relazioni industriali, nella vita delle professioni, nel commercio, nei quartieri, nel mondo della cultura le libertà italiane sono sotto attacco.

Certo, nessuno fino a oggi ha potuto sequestrare, nel modo tradizionale in cui lo fanno le dittature, la nostra facoltà di parola e di organizzazione. Ma c'è un modo sottile di mettere un Paese sotto una cappa di conformismo e di ossequio al potere; c'è un modo strisciante e quasi invisibile di obbligare gli uomini a rinunciare a pezzi delle loro libertà, di mettere sotto sorveglianza oculata e discreta i loro progetti per il domani, di stringere le loro famiglie e i loro giovani dentro il nodo scorsoio di un'egemonia politica che si fa sempre più soffocante, sempre più diffusa e minacciosa; ci sono molti modi surrettizi per costruire una psicologia da sudditi che piano piano dovrebbe sostituirsi alla dignità e all'orgoglio del cittadino libero di una democrazia moderna.

Noi parliamo da tempo di una «democrazia minore»: diciamo con pacatezza, ma anche con la giusta dose di preoccupazione, che non ci piace questa alleanza cupa di poteri forti e fortissimi che tendono a occupare tutto quel che c'è da occupare nella società e nello Stato, dalla cultura alla finanza, dalla scuola alla sanità pubblica, dall'informazione alla giustizia.

E non ci limitiamo a parlare retoricamente in favore della libertà: ci organizziamo per una battaglia che potrà essere lunga, ma che sta già cominciando a dare i suoi frutti nel presente. Perché di una cosa possiamo essere sicuri: il governo ha reagito con le solite tecniche della disinformazione e della polemica prefabbricata al Congresso di Forza Italia, del maggior partito dell'opposizione.

Se ha fatto così è perché ha paura, è perché ha capito che

da oggi per la nomenclatura della sinistra tutto diventa più duro e difficile, ha capito che l'opposizione sarà inflessibile sulle grandi e irrinunciabili scelte di principio che fanno da barriera, da argine e da diga, come cinquant'anni fa, alla confisca delle nostre autonomie e delle nostre libertà.

Non è la prima volta che ci ritroviamo in piazza ma è la prima volta che lo facciamo a conclusione di un Congresso, il nostro primo Congresso nazionale.

È la prima volta, nella storia della politica italiana, che un Congresso di partito si conclude tra la gente, in una piazza ricolma di un intero popolo, proprio per sottolineare la nostra voglia di trasparenza, il nostro desiderio di rendere pubblico, aperto e chiaro a tutti il significato della nostra battaglia politica.

E qui, davanti a voi, davanti ai nostri elettori, di fronte a tutti gli italiani, assumiamo come impegno solenne degli eletti e del partito le tesi congressuali e il programma che abbiamo approvato nel Congresso.

Ve lo racconto in sintesi:

Forza Italia si batte contro la disoccupazione e per il lavoro.

Forza Italia si batte contro l'oppressione fiscale e per lo sviluppo.

Forza Italia non è e non è mai stata contro la magistratura: si batte solo contro la malagiustizia e contro l'uso politico della giustizia, ma si batte anche per assicurare la piena indipendenza e imparzialità del giudice e si batte per quel principio fondamentale dello Stato di diritto che è la parità tra accusa e difesa.

Forza Italia si batte contro lo Stato assistenziale e per la vera solidarietà verso i più deboli, gli indifesi, gli emarginati.

Forza Italia si batte contro ogni forma di discriminazione delle donne, per renderle sempre più partecipi alle attività produttive e alla vita politica e amministrativa.

Forza Italia si batte contro il tentativo di mettere sotto controllo la scuola e la cultura e per assicurare ai nostri figli una formazione di qualità e di libertà.

Forza Italia si batte contro lo Stato centralista, burocratico e autoritario, per un sistema avanzato di autonomie che restituisca potere ai cittadini.

Forza Italia si batte contro gli eccessi della burocrazia e per assicurare ai cittadini e alle imprese un'amministrazione pubblica competitiva con l'Europa.

Forza Italia si batte contro la politica estera ondivaga di questo governo e per un'Europa unita nella libertà e nella continuità della solidarietà atlantica.

Contro la disoccupazione non serve l'assistenzialismo, non servono i finti lavori socialmente utili, le finte fabbriche nel Meridione, i finti ponti e le finte autostrade.

Non servono le marce del sindacato, non servono certo le trentacinque ore.

Sono tutte ricette sbagliate che, anzi, fanno male.

Per battere la disoccupazione occorre lo sviluppo, lo sviluppo, nient'altro che lo sviluppo. Solo con lo sviluppo si creano nuovi e veri posti di lavoro.

Per battere la disoccupazione occorre l'iniziativa degli imprenditori. Occorre l'intelligenza dei lavoratori, occorre la loro partecipazione ai risultati dell'impresa.

Questa piaga della disoccupazione, e molti di voi qui lo sanno bene, è particolarmente dolorosa al Sud.

Il Mezzogiorno ha bisogno, prima di tutto, di fiducia, di certezza del diritto, di speranza. Il nostro Mezzogiorno è l'unico, grande, vero serbatoio di sviluppo per tutta l'Italia.

Nel Mezzogiorno esistono grandi fermenti, c'è una nuova fioritura di imprenditoria diffusa, di lavoro magari sommerso o irregolare.

Il nostro dovere, il nostro compito è proprio quello di liberare le forze spontanee del Sud, che vogliono riscattarsi, che non si sono rassegnate, che vivono tutti i giorni le difficoltà di un ambiente ostile. Dobbiamo cambiare le regole, valorizzare al meglio da un lato le grandi intelligenze e le risorse che già esistono nel Sud, e dall'altro dobbiamo attirare nuove energie.

L'oppressione fiscale sta distruggendo il nostro Paese; le imprese migliori se ne stanno andando all'estero portando via lavoro, intelligenza, profitti, portando via sviluppo.

Questo non lo possiamo più sopportare, questo non lo vogliamo più sopportare.

Solo con un drastico abbattimento della pressione fiscale sulle imprese e sul lavoro l'Italia potrà riprendere il proprio cammino di crescita e di sviluppo.

Solo con un coerente federalismo sarà possibile valorizzare le tante energie delle nostre regioni, delle nostre città.

Meno tasse vuol dire più sviluppo. Più sviluppo vuol dire più lavoro. Più lavoro è l'unica vera garanzia di solidarietà.

I giovani non vogliono elemosine, non vogliono assistenzialismo. I giovani sono pronti a rischiare: non dobbiamo deluderli.

Solo lo sviluppo è la vera garanzia di sicurezza anche per gli anziani, per le loro pensioni. Altra strada non c'è.

Forza Italia si oppone a questa maggioranza delle sinistre che mira alla sistematica occupazione di tutti i posti di potere e a un soffocante controllo delle istituzioni, della società, del mercato.

Forza Italia sottolinea l'impegno a realizzare quella riforma della Costituzione che per prima ha chiesto in Parlamento. Ma, al tempo stesso, ribadisce il limite e le condizioni di quell'impegno che sono poi le condizioni indispensabili per portare a livello europeo le nostre istituzioni:

un freno allo statalismo invadente; la piena realizzazione di quel principio di sussidiarietà che afferma e attua il primato della società civile; un Senato delle autonomie; un presidente eletto dal popolo e dotato di poteri effettivi; un federalismo autentico; una giustizia fondata sull'assoluta imparzialità e terzietà dei giudici.

Forza Italia e il Polo delle libertà sono lo strumento insostituibile per garantire la necessaria evoluzione verso il bipolarismo e assicurare alla democrazia italiana un'opposizione forte e autorevole.

Con il suo primo Congresso nazionale Forza Italia raccoglie e rilancia la sfida per la crescente affermazione di un movimento politico che dia forza e voce alla società civile, ai ceti medi produttivi, alle categorie sociali più deboli, a tutti i cittadini che sentono insopprimibile il bisogno di realizzare i loro diritti di libertà.

Con questo programma chiederemo il consenso agli italiani.

Questo è il programma, questi sono i principi che abbiamo solennemente riassunto nella risoluzione finale che il nostro Congresso ha approvato all'unanimità.

Questo è il programma, questi sono i principi che affidiamo oggi a voi, ai nostri elettori, a tutti gli italiani che hanno a cuore l'avvenire del Paese e che offriamo anche alla riflessione e al dibattito di tutte le forze politiche.

Questa è la linea politica di Forza Italia.

Ecco perché non abbiamo voluto ripetere, stancamente, i riti abituali dei vecchi partiti, perché noi siamo e ci sentiamo diversi, perché Forza Italia è diversa: è una forza di libertà, la forza del popolo delle libertà.

Ho detto al Congresso che Forza Italia esiste, resiste e cresce. I nostri elettori esistono, resistono e crescono.

Forza Italia c'è. Un italiano su quattro oggi vota per Forza Italia.

Il Congresso ci ha dimostrato con il peso dei numeri, con la forza del programma, con la volontà e la passione dei delegati che ben altro può essere, deve essere, il nostro traguardo. Vogliamo portare a votare per Forza Italia non più un italiano su quattro ma un italiano su tre. Alle future elezioni politiche nazionali vogliamo Forza Italia al 33 per cento!

Questo è il nostro impegno, questo è il nostro obiettivo per riportare i moderati al governo del Paese.

Saluto in voi che siete qui oggi, nei nostri otto milioni di elettori, il popolo della libertà, quel popolo che il 18 aprile del 1948 scelse la democrazia, scelse l'Occidente;

il popolo che tenne l'Italia ancorata alla democrazia, lontana dalla tirannia e dalla miseria, mentre tanti intellettuali – salvo pochi, coraggiosi spiriti liberi – riparavano sotto le bandiere rosse;

quel popolo laborioso e tenace che poi dalle macerie della guerra seppe fare di un Paese distrutto e sottosviluppato uno dei Paesi più prosperi del mondo;

quel popolo che è maggioranza in Italia, e che il 27 marzo del 1994 si è ritrovato e riconosciuto in Forza Italia per i medesimi valori del '48, quegli stessi principi in cui anche noi crediamo e che sono il fondamento del nostro impegno civile e politico. Quei valori che non sono le complicate astrazioni ideologiche dei politologi e dei politicanti, ma i valori semplici e fondamentali dei buoni cittadini, che sono poi i valori fondanti di tutte le grandi democrazie occidentali.

A questo proposito, non posso che ripetere, parola per parola, quello che ho già detto il giorno della nostra discesa in campo:

Noi crediamo nella libertà, in tutte le sue forme, molteplici e vitali: nella libertà di pensiero e di opinione, nella libertà di espressione, nella libertà di culto, di tutti i culti, nella libertà di associazione.

Crediamo nella libertà di impresa, nella libertà di mercato, regolata da norme certe, chiare e uguali per tutti.

Ma la libertà non è graziosamente «concessa» dallo Stato, perché è a esso anteriore, viene prima dello Stato. È un diritto naturale, che ci appartiene in quanto esseri umani e che semmai, essa sì, fonda lo Stato.

E lo Stato deve riconoscerla e difenderla, in tutte le sue forme, proprio per essere uno Stato legittimo, libero e democratico e non un tiranno arbitrario.

Crediamo che lo Stato debba essere al servizio dei cittadini, e non i cittadini al servizio dello Stato. Il cittadino deve essere sovrano.

Per questo, concretamente, crediamo nell'individuo e riteniamo che ciascuno debba avere il diritto di realizzare se stesso, di aspirare al benessere e alla felicità, di costruire con le proprie mani il proprio futuro, di poter educare i figli liberamente.

Per questo crediamo nella famiglia, nucleo fondamentale della nostra società.

E crediamo anche nell'impresa, a cui è demandato specialmente il grande valore sociale della creazione di lavoro, di benessere e di ricchezza.

Noi crediamo nei valori della nostra cultura nazionale che tutto il mondo ammira e ama e che le iniziative incredibili della sinistra rischiano di cancellare dal sistema formativo delle giovani generazioni.

Crediamo nei valori della nostra tradizione cristiana, nei valori irrinunciabili della vita, del bene comune, della libertà di educazione e di apprendimento, della pace, della solidarietà, della giustizia, della tolleranza verso tutti, a cominciare dagli avversari.

E crediamo soprattutto nel rispetto e nell'amore verso chi è più debole, primi fra tutti i malati, i bambini, gli anziani e gli emarginati.

Desideriamo vivere in un Paese moderno dove siano valori sentiti e condivisi la generosità, l'altruismo, la dedizione, la passione per il lavoro, e al tempo stesso – da liberisti – crediamo negli effetti positivi per tutti della competizione e della concorrenza.

Crediamo nel valore benefico e progressivo dello sviluppo, della legittima ricerca del profitto e della fioritura di tutte le potenzialità umane, che sono invece soffocate quando la libertà è condizionata da chi detiene il potere.

Questi valori vogliamo riaffermare oggi in una giornata carica di storia e di memorie che sono anche nostre, in una giornata che perciò può legittimamente diventare anche la nostra festa.

Se celebriamo oggi il 18 aprile del 1948 non è per fare dell'archeologia politica o per inseguire i fantasmi del passato, e neppure -- come ci è stato rimproverato da qualcuno - per bandire anacronistiche crociate.

Lo facciamo innanzi tutto perché un popolo che dimentica i drammi del suo passato è condannato a ripeterli.

E poi perché l'intuizione politica dei partiti democratici di allora, di tutti i partiti laici e cattolici, è ancora valida oggi e conserva intera la sua lezione.

È l'intuizione che lega la legittima aspirazione individuale verso il lavoro, la proprietà, l'emancipazione, il benessere e la libera intrapresa alle sorti generali della libertà, agli assetti istituzionali di una democrazia occidentale.

Sulla base di questi principi, di questi valori, del nostro programma, il popolo della libertà e della speranza, il popolo dei liberi e forti che voi rappresentate, deve iniziare oggi, da qui, la riscossa morale, civile e politica dell'Italia migliore per riconquistare il diritto di governare il nostro Paese.

Noi ne dobbiamo essere, ne siamo i protagonisti.

È questo il messaggio che sale dal nostro Congresso e che dobbiamo raccogliere insieme dalle sue conclusioni:

oggi, da qui, diamo l'avvio a una nuova stagione di speranza; da qui, da Milano, riparte più forte e più decisa l'opposizione; da qui, da Milano, riparte quella che l'altro giorno ho definito la nuova primavera di Forza Italia, da qui, da Milano, riparte un grande movimento d'opinione che adesso si è fatto partito, ma partito nuovo, innovatore, diverso.

E questo è il messaggio che il primo Congresso nazionale lancia a tutti i militanti, ai simpatizzanti, agli elettori di Forza Italia.

E qui, da Milano, torniamo a porgere la nostra mano agli amici che in buonafede hanno votato per la Lega, che hanno le nostre stesse aspettative ed esprimono le nostre stesse proteste, e che hanno fatto esperienza di quanto sia facile, una volta consegnato il potere alle sinistre, veder criminalizzate le opinioni e il dissenso.

E ripetiamo il nostro «Venite con noi» agli amici che in

buonafede hanno votato per i gruppi moderati dell'Ulivo e che poi hanno avuto in cambio una politica punitiva contro i ceti medi e un governo alla mercé di Rifondazione comunista e delle sue devastanti pretese.

Ripetiamo instancabilmente il nostro «sì» a tutti gli italiani che credono nella possibilità di un'Italia più civile, più efficiente, più moderna, più competitiva e più prospera. Cioè di un'Italia davvero europea nella realtà e non solo sulla carta o nelle vuote declamazioni di certi governanti.

Questo è l'impegno solenne che il popolo della libertà rinnova oggi.

Lo facciamo qui, a Milano, a conclusione del nostro primo Congresso nazionale, in questa storica piazza dove siete convenuti così in tanti, da ogni parte d'Italia, con convinzione, con passione, con la determinazione che nasce dalla volontà e dalla speranza.

Oggi, in questa piazza, parla un partito che è ormai radicato nella fiducia di milioni di italiani, una fiducia rinnovata e accresciuta in ogni prova elettorale; un partito che compete per rappresentare la maggioranza degli italiani, che governa regioni, comuni e province d'Italia, che la rappresenta al Parlamento europeo, che si è dato una classe dirigente e un'organizzazione che ha superato brillantemente il collaudo del suo primo Congresso. Il partito attorno al quale si raccoglie il Polo delle libertà, la coalizione che rappresenta la maggioranza degli italiani.

Qui c'è il futuro. Ma il futuro non arriva da solo.

Tutti insieme, adesso, dobbiamo lavorare nelle nostre città per costruirlo, per dare vera libertà al nostro Paese, per il bene della nostra nazione e di tutti gli italiani.

Tutti insieme, uniti nel nome di Forza Italia, nel segno della libertà.

Da domani la splendida Italia che voi rappresentate si rimette al passo con i suoi doveri quotidiani, con le sue speranze e le sue trepidazioni, con la sua gioia di vivere e la sua infaticabile capacità di lavoro e di innovazione.

Noi, con questo Congresso, sappiamo di aver dato un contributo di idee, di programmi e di classe dirigente che non ha valore solo per l'opposizione, ma per tutto il Paese.

Sappiamo che la nostra fatica, i sacrifici di tanti straordinari volontari delle nostre battaglie di libertà, servono a rendere migliore la comunità in cui viviamo.

Vorremmo che anche i nostri avversari fossero capaci di quella mitezza non rassegnata, di quella compostezza piena di vigore e di entusiasmo, che abbiamo dimostrato di avere in questi quattro anni.

Il nostro Paese ha bisogno, soprattutto oggi che è in atto la grande sfida europea, di energia, di convinzione, di una classe dirigente all'altezza delle proprie ambizioni.

Lo spirito del 18 aprile e quello del 27 marzo del '94 sono fratelli.

Noi oggi prendiamo l'impegno solenne di far rivivere nelle nostre file, nella nostra pratica quotidiana tra la gente, nelle nostre idee e nel nostro apostolato di libertà, il meglio della storia di questo Paese, la parte più duratura e vitale della lezione dei grandi maestri della democrazia occidentale.

Prendiamo questo impegno davanti all'Italia intera, in un sabato di passione che resterà memorabile, che sarà ricordato come il giorno in cui le idee di Forza Italia ricominciarono a vincere.

A tutti voi grazie, grazie di cuore.

«*Discorsi per la democrazia*»
di Silvio Berlusconi

Collezione Ingrandimenti

Arnoldo Mondadori Editore

*Finito di stampare nel mese di marzo 2001
presso Mondadori Printing S.p.A.
Stabilimento NSM di Cles (TN)*

Stampato in Italia - Printed in Italy